ARGENTINOS

TOMO 1

JORGE LANATA

ARGENTINOS

*Tomo 1
Desde Pedro de Mendoza
a la Argentina del Centenario*

EDICIONES **B**
GRUPO ZETA

Barcelona · Bogotá · Buenos Aires · Caracas · Madrid · México D.F. · Montevideo · Quito · Santiago de Chile

Imagen de Tapa
"Bandera", Obra de Ernesto Bertani
Colección Zurbarán, Cerrito 1522, Buenos Aires, Argentina

Diseño de tapa
Equipo Creativo

Edición y Producción
Carolina Di Bella
Primera edición: abril de 2002
Segunda edición: mayo de 2002
Tercera edición: mayo de 2002
Cuarta edición: junio de 2002
Quinta edición: junio de 2002
Sexta edición: junio de 2002
Séptima edición: julio de 2002
Octava edición: julio de 2002
Novena edición: agosto de 2002
Décima edición: octubre de 2002
Décimo primera edición: noviembre de 2002
Décimo segunda edición: marzo de 2003
Décimo tercera edición: abril de 2003
Décimo cuarta edición: mayo de 2003
Décimo quinta edición: junio de 2003

© 2002   Jorge Lanata
         e-mail: lanata@data54.com
© 2002   Ediciones B Argentina S.A.
         Paseo Colón 221 - 6° - Buenos Aires - Argentina

ISBN 950-15-2258-X
Impreso en la Argentina / Printed in Argentine
Depositado de acuerdo a la Ley 11.723

Esta edición se terminó de imprimir en PRINTING BOOKS General Díaz 1344 Avellaneda,
Pcia. de Buenos Aires, Argentina, en el mes de junio de 2003.

A Bárbara Lanata,
y a Sarah Stewart Brown

AGRADECIMIENTOS

*A Romina Manguel, Andrés Bombillar,
Lucía Maudet, Alejandra Mendoza,
Jorge Repiso, Reynaldo Sietecase,
Margarita Perata, Silvina Chaine, Miguel Rep
y Sara Contreras de Gandía.*

ÍNDICE

Empecé a escribir este libro hace cinco años. Quizá seis. Recuerdo, sí, que para ese entonces ya sabía que los libros sólo son necesarios para los autores, y para nadie más; de modo que ya me había librado de la presión por publicar, y éste, mi libro de historia (así lo llamé todo este tiempo), no iba a tener fecha de salida estimada, ni contrato, ni adelanto en ninguna revista. Era un libro que no necesitaba de nadie más que yo.

Me siento argentino hasta en los defectos más vergonzosos. Sin embargo, frente a la Historia que me contaban mis maestros, yo resultaba ser un bicho raro: recité durante años una Historia sin pelea, hecha por hombres de bronce que miraban a lo lejos; aprendí un país tan perfecto que nadie podría enamorarse de él.

No había humanos aquí, sino argentinos, una especie de elegidos a los que la realidad, sin embargo, se les negaba. Me enseñaron que éramos los mejores, pero crecí observando que siempre nos iba mal. Anoté año tras año que nuestro destino era mañana, y hasta llegué a escribir: "Soy argentino porque espero". Esperar ¿qué? Que todo cambie, que Perón vuelva, que la dictadura termine, que llegue el verano: una larga espera sin atinar a nada, sino a que las cosas llegaran solas.

Durante mi infancia, en Sarandí, el país le pasaba a otros, y en otro lado: a lo sumo el país sucedía en el centro, a una hora de viaje colgado en el diecisiete. En mi cuadra esperaban; se sentaban en la puerta a ver la vida que nunca terminaba de pasar.

Si la Historia es algo, es una desordenada colección de sueños, deseos ajenos apilados en un viejo álbum de fotografías. Empecé a descubrir en Sarandí aquellas pistas, que ahora estaban olvidadas en la casa como quedan olvidadas las hojas de los árboles después de una tormenta. Un libro de mi abuela, Doña María del Carmen López, que no sabía leer, y que había traído desde España junto a un retrato de los Reyes. Una libreta de mi abuelo, Don Agustín Lanata, en la que alguien había anotado, escrupulosamente, las fechas y el lugar de nacimiento de cada uno de los seis hermanos: algunos en Paraná, otros en la Banda Oriental, otros en Barracas al Sur: Ernesto, Agustín, Eduardo, Luis, Arturo y la muerte que tachó el nombre y el lugar del sexto.

Yo era hijo del sueño de un mecánico dental, jugador de fútbol amateur, estudiante nocturno del Colegio Sarmiento, cirujano dentista a los cuarenta. Yo era hijo del sueño de una empleada de Duperial, que sonreía cuando le nombraban a Perón, que había estudiado inglés en una casa sin biblioteca.

Pero, ¿era ése el final? ¿Por eso me sentía argentino?

Decidí comenzar la investigación del libro y anoté algunas semanas después: "Hace algunos meses que leo un libro sobre la Argentina, el libro que todavía no escribí. ¿Podré escribirlo alguna vez? ¿Será ese libro el mío?

Casi ninguna de las respuestas sobre la Argentina cuenta con palabras equivalentes.

El país duele acá.

Y acá.

Sopla, el país, viento. Viento cálido, fuerte, lleno de piedritas y de cadáveres, y de sal gruesa, y de marcos, y de pañoletas.

—No me voy porque tengo una hija. Aunque no sólo es eso, no me voy porque no quiero dejarle este país a ellos.

Ellos y Nosotros.

¿Soy Ellos? No. No soy Ellos. Ellos a veces creen que sí, yo sé que no. Pero sólo a veces soy Nosotros. La mayor parte del tiempo sólo soy extranjero de mí.

Y de los demás.

Yo había perdido un globo, y papá tenía en la pieza de la terraza un viejo mapa de la Argentina de *Good Year*. Busqué aquel globo en ese mapa, en esa Argentina, durante meses... ¿Estará volando por acá?

¿Dónde habrá quedado ese mapa?

Argentina: mamá te busca en Duperial, las chicas del trabajo quieren ir a ver al Coronel Perón.

Argentina, reíte: mamá sonríe.

Argentina: después del partido de Arsenal, papá va a ir hasta la Costa, a buscar uvas, a juntar pasado, a escapar al río. El Doctor Lanata llega a la costa de Sarandí en su Chevrolet 51, americano, blanco y voluminoso como una heladera, con tapizado de bastones azules y grises y paragolpes cromados que reflejan el barro. El Doctor Lanata, en realidad, no saluda a los que pasan sino a los que alguna vez pasaron, a los que estaban allí cuando él —que ahora está— también estaba.

Argentina: ¿dónde quedó ese libro deshilachado de un tal Bunge, de tapas verdes, que se llamaba *La Patria*?

Argentina: ¿Bunge sabe qué carajo es la Patria?

Continuará.

Nadie, nunca antes, me había contado esta Historia argentina, aunque la mayor parte de este espejo roto estaba suelta, en el piso, peligrosos triángulos de cristal amenazando los pies del que se aventurara.

Ahora sé que soy parte de un sueño pendiente. No quisiera defraudar a los que lucharon por él.

Jorge Lanata
Buenos Aires, mayo de 2002

NOTA DEL AUTOR

El orden de los capítulos de este libro respeta la cronología de los hechos reseñados. Pero son los personajes y los hechos los que, muchas veces, se burlan de los almanaques. Este trabajo consta de dos tomos: el presente comienza con Pedro de Mendoza y llega hasta la Argentina del Centenario y del voto universal, relatando parcialmente el primer gobierno de Yrigoyen. El segundo, de próxima aparición, abarca desde entonces hasta nuestros días.

CAPÍTULO UNO

LA QUIMERA DEL ORO

Cuántos hombres de todo el mundo se han dejado engañar por el pomposo nombre de Río de la Plata!! El nombre engañador del Plata le fue dado, seguramente, por desprecio, porque no se ha encontrado jamás una partícula de oro o plata en este río o sus afluentes. Se diría que los primeros conquistadores, para consolarse de aquel chasco han querido, a su vez, engañar a los aventureros que siguieran sus huellas...

ARSENIO ISABELLE
VIAJERO DEL SIGLO XIX

Aún hoy se duda sobre el verdadero año de la fundación de Buenos Aires. La Historia oficial de la Argentina había decretado el año 1535 hasta que, a principios del siglo XX, Eduardo Madero (empresario, autor del proyecto del Puerto de Buenos Aires) encontró documentos que demostraban que en aquel año, 1535, Pedro de Mendoza se encontraba en España. Más cercano a nuestros días, el historiador Luqui Lagleyze llegó al mismo resultado: le bastó recordar que el cronista Ulrico Schmidl citaba el año 1535, pero que en aquel momento los alemanes usaban un calendario distinto al gregoriano. Aunque con ciertos titubeos ya por

Madero o por Lagleyze, los historiadores coinciden ahora en el año: fue
fundada en 1536. Las actas originales se han perdido, de modo que la
discusión histórica siguió: ¿en qué día y qué mes? Lagleyze anota,
refiriéndose al punto: "Se coincidió en febrero" como si hubiera sido
el resultado de una votación *sui generis*. Pero "¿qué día?" —se pregunta de inmediato—. "¿El dos o el tres?". De fundarse el día 2 la
ciudad se hubiera llamado La Candelaria, pero otra ciudad ya llevaba ese nombre en la costa oriental.

La historia que justifica el nombre de Buenos Aires es así: en el
año 1370 un barco evitó su naufragio gracias a unas cajas que los marineros tiraron al agua para aligerar el peso del buque. Cuando una de las
cajas cayó al océano, la tormenta se detuvo. La caja mágica les marcó
entonces el rumbo a la costa, y así fue como salvaron su vida. Bajaron a
tierra frente a un monte llamado Bonaria. Sobre el monte se levantaba
un convento mercedario, y hasta allí cargaron los marinos la misteriosa
caja que les había salvado la vida. Cuando los monjes la abrieron, encontraron dentro una imagen de Nuestra Señora de la Candelaria, que
fue desde entonces la Virgen de Cagliari y Nuestra Señora de la Bonaria.
La distancia entre Bonaria y Buenos Aires no es tan larga, y hay historiadores que la han acortado con otro dato: antes de que la expedición de
Mendoza partiera, Don Pedro envió a una delegación de marineros al
Convento de Bonaria, procurándose buena suerte para la travesía.

Tampoco hay suficiente acuerdo histórico respecto del sitio don-
de Mendoza desembarcó: la versión oficial sostiene que fue en el actual
Parque Lezama, ya que se buscó un sitio alto atento a las instrucciones
reales de 1523 que ordenaban asentarse en "sitios sanos y no anegadizos".
Para Armando Alonso Piñeyro el lugar no habría sido aquél, sino otro
entre las actuales Humberto Primo y Defensa. Para Enrique de Gandía,
Mendoza llegó a unas cuadras al norte del Parque Lezama; para Guillermo
Furlong fue a cuatro leguas del Río de la Plata, "a la altura del puente
Uriburu, donde nace la Avenida Sáenz". Martín Cagliani cita, en un
trabajo sobre el punto, otra teoría curiosa: Mendoza llegó a Escobar; así
lo sugirió Federico Kirbus, sosteniendo que en aquellos años la ciudad
estaba mucho más cerca del Río Luján de lo que está en nuestros días.
Pablo Lanne, siguiendo un razonamiento similar, llegó a la conclusión
de que Buenos Aires fue fundada en Ingeniero Maschwitz.

Ruy Díaz de Guzmán escribió que los navíos más pequeños se metieron en un riachuelo "del cual, media legua más arriba fundó una población, que puso por nombre ciudad de Santa María... donde hizo un fuerte de tapias de poco más de un solar en cuadro". La ambigüedad del texto también dio lugar a que se pensara en un asiento en la actual Vuelta de Rocha, o en el Alto de San Pedro.

Lo que fundó Mendoza, en verdad, fue un Fuerte, hecho con el casco de uno de los navíos que nunca regresó. Para tener "categoría de ciudad", según las leyes españolas, debía contar con un Cabildo que no tuvo hasta 1580. Lo llamó Fuerte de Nuestra Señora del Buen Ayre y fue ahí donde, sitiados por los indios, los primeros habitantes de esta ciudad se comieron entre ellos. Un grabado de Ulrico Schmidl, quizá la primera imagen de Buenos Aires, ilustra este episodio de canibalismo mostrando tres condenados a la horca a los que les faltan las piernas: les habían sido comidas por sus desesperados compañeros.

Pero la lucha de Mendoza contra el hambre no comenzó en estas tierras: Ernesto J. Fitte, en su interesante trabajo *Hambre y desnudeces en la Conquista del Río de la Plata*, señala que el fantasma del hambre persiguió a las naves de Mendoza mucho antes del desembarco. Antes de poder llegar a alguna costa se les terminaron las reservas de agua potable y "los soldados y gente que iban en dichos navíos bebían el vino puro... y se murieron personas que estaban dolientes". El escribano de la nave, Gonzalo Pérez, dio fe de que al faltar el agua "bebían agua llovediza, la cual cogían con paños". Con iguales palabras describió los hechos el contramaestre Juan Alonso, y añadió que "otros dolientes se bebían el vino puro y fallecieron". Antes de llegar a la costa de Guinea nueve hombres, una mujer y nueve caballos habían muerto de sed.

Los seis primeros hombres que salieron en patrulla a recorrer unos pocos kilómetros más allá del Río de la Plata cayeron despedazados por los tigres; tal la versión que dejara escrita en 1553 el soldado Antonio Rodríguez. Durante catorce días consecutivos, salvo uno, los indios no cesaron de proveer carne y pescado a la población; pero de golpe, sin conocerse la causa, desaparecieron, dejando de asomarse a la empalizada del Fuerte. Fitte afirma que los indios desaparecieron "resentidos por el desprecio y la soberbia con que eran tratados". Sin alimentos y en una tierra desconocida, la situación se complicó: Mendoza despachó el 3 de

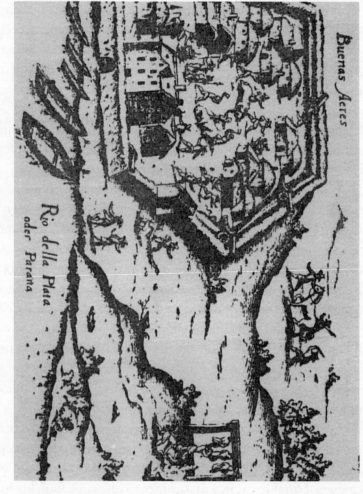

Primera imagen de Buenos Aires: Actos de canibalismo

marzo la nave Santa Catalina a la costa de Brasil para conseguir alimentos, y organizó simultáneamente que cuatro bergantines remontaran la desembocadura del Paraná con el mismo fin. El viaje duró dos meses y su resultado fue un fracaso completo: no sólo sufrieron terribles penurias, sino que volvieron con las manos vacías.

Mendoza comisionó entonces a Juan de Ayolas para que remontase el curso del Paraná hasta el antiguo Fuerte de Sancti Spíritu y consiguiese de las tribus vecinas cualquier clase de víveres no perecederos. Ayolas partió con tres navíos y doscientos setenta soldados. Francisco de Villalba, miembro de la expedición escribió que "fue tanta la necesidad que pasamos por no llevar más de una pipa de harina en cada navío que certifico a Vuestra Excelencia que murieron casi cien de pura hambre, porque no les daban sino seis onzas de bizcochos y algunos cardos y yerbas que algunos de los campos traían. En este camino se pasaron excesivos trabajos y hambres por ser como era la mitad del invierno, e ir la gente flaca bogando y toando por el río, sin tener otro refresco más del que he dicho a V. S. y algunas culebras, lagartos, ratones y otras sabandijas que a dicha por los campos se topaba".

El alcalde Juan Pabón y dos auxiliares decidieron, con poca fortuna, alejarse a cuatro leguas del Fuerte para preguntarle a los indios por los motivos de su actitud. Fueron asesinados y el camino elegido por Mendoza para "aplicarle un correctivo" a los indios fue una cruenta matanza.

En septiembre de 1536, Mendoza fundó el Fuerte de Nuestra Señora de la Esperanza, delegó el gobierno en Ruiz Galán y en abril del año siguiente partió hacia España. La Esperanza duró cuatro años más, y fue abandonada.

Santa María, como se verá, resultó despoblada como fruto de una intriga política que laudó a favor de la supervivencia de Asunción.

Mendoza trajo al Plata diversas enfermedades: la sífilis en estado terminal, de la que estaba infectado, la fiebre del oro y la plata, de la que contagió a los años subsiguientes y la crueldad en la matanza indiscriminada de los indios: cinco mil murieron en las márgenes del Río que pasó a llamarse La Matanza, contra veintisiete bajas españolas.

Del primer asunto, la procedencia geográfica de la sífilis, se ocupa la página web del Laboratorio Bayer, que señala a Don Pedro como el primero en dejar el contagio pues fue "el primer específico, con manifestaciones ulcerosas de la piel y huesos". Eliseo Cantón en su *Historia de la Medicina en el Río de la Plata* escribió respecto de los indios: "Eran organismos tan vírgenes para el virus sifilítico como para el variólico".

El combate del río Matanza se llevó a cabo entre el 19 y el 21 de marzo de 1536: allí cinco mil hombres, mujeres y niños querandíes fueron diezmados por los conquistadores. La represión había sido fruto de la desobediencia de los indios, que se negaron a seguir dándole alimentos a los españoles. Estuvo al mando de Diego de Mendoza, hermano de Pedro, junto a trescientos mercenarios de origen alemán y treinta jinetes de caballería con treinta mastines de guerra.

En su libro *Viaje al Río de la Plata*, el cronista Ulrico Schmidl, miembro de la expedición, citó el relato de un soldado alemán que llegó bajo las órdenes de Mendoza: "Allí se levantó una ciudad con una casa-fuerte para nuestro Capitán, y un muro de tierra en torno a la ciudad, de una altura como la que puede alcanzar un hombre con una espada en la mano. Este muro era de tres pies de ancho y lo que hoy se levantaba, mañana se venía de nuevo al suelo. Además la gente no tenía qué comer y se moría de hambre y padecía gran escasez, al extremo de que los caballos no podían utilizarse. Fue tal la pena y el desastre del hambre que no bastaron ratas ni ratones, víboras ni otras sabandijas; hasta los zapatos y cueros, todo tuvo que ser comido. Sucedió que tres españoles robaron un caballo y se lo comieron a escondidas; y así que esto se supo se les prendió... Entonces se pronunció sentencia de que se ajusticiara a los tres españoles y se los colgara de una horca. Así se cumplió y se les ahorcó. Ni bien se los había ajusticiado, y se hizo de noche y cada uno se fue a su casa, algunos otros españoles cortaron los muslos y otros pedazos del cuerpo de los ahorcados, se los llevaron a sus casas y ahí los comieron. También ocurrió que un español se comió a su propio hermano que se había muerto. En este tiempo los indios asaltaron nuestra ciudad con gran poder y fuerza... consiguieron quemar nuestras casas, pues estaban techadas con paja; excepto la casa del Capitán General que estaba cubierta con tejas".

Ruy Díaz hizo una descripción idéntica, añadiendo que además de los que morían y ahorcaban, llegaron a comer excremento humano. Ruy Díaz escribió que por "el hambre que sobrevino, estaba la gente muy triste y desconsolada, llegando a tanto extremo la falta de comida que había días que sólo se daba de ración seis onzas de harina y ésa podrida y mal pesada, que lo uno y lo otro causó tan gran pestilencia, que corrompidos morían muchos de ellos". Medio enloquecidos, algunos pobladores se fugaron a la costa del Brasil.

El propio Guzmán relata el triste fin de muchos de los que escaparon muriendo "a manos de indios, otros de hambre y cansancio y tal hubo hombre que mató a su compañero para sustentarse de él, a quien yo conocí, que se llamaba Baito".

Francisco de Villalta dijo que "era tanta la necesidad y hambre que pasaban que era espanto, pues unos tenían a su compañero muerto tres o cuatro días y tomaban la ración por poderse pasar la vida con ella; otros de verse tan hambrientos les aconteció comer carne humana, y así se vido que hombres con los que se hizo justicia fueron comidos de la cintura para abajo".

La noticia de la hambruna en Buenos Aires llegó al Rey de España, que el 20 de noviembre de 1539 suscribió una Real Orden dándose por enterado. Una de las mujeres que sufrió las penurias de la ciudad sitiada, Isabel de Guevara, presentó en 1556 un reclamo solicitando que se reconociera su derecho a participar en un repartimiento de indios. En su solicitud recordó aquellos días: "habemos venido ciertas mujeres, entre las cuales ha querido mi ventura que yo fuese una, y como la Armada llegase al puerto de Buenos Aires con mil quinientos hombres, y les faltase el bastimento, fue tamaña el hambre, que al cabo de tres meses murieron los mil. Vinieron los hombres en tanta flaqueza que todos los trabajos cargaban de las pobres mujeres; así el lavarles la ropa, como en curarles, hacerles de comer lo poco que tenían, limpiarlos, hacer centinela, armar las vallestas cuando algunas veces los indios les venían a dar guerra... si no fuera por la honra de los hombres, muchas más cosas escribiría con verdad...".

Martín del Barco Centenera, en el Canto VI de su poema *La Argentina*, escribió:

> ... *la perra,*
> *Pestífera, cruel hambre canina*
> *A todos abandona o los arruina*

Comienzan a morir todos rabiando
Los rostros y los ojos consumidos:
A los niños que mueren sollozando
Las madres les responden con gemidos
El pueblo sin ventura lamentando
A Dios envía suspiros doloridos
Gritan viejos y mozos, damas bellas
Perturban con clamores las estrellas.

A Del Barco Centenera pertenece, precisamente, la denominación de Argentina para esta tierra. Centenera partió de España con la expedición de Ortiz de Zárate, y llegó a Asunción en 1575 con el título de Arcediano de la Iglesia del Paraguay. Aunque no hay acuerdo histórico sobre el punto, parece haber integrado la expedición de Garay. Luego pasó al Perú, volvió a Asunción donde actuó como Obispo y finalmente llegó (¿o volvió?) a Buenos Aires, donde reedificó la Iglesia Mayor, en el mismo sitio donde se emplaza hoy la Catedral.

Mariano de Vedia y Mitre, en *El origen del nombre argentino* escribe que luego Centenera viajó a Portugal donde publicó *La Argentina*, que denominó *Poema Histórico*. "Con ello y todo —asegura Mitre— el nombre de la República Argentina y de sus hijos se debe a la repercusión que tuvo en el tiempo la obra de Centenera, se la llame poema o se la considere sólo como crónica. Centenera emplea el término Argentina o Argentino para la designación de lugares y personas habitantes de la región, sin atender a su origen." El autor dedicó su obra al marqués de Castel Rodrigo, virrey, gobernador y capitán general de Portugal, y aclaró en la dedicatoria: "He escrito en verso, aunque poco pulido y menos limado, este tratado y libro a quien intitulo y nombro *Argentina*, tomando el nombre del sujeto principal que es el Río de la Plata".

Armando Alonso Piñeyro, en *La Historia Argentina que muchos argentinos no conocen*, detalla las similitudes geográficas del nombre. Recuerda que hace varias centurias atrás, en la actual Bosnia, hubo una villa llamada Argentina, luego Czyvisky; Estrasburgo —la ciudad francesa— se llamó Argentina durante el siglo IX y hasta ese entonces se la conoció como Argentorate, desde el momento en que fue conquistada por Julio César. Argentorate es una palabra celta que significa *lugar cerrado entre dos ríos*. Anota Piñeyro que también en Francia, "en Dordogne, Savoie y Deux Sevres, existen tres villas llamadas Argentine, la más pequeña de catorce habitantes y la más grande de mil setecientos veintitrés".

El historiador Ángel Rosenblat ha dicho que "el nombre de la ciudad de La Plata (en el Alto Perú, hoy Bolivia) aparece traducido en los documentos latinos como *Civitas Argentina*, retraducido al español como Ciudad de Argentina en 1565 en los textos de la Orden Franciscana; la Cancillería Real de Charcas se llamó Cancillería Argentina.

El poema de Centenera apareció en 1602 y diez años después Ruy Díaz de Guzmán, un cronista español, escribió *La Argentina. Del descubrimiento, población y conquista del Río de la Plata*. Piñeyro cita unos viejos mapas dados a conocer por Roberto Levillier, hechos por Diego, Lopo y Andrés Homem, en los años de 1554, 1558, 1559 y 1568: llaman *Mare Argenteum* al Río de la Plata y *Terra Argentea* al país que lo contiene.

El 15 de agosto de 1537, cuando Ayolas fundó un Fuerte en el río Paraguay, al que llamó Asunción, comenzó para Buenos Aires el tiempo de descuento hasta su abandono. Asunción estaba más cerca de la tierra de los metales, y allí los indios eran más sumisos. Muerto Ayolas, Domingo Martínez de Irala comisionó a mediados de 1540 al capitán Juan de Ortega para que "bajase a Buenos Aires y procediese al traslado de los colonos, desmantelando y arrasando las construcciones". La población resistió la orden de Irala. Irritado por la demora, el Gobernador en persona se puso en marcha para hacerla cumplir. El representante del Rey, veedor Cabrera, expuso ante Irala y los pobladores las razones por las que se aconsejaba despoblar a la ciudad: "los cristianos llegados aquí han estado en tanta disminución por tantas muertes y pérdidas que sólo han quedado trescientos cincuenta personas bajo una hostilidad creciente de los indios... Buenos Aires es muy fría y la mayor parte de la gente está tan desnuda que no tienen con que cubrir sus carnes, a diferencia del Paraguay que por ser como es tierra caliente los que están desnudos podrán vivir mejor lo que les durase la vida".

Finalmente, se conminó a toda la población a abandonar la ciudad el 10 de mayo de 1541. La orden se hizo efectiva un mes más tarde. Irala, como si se hubiese sentido culpable del error cometido, dejó diversos mensajes "en muchas partes escritos, así en piedras como en señales y cartas": eran advertencias a los navegantes para que siguieran viaje hacia Asunción. El texto, conocido como la *Relación de Martínez de Irala* describe a la ciudad de Asunción diciendo que "es un pueblo de cuatrocientos habitantes, rodeado de indios leales al Rey (...) los cuales sirven a los cristianos así como con sus personas como con sus mujeres, en todas las cosas de servicio necesarias, disponiendo además el vecindario de setecientas mujeres para que les sirvan en sus casas con su trabajo (...) se tiene tanta abundancia de mantenimiento que no sólo hay para la gente que allí reside sino que sobra para atender a otras tres mil personas más...".

AL CAPITÁN CÉSAR
LO QUE ES DEL CÉSAR

El hambre, las flechas envenenadas, los pumas, el constante estado de sorpresa, las pesadas bromas de Dios a las que fueron sometidos, nada de eso importaba si lo que encontraban a cambio era la Ciudad de los Césares, el Reino de la Plata, aquel sitio que bien merecía haber sido escrito por Tomás Moro aunque en este caso no era una isla sino una sierra, el sueño de una montaña dorada. Como sucede con cualquier desvelo, nadie podía decir con precisión cuándo había comenzado ni por qué, sólo sabían que se despertaban por la noche de pronto, con el corazón a punto de saltarles por la boca, entre la humedad y el miedo, y volvían a apoyar la cabeza en la almohada pensando en la Sierra del Plata, el destino que les había señalado un veneciano que ni siquiera conocían y que se había llamado Sebastián Caboto.

El 3 de abril de 1526 Caboto partió, bajo las órdenes del Rey, desde San Lucar de Barrameda hacia las Molucas con doscientos tripulantes embarcados en tres naves y una carabela. Marisa Sylvester cuenta en *La Ciudad de los Césares* que, llegado a las costas del Brasil, Caboto comenzó a recibir extrañas noticias. Hacia y el sur y el oeste había un riquísimo y fabuloso imperio. Cuando la nave capitana ancló frente a Santa Catalina llegó una canoa con dos españoles, Enrique Montes y Melchor Ramírez, que llevaban varados allí más de quince años, y habían

llegado con la expedición de Solís. "Nunca hombres fueron tan bien-
aventurados como los de esta Armada —le dijo, llorando, Montes a
Caboto— que hay tanta plata y oro en el río de Solís que todos serán
ricos". Bastaba subir por el río Paraná y podrían "cargar las naves con
oro y plata". Caboto, ante la noticia, decidió cambiar de rumbo y nunca
llegó a las Molucas. Al entrar al río de Solís la expedición se detuvo en la
desembocadura del Delta.

Allí encontraron a otro náufrago (del que daremos detalle más
adelante), Francisco del Puerto, que afirmaba conocer, personalmente,
el río que descendía de la desconocida y tentadora Sierra del Plata. Caboto
ingresó por el Paraná de las Palmas, remontó el Paraná y se estableció en
la desembocadura del río Carcarañá en mayo de 1527. Allí se quedó dos
años y medio. Parte de lo dicho por el grumete Del Puerto era exacto: el
Carcarañá o Río Tercero es el único que llega desde las sierras de Córdoba hasta el Paraná. Caboto fundó allí el Fuerte Sancti Spiritu. A finales
de 1528 envió a su hombre de confianza, el capitán Francisco César, a
remontar el río Carcarañá hasta las famosas sierras. Partió a fines de
diciembre con la compañía de quince hombres. Fue la primera expedición de los españoles dentro de tierra argentina. César llegó hasta las
fuentes del Río Tercero y volvió para dar información a su jefe. Valdivieso,
cronista, manifestó que "ellos habían visto grandes riquezas de oro y
plata y piedras preciosas". El capitán César, según Sylvester, sólo habló
prudentemente de "algunas muestras de oro". Unos pocos meses más
tarde, Caboto se dirigió a la zona del Delta para poner sus naves a res-
guardo e iniciar la caminata hasta las sierras (su expedición no había
traído caballos). Pero el Fuerte fue asaltado por los indios, quemado y
destruido. Poco tiempo después Caboto abandonó para siempre el Río
de la Plata y volvió a España en julio de 1530, donde fue objeto de todo
tipo de acusaciones, y fue enjuiciado por la Corona por haber torcido el
rumbo. Pero el mito de la expedición del capitán César y sus compañeros ya tenía vida y nombre propio: de su apellido derivó aquello de la
Ciudad de los Césares. En su libro *Los comechingones* Antonio Serrano
describe que César llegó a las nacientes del río en Calamuchita, siguió
luego por alguno de sus afluentes, cruzó las Sierras de los Comechingones
—que separan a Córdoba de San Luis— y llegó hasta el Valle de Conlara.
Ochenta años después de aquel viaje Ruy Díaz de Guzmán, en su libro

La Argentina manuscrita, aparecido en 1612, narró que César remontó el Carcarañá, llegó a las Sierras y volvió a Sancti Spiritu, pero lo encontró destruido. Fue entonces cuando —según Guzmán— los "césares" decidieron volver a las sierras. César inició entonces una expedición de cinco años que terminó en Perú, donde se encontró con Pizarro. Hace algunos años, señala Sylvester, se conoció la verdad: César volvió en febrero de 1529 a Sancti Spiritu, el Fuerte fue destruido en septiembre y volvió a España con Caboto, donde prestó declaración en los juicios que le iniciaron.

SEGUNDOS NOMBRES, SEGUNDAS PARTES

El nombre del "río inmóvil" fue mutante: Solís lo bautizó Mar Dulce. Bartolomé Jacques, que lo navegó años después, fue el primero en llamarlo "de la Plata". Hernando de Magallanes lo llamó Río San Cristóbal; Sebastián Caboto lo rebautizó como Río de Solís hasta que Don Pedro de Mendoza volvió a "Río de la Plata". La lista de nombres no se agota ahí; en cartas, crónicas y mapas anteriores a Mendoza el río fue denominado: Río de los Lobos, Gran Río Pariente del Mar, Reunión de Ríos, Río de los Pájaros, Río de Santa María y Río Colorado.

Dos fechas, dos sitios y, lo que es peor, dos fundaciones. ¿Se puede fundar una ciudad dos veces?

Cuando partió desde Asunción hacia Buenos Aires, Juan de Garay llevaba treinta años viviendo en América; había llegado a los 14 años y era sobrino del Oídor Pedro Ortiz de Zárate, de gran figuración en las guerras civiles del Perú. Desde que se hizo público el bando que promulgaba la fundación, Garay pasó seis meses en preparativos. A mediados de abril de 1573 partió de Paraguay con la idea de fundar un puerto en el Plata, llegó a lo que años después sería Buenos Aires y retrocedió: estaba demasiado lejos de Asunción y, si elegía otro sitio, "después, más fácilmente, se podría poblar lo de abajo". Fundó Santa Fe el 15 de noviembre de 1573.

El 10 de julio de 1569 Juan Ortiz de Zárate capituló con el Rey la colonización del Río de la Plata. Le ofreció "meter en la gobernación quinientos españoles, doscientos de todo género de oficio y trescientos de guerra". El Rey le ordenó poblar "dos nuevos pueblos de españoles entre el distrito de la ciudad de La Plata (Potosí), Chile y la Asunción y otro en la entrada del río, en el puerto que llaman de San Gabriel o Buenos Aires".

Dos años después una cédula real facultó al Presidente de la Audiencia de Charcas para que, "si Zárate no cumpliera" tomara de su hacienda dos mil ducados y encargara a una persona que "fuera, a costa de ellos, a hacer la población de los dichos dos pueblos entre esa ciudad y la Asunción".

Recién en octubre de 1572 partió y después de una triste invernada de seis meses en Santa Catalina llegó al Río de la Plata en noviembre de 1573 "para probar nuevas miserias", tanto en San Gabriel como en Martín García. En abril de 1574 llegó Garay con vecinos de Santa Fe y en mayo fueron a San Salvador, donde construyeron un Fuerte y delinearon la zona. En la noche del 30 de junio los charrúas incendiaron el Fuerte y volvieron al Paraguay.

El 5 de febrero de 1580, Juan de Garay, delegado del Adelantado Torre de Vera y Aragón mandó pregonar un bando en Asunción ofreciendo mercedes de tierras, encomiendas de indios y aprovechamiento del ganado yeguarizo existente a quienes "por su cuenta y minción" fueran a poblar el puerto de Buenos Aires.

Para la fundación de Buenos Aires no hubo fondos: la capitulación de Ortiz de Zárate sólo les entregaba dinero en el caso de una rebelión de los indios o de los españoles, pero todo lo demás debían hacerlo a su costo.

Lograron reunirse sesenta y cuatro jefes de familia —sesenta y cinco, con Garay— entre ellos una mujer mayor de edad. La "Segunda Fundación" de Buenos Aires fue paraguaya: sólo diez de los sesenta y cinco eran españoles, el resto eran americanos, "hijos de la tierra" que hablaban guaraní y también aquellos descritos por Garay como "mancebos desordenados", quienes "tienen poco respeto a la justicia, son amigos de cosas nuevas, vanse cada día más desvergonzados con sus mayores, fuertes en los trabajos, curiosos, diestros y amigos de la guerra".

Junto a sus familias sumaban unas trescientas personas. Así como los fundadores de Asunción habían salido de la "primera Buenos Aires", ahora los fundadores de Buenos Aires salían del Paraguay.

La expedición partió de Asunción el 5 de marzo de 1580: dieciocho hombres lo hicieron por tierra arreando trescientos vacunos, quienes costearon la margen izquierda de los ríos Paraná y Paraguay. Los restantes cincuenta soldados, con sus mujeres e hijos y doscientos indios guaraníes con sus familias viajaron por río a bordo de la carabela San Cristóbal de la Buenaventura, los bergantines Santo Tomás y Todos los Santos, cuarenta balsas y numerosas canoas. El 29 de mayo, día de la Santísima Trinidad llegaron al puerto de Buenos Aires, que se encontraba en la boca del Riachuelo de los Navíos, a la altura de la actual calle Hipólito Yrigoyen. (La salida del Riachuelo por la Boca fue abierta un siglo y medio después.) La expedición terrestre había perdido la mayoría del ganado y fue forzada a hacer posta en Santa Fe, por lo que llegó una semana más tarde. La ciudad recién fue fundada el 11 de junio, y se llamó Trinidad, en el puerto de los Buenos Aires. "Estando en este puerto de la Santa María de los Buenos Aires —estableció Garay en el Acta de Fundación— hago y fundo en el dicho asiento una ciudad, la iglesia de la cual pongo su advocación a la Virgen de la Santísima Trinidad... y la dicha ciudad mando que se intitule Ciudad de la Trinidad". El nombre oficial de Trinidad se mantuvo en Buenos Aires hasta el acta del Cabildo del 18 de diciembre de 1810. El acta del 25 de mayo del mismo año, comienza diciendo: "En la muy Noble y muy Leal Ciudad de la Santísima Trinidad, Puerto de Santa María de los Buenos Aires...".

El 17 de octubre de 1580 fue un día peronista: Garay entregó a cada poblador un solar, es decir, un cuarto de manzana en el centro y media y hasta una manzana dentro de su ejido. Nadie podía sospechar que, semanas después, Buenos Aires tendría su primer exilio: muchos "fundadores", a poco de llegar, se ocuparon de agendarse propiedades y luego se marcharon a Santa Fe, Córdoba o Asunción. El éxodo llevó a que en el acuerdo del Cabildo del 8 de mayo de 1589, el Procurador le pidiera a los vecinos que salgan de Buenos Aires y que, al menos, dejaran representantes en sus propiedades. El acta se refería a los "vecinos que quieran ir a buscar su vida y hacer hacienda", solicitándoles que dejaran "un hombre bien aderezado de armas y caballos que sustente su vecindad hasta que vuelvan a la tierra".

Los reclamos entre vecinos sobre la propiedad de la tierra son contemporáneos a la fundación: debido a que los terrenos no fueron debidamente amojonados los pleitos se extendieron hasta entrado el siglo XVII. Recién diez años después de la fundación, el 9 de julio de 1590, el Cabildo dispuso "que ningún vecino sea osado de edificar en un solar suyo sin que éste sea medido primero por los alarifes, veedores y medidores" a quienes, por el trabajo, debía compensarse "con una gallina a cada uno". Ese mismo día el procurador general propuso una nueva medición o traza de la ciudad "porque en el papel pergamino se borran de suyo los nombres de los vecinos, por no hacer impresión la tinta en el pergamino".

Al mencionar el Cabildo, debo aclarar que nos referimos al órgano legislativo en sí, que funcionó durante años en otros edificios y no en el conocido luego; los cabildantes ocupaban generalmente algunas habitaciones del Fuerte, y allí sesionaban, aunque estaba por demás claro que, a la hora de considerarse ciudad, la Trinidad debía contar con un Cabildo construido como tal.

El 3 de marzo de 1608, el alcalde ordinario Manuel de Frías, atento a "que no hay casa de Cabildo" propuso que "se ponga remedio y diligencia en hacerlas", financiando dicha construcción con nuevos impuestos a los navíos "que han entrado a este puerto y entraren de ahora en adelante", y fue cobrado de manera retroactiva, haciéndolo también extensivo a las carretas con leña que entraban a la ciudad "atento a la mucha necesidad y pobreza" de las autoridades.

Recién ciento cincuenta años más tarde, el Cabildo logró conseguir una campana. Cuando esto sucedió, ya casi nada quedaba del Cabildo original —en un terreno que, por otra parte, había sido alquilado— ya que en 1632 amenazó con derrumbarse y fue construido casi enteramente de nuevo. Más adelante volveremos sobre el tema, ofreciendo más detalles del "estado de obra constante" en que vivió el Cabildo.

La construcción de la Plaza muestra el estado caótico de la primera planta urbana: según el plano originario debía hallarse en la mitad de la ciudad, pero nunca fue así ya que los vecinos más destacados y los principales comerciantes buscaron la proximidad del puerto y se fueron instalando en la entonces llamada Calle de San Francisco (hoy Defensa) especialmente en el tramo comprendido entre la Plaza y el Zanjón del Hospital (actual calle Chile). Las mismas autoridades se vieron obligadas a avalar las instalaciones irregulares, como lo demuestra el traslado del Hospital de San Martín a la actual esquina de México y Defensa, dejando desocupada la manzana señalada por el fundador para ese destino, entre las actuales calles Reconquista, Sarmiento, 25 de Mayo y Corrientes.

También era habitual que las propiedades avanzaran hacia la acera, no obstante las protestas de los vecinos y la inexistente línea coherente de edificación.

En la época se hizo célebre el caso del Padre Romano, del Convento de San Francisco: unió varias fracciones pertenecientes a la Iglesia pero que estaban separadas por una calle que llegaba al río. La reapertura del paso costó varias sesiones del Cabildo y diversos enfrentamientos.

En realidad, las propias autoridades distaban de dar algún tipo de ejemplo: el Fuerte, primer edificio público levantado en la ciudad, sufrió tres siglos de modificaciones; se fueron haciendo agregados y mejoras a la construcción inicial sin responder a algún plano determinado y a medida que era necesario para albergar a nuevos funcionarios, oficiales reales, etc.

El Fuerte —donde hoy se encuentra la actual Casa de Gobierno— se llamó Fuerte de San Juan Baltazar de Austria, y fue construido por el gobernador Fernando de Zárate en 1'595; tenía una muralla de ciento veinte metros de lado, con foso y puente levadizo, y estaba emplazado en la manzana comprendida por las actuales calles Rivadavia, Balcarce, Hipólito Yrigoyen y la Avenida Paseo Colón, sobre las barrancas que entonces daban al río. Descripciones de la época lo señalan como "un edificio siniestro y sombrío, sobre cuyos muros se destacaban varias bocas de cañón". Escribió al respecto José Antonio Wilde: "En ese foso, depósito eterno de inmundicias, se veían jugando a la baraja o echando la taba, o echados al sol en invierno, algunos soldados que formaban la guarnición, bastante mal vestidos, muchas veces descalzos, con el pelo largo y desgreñado. Por añadidura no faltaba un buen número de muchachos holgazanes de los que en todas épocas abundan y que hacían una rabona muy cómoda en el zanjón".

El Fuerte como tal subsistió hasta la gobernación de Pastor Obligado; bajo el gobierno de Juan Manuel de Rosas sólo fue una guarnición militar y luego se lo mandó demoler.

A partir de 1862 Mitre se instaló allí con sus ministros y su sucesor, Sarmiento, decidió pintarlo de rosado sin que se haya descubierto hasta el presente ningún documento que avale el mito de Sarmiento laudando entre los rojos y los blancos. La construcción de la actual Casa de Gobierno comenzó en 1873, cuando por decreto se ordenó construir el Edificio de Correos y Telégrafos en la esquina de Balcarce y Victoria (hoy Hipólito Yrigoyen). Años después, el presidente Julio A. Roca decidió la "construcción del definitivo Palacio de Gobierno" en la esquina de Balcarce y Rivadavia, edificación similar al vecino Palacio de Correos. Ambos edificios se unieron en 1886 mediante el pórtico que hoy constituye la entrada a la Casa Rosada que da hacia la Plaza de Mayo. A fines de 1894 se demolió la Antigua Aduana, despejando de este modo el frente de la Casa de Gobierno. En 1927 se regularizó la fachada Este cerrando el sector próximo a la calle Yrigoyen. En 1938, bajo la presidencia de Justo, se demolió el frente Sur hasta diecisiete metros de fondo. Recién el 21 de mayo de 1942, por decreto 120.412 del presidente Castillo, se la declaró Monumento Histórico.

Durante todo el siglo XVII se insistió en prohibir una costumbre bastante arraigada: la de sacar tierra de las calzadas públicas y usarla en el relleno de patios y huertas interiores, del mismo modo que convertirla en barro para edificar; también se impusieron diversos tipos de multas a quienes dejaran animales sueltos, caballos, cerdos y ovejas que pastaban en la calle o se metían dentro de las iglesias buscando protección de la intemperie. El asunto de las ovejas llevó a un serio enfrentamiento con los dominicos, hasta que sus ovejas debieron abandonar el ejido urbano.

El 11 de diciembre de 1590 el Rey de España por Real Provisión dispuso que las tierras otorgadas a pobladores que por ausencia no hubiesen sido trabajadas o edificadas se volvieran a repartir de nuevo a los vecinos. Pedro Rodríguez, Bernabé Veneciano, Miguel López Madera, Pedro Isbran, Juan de Basualdo y muchos otros ya habían abandonado la ciudad.

Según el censo de 1615, treinta y cinco años después de la fundación, de los sesenta y tres hombres quedaban siete y de las treinta mujeres restaban únicamente tres.

La Real Provisión sobre el abandono de las tierras repartidas por Garay dice, textualmente: "Saved que Pedro Sánchez de Luque, Procurador General de la dicha ciudad de la Trinidad, Puerto de Buenos Ayres, que por nuestro mandato reside en la ciudad nos hizo relación diciendo que Juan de Garay teniente general que fue dessas provincias pobló esa dicha ciudad de la Trinidad en nuestro real nombre y a los pobladores como es uso y costumbre les dió y repartió solares tierras y cavallerías para que se pudiesen sustentar. Y que muchas de las personas a quien hizo dicha repartición se han ido y ausentado de la dicha ciudad y que otros que van a poblar en dándoles que les den las dichas tierras se van y ausentan como los demás y quedan impedidas para las poder dar y restituir y repartir a las personas que asisten en las dicha población las cuales eran agraviadas de suerte que todas las cargas de guerra y demás ministerios de la dicha población cargan sobre los que allí residen y no hay que les dar y repartir en premio por su trabajo".

Según detalla Hialmar Gammalsson en *Los Pobladores de Buenos Aires y su descendencia*, el estudio más completo realizado sobre la fundación de Garay, éstos fueron los primeros pobladores (en la referencia respecto del origen debe leerse "paraguayos" como nacidos en Asunción y "americanos" como criollos, sin mayor precisión):

1 / AMBROSIO DE ACOSTA, paraguayo

2 / ESTEBAN DE ALEGRE, paraguayo

3 / CRISTÓBAL ALTAMIRANO y su mujer ANA MÉNDEZ, españoles

4 / LUIS ÁLVAREZ GAITÁN, su mujer ANA DE SOMOZA y su hijo FRANCISCO, paraguayos

5 / PEDRO ÁLVAREZ GAITÁN, paraguayo

6 / DOMINGO DE ARCAMENDIA, paraguayo

7 / JUAN DE BASUALDO

8 / SEBASTIÁN BELLO, americano

9 / ANTÓN BERMÚDEZ, español, su mujer INÉS y su hija MARIANA, ambas americanas

10 / FRANCISCO BERNAL, su mujer JUANA DE LOS COBOS y su hijo FRANCISCO, paraguayos

11 / BALTHASAR CARBAJAL, paraguayo

12 / JUAN CARBAJAL, paraguayo

13 / VÍCTOR CASCO DE MENDOZA, paraguayo y su mujer LUISA DE VALDERRAMA, americana

14 / MIGUEL DEL CORRO, paraguayo y su mujer MARÍA DE AGUILERA, americana

15 / ANA DÍAZ, paraguaya

16 / JUAN DOMÍNGUEZ, paraguayo

17 / ALONSO DE ESCOBAR y su mujer MARÍA CEREZO, paraguayos, y sus hijos TOMÁS y MARGARITA, americanos

18 / JUAN DE ESPAÑA, paraguayo

19 / JUAN FERNÁNDEZ DE ENCISO, paraguayo

20 / JUAN FERNÁNDEZ DE ZÁRATE, paraguayo

21 / PEDRO FRANCO, paraguayo

22 / JUAN DE GARAY y su mujer ISABEL DE BECERRA, españoles

23 / JUAN DE GARAY, EL MOZO, americano

24 / ALONSO GÓMEZ, su mujer LORENZA FERNÁNDEZ y sus hijos FELIPA y GERÓNIMO, todos paraguayos

25 / MIGUEL GÓMEZ, su mujer BEATRIZ LUIZ DE FIGUEROA y sus hijos BENITO y ÚRSULA, paraguayos

26 / RODRIGO GÓMEZ, paraguayo

27 / LÁZARO GRIBEO y su hermano DOMINGO, paraguayos

28 / PEDRO HERNÁNDEZ, paraguayo

29 / SEBASTIÁN HERNÁNDEZ, paraguayo

30 / ANTÓN HIGUERAS DE SANTANA, español

31 / RODRIGO DE IBARROLA, español

32 / DOMINGO DE IRALA, paraguayo

33 / PEDRO ISBRAN y su mujer AGUSTINA DE AGUILERA, americanos

34 / PEDRO DE IZARRA, español

35 / MIGUEL LÓPEZ MADERA

36 / PEDRO LUYZ y su mujer ELENA DE PAYVA, paraguayos

37 / JUAN MARQUEZ DE OCHOA, paraguayo

38 / Gonzalo Martel de Guzmán, español y su mujer Isabel de Carbajal, americana

39 / Juan Martín y Bartola Martínez, paraguayos

40 / Pedro de Medina, paraguayo

41 / Andrés Méndez, su mujer María y su hijo Juan, paraguayos

42 / Hernando de Mendoza y su mujer Agustina de Zárate, americanos

43 / Pedro Morán y su mujer María Cristal, paraguayos

44 / Miguel Navarro, español y su hijo Felipe, americano

45 / Gerónimo Núñez

46 / Rodrigo Ortiz de Zárate, español y su mujer Juana de la Torre, paraguaya

47 / Diego de Olabarrieta, español

48 / Federico Pantaleón, paraguayo

49 / Alonso Parejo, español

50 / Gerónimo Pérez

51 / Antón de Porras

52 / Pedro de Quirós, español

53 / Antonio Roberto, español, y su hijo americano

54 / Juan Rodríguez de Cabrera, paraguayo

55 / Pedro Rodríguez de Cabrera y su mujer Juana de Enciso, paraguayos

56 / Juan Ruiz de Ocaña y su mujer Bernardina Guerra, paraguayos

57 / Pedro Esteban Ruiz de Ocaña, paraguayo

58 / Jusepe de Sayas, paraguayo

59 / Pedro de Sayas Espeluca y Beatriz de Cubillas, paraguayos

60 / Pedro de la Torre, paraguayo

61 / Andrés Vallejo, paraguayo

62 / Bernabé Veneciano, paraguayo

63 / Alonso de Vera y Aragón, español

64 / Pedro de Xerez, paraguayo

65 / Pablo Zimbrón, paraguayo

La lista que sigue, junto a algunos detalles biográficos, enumera la suerte de alguno de ellos:

AMBROSIO DE ACOSTA

Recibió tierras y encomienda. Dejó Buenos Aires y se radicó en Corrientes.

ESTEBAN ALEGRE

Recibió mercedes de tierras y encomienda; vendió tierras en La Matanza en diciembre de 1616 y se estableció en San Juan de Vera de las Siete Corrientes.

CRISTÓBAL DE ALTAMIRANO

Había llegado al Plata con la armada de Juan Ortiz de Zárate. Fue tomado prisionero por los charrúas y logró huir y unirse a Garay antes del combate de La Matanza. Se radicó con su familia en Santa Fe.

ÁLVAREZ GAYTÁN

Su familia recibió una de las dos primeras Suertes de Chacras que repartió Garay, ubicada entre las actuales calles Arenales y Montevideo. Dos de sus hijos se radicaron en Corrientes.

JUAN DE BASUALDO

Se radicó en Santa Fe en 1584.

MARCOS DÁVILA

Se radicó con su mujer, INÉS DE PAYVA, cerca de Santa Fe.

CAPITÁN JUAN FERNÁNDEZ DE ENCISO

Volvió a Paraguay, donde fue Regidor en 1596.

PEDRO HERNÁNDEZ

Se radicó en Santa Fe tres años después de la fundación.

CAPITÁN RODRIGO DE IBARROLA
Regresó a Asunción en 1580.

DOMINGO DE IRALA
No hay rastro de su permanencia en la ciudad como vecino.

PEDRO ISBRAN
La mitad de su familia se radicó en Santa Fe.

MARQUEZ DE OCHOA
Retornó a Santa Fe.

JUAN MARTÍN
Se radicó en Santa Fe.

PEDRO MEDINA
Retornó a Asunción.

CAPITÁN HERNANDO DE MENDOZA
Regresó a Asunción, donde llegó a ser alcalde.

CAPITÁN PEDRO MORÁN
Se radicó en Córdoba del Tucumán.

DIEGO DE OLABARRIETA
Volvió a Asunción.

ANTÓN DE PORRAS
Recibió mercedes de tierras y encomienda. Volvió a Asunción.

ANTÓN ROBERTO
Se radicó en Corrientes.

ESTEBAN y JUAN RUIZ DE OCAÑA
Se radicaron en Córdoba.

UN SANTO FRANCÉS
Y UNO, DOS, CIEN ESCUDOS

El 20 de octubre de 1580 Garay designó Santo Patrono de la ciudad a San Martín de Tours, hecho que consta en las actas del Cabildo, que —al igual que las de la fundación— se han perdido. En la copia de estas actas, que aún se conserva en el Real Archivo de Indias, en España, Garay detalla el escudo de armas de la Trinidad: "(deberá tener) un águila negra, con su corona en la cabeza, con cuatro hijos debajo, demostrando que los cría, con una cruz colorada sangrienta que salga de la mano derecha y suba más alta que la corona, que semeje a la cruz de Calatrava, y la cual esté sobre campo blanco (plata)".

El Rey demoró once años en dar su aprobación y se perdieron también todas las actas posteriores hasta 1615; en aquel año el Alcalde, capitán Pedro Casco de Mendoza ordenó al platero (¿orfebre?) Melchor Miguez que labrara en plata el escudo de armas de la ciudad. Para Miguez no fue éste un trabajo sino, literalmente, una condena: había sido juzgado y condenado por lesiones y se le impuso la obligación de labrar el escudo, una especie de *probation* virreynal.

Treinta y cinco años después de las órdenes impartidas por Garay, el primer escudo sufrió algunos desvaríos de la tradición oral: el águila fue un pelícano en la versión de Miguez y sus cuatro hijos se convirtieron en cinco pequeños tucanes.

Escudo en busca de su identidad:
de pelícanos a palomas

Treinta y cuatro años después de labrado el primer escudo de armas, en el acta del Cabildo del 5 de noviembre de 1649, el gobernador Jacinto de Lariz se quejaba por la falta de un escudo de armas en la ciudad. En aquella sesión del Cabildo no se mencionaba ni a Miguez ni a Casco de Mendoza. El acta decía textualmente: "Atento a no haberse hallado en el archivo de este Cabildo ni en sus libros que ya ha tenido ni tenga hasta ahora armas alguna cuyo sello de armas sirva para sellar cualquier testimonio, certificaciones, pliegos, cartas y demás recaudos necesarios... etc., etc.". Así nació la tercera versión del escudo de la ciudad con, claro, nuevas variaciones: el águila que nunca llegó a volar y se transformó en pelícano era ahora una paloma; los pichones —águilas o tucanes— desaparecieron, y la paloma vuela sobre las aguas del Río de La Plata, de las que asoman un brazo y un ancla. En el borde del grabado puede leerse: "Ciudad de la Trinidad. Puerto de Buenos Aires".

Un siglo después el escudo incorporó —sin que se sepa a ciencia cierta a nombre de quién ni cuándo— un par de barcos a ambos lados.

En 1784, como homenaje para la proclamación de Fernando VII, se acuñaron medallas con la imagen del escudo: pero entonces los dos barcos, que hasta ese momento se vigilaban frente a frente, pasaron a mirar ambos a la margen derecha del escudo. En las medallas de Carlos III y Carlos IV ya la paloma como el barco o el ancla fueron cambiando de posición: a veces miraban oblicuos, otras hacia la izquierda, etc. En las medallas de 1811 uno de los barcos parece haberse hundido: aparecía sólo el otro.

En 1852 una Comisión integrada por Gabriel Fuentes, Emilio Agrelo y Domingo Faustino Sarmiento unificó el diseño del escudo, donde faltaba el ancla.

Finalmente en 1923, esto es, a trescientos cuarenta y tres años de su fundación, Buenos Aires logró tener un escudo definitivo.

La elección del Santo Patrono de la ciudad no fue mutando: fue, desde el comienzo, una incógnita increíble. Es imposible saber con seriedad por qué se eligió un santo francés. San Martín de Tours es patrono de Francia y de las ciudades de Wurtburg y la Trinidad, puerto de Buenos Aires. San Martín nació en realidad en Sabaria, cuando existía el Imperio Austro Húngaro. La explicación puede rastrearse el jueves 20 de octubre de 1580: aquel día el Cabildo en pleno, presidido por Garay, decidió sortear el nombre del Santo que tendría la población. Salió San Martín de Tours, "lo que no conformó por ser santo extranjero". Volvió a sortearse y volvió a salir, y así también una tercera vez.

Hubo, luego, otros patronos menores: a partir de 1590 San Sabino y San Bonifacio como protectores contra las hormigas; en 1611 fueron elegidos por sorteo San Simón y San Judas para conjurar las plagas de hormigas y ratones; en 1612 San Roque, designado por el primer gobernador de Buenos Aires, Diego de Góngora, como defensor contra la viruela y el tabardillo; en 1688 la Virgen María como patrona de la ciudad bajo la advocación de Nuestra Señora de las Nieves, Santa Lucía como segunda patrona, abogadas y protectoras; las Once Mil Vírgenes para combatir a las langostas y Santa Clara, designada patrona con motivo de la Reconquista.

La mayor parte de las nominaciones eran formales, y al poco tiempo todos solían olvidar los votos.

ALICIA EN EL ESPEJO

La Argentina de los siglos XVI, XVII y XVIII no es muy distinta a un espejo roto: gran parte de la documentación de fuentes directas se ha perdido y ni siquiera las versiones de primera mano son confiables: los equívocos con los retratos de Pedro de Mendoza, Garay y Hernandarias puestos al descubierto por Lagleyze resultan un buen ejemplo. En el caso de Don Pedro hay un famoso y único retrato donde se lo puede ver "de pie, algo cargado de hombros, la mano izquierda en el pomo de la espada y la derecha apoyada en una mesa. Tiene barba y una expresión de tristeza y cansancio", según describe con precisión el propio Lagleyze. Este retrato perteneció a la familia de Andrés Pintor Granada Venegas, emparentada con los Mendoza. A su muerte, el cuadro fue comprado por un inglés de apellido Robertson, que en 1922 lo llevó a Estados Unidos, donde se perdió su rastro. Quedaron en Buenos Aires fotografías del cuadro: en una de ellas Enrique Larreta descubrió, en la parte inferior derecha, la fecha de autoría: 1567. Treinta años después de la muerte de Mendoza: era normal que se lo viera cansado.

En verdad, el hecho de que el retrato no fuera pintado en su presencia no alcanza para desautorizar el cuadro: las versiones de Güemes y Moreno que conocemos también se pintaron sin sus protagonistas frente al lienzo.

¿Don P?
Inciertamente atribuido a Pedro de Mendoza

Todos los cuadros de Moreno, menos uno, son imaginarios, incluyendo
su monumento en la Plaza de los Dos Congresos. Averiguar cuál Moreno es el real no es tan difícil: si alguien tiene todas las versiones debe
prestar atención al único cuadro en que se lo ve distinto; el verdadero
Moreno parece otra persona.

Moreno oficial 1

Moreno oficial 2

Moreno real

El caso de Güemes es similar: siempre se lo reconstruyó tomando como base un retrato de su sobrino. La barba, sin embargo, era de Güemes.

Pero en el caso de Mendoza la ambigüedad del título alimentó el misterio del retrato: hay historiadores que creen que no alcanza con que diga "Don P.". Como bien anota Lagleyze eso hace posible que haya sido un retrato de: Don Pablo, Pacomio, Pancracio, Pacífico, Patricio, Paulino, Pelagio, Pelayo, Palmiro, Paladio, Patrocinio, Paulo, Perfecto, Pío, Plácido, Plutarco, Pascasio, Procopio, Policarpo, Polidoro, Policeto, Pompeyo, Porfirio, Primitivo, Primo, Prisciliano, Próspero, Protasio, Prudencio y Público, por citar sólo algunos. Escribió sobre la polémica Enrique de Gandía: "Conservamos muchas dudas y no dejamos la posibilidad de que algún día pueda identificarse dicho cuadro con algún otro personaje en el cual hoy no se nos ocurre pensar".

El historiador Carlos Ibarguren, por su parte, demostró que nuestra imagen de Garay también es falsa: su boca está desviada a la izquierda y las facciones del lado derecho están menos acentuadas. En noviembre de 1959 el director del Museo Martiniano Leguizamón de Entre Ríos le pidió a tres médicos que revisaran el cuadro, y la opinión fue unánime: el personaje del cuadro tenía una parálisis en el nervio facial derecho. El único conquistador que, en aquel período, padeció de parálisis facial fue Hernando Arias de Saavedra, Hernandarias, y no Garay.

CAPÍTULO DOS

LOS PRIMEROS

La primera noticia sobre el pregonero de la ciudad, después de Garay, se registró en el acta acuerdo del Cabildo del 9 de julio de 1590: allí se habló de la necesidad de contar con alguien que diera a conocer a los vecinos las novedades de interés común y las disposiciones del gobierno. Lo curioso es que, en el caso de los comunicados oficiales, el pregonero no recibía remuneración alguna: "debíase pregonar sin pago —aclara el acta— cuando se tratare de asuntos de interés para este Puerto".

Años después se da cuenta de lentas y generalmente infructuosas gestiones del pregonero para tratar de cobrar algún salario hasta que finalmente el Cabildo unificó el trabajo de pregonero con el de verdugo, y este último sí recibía una paga.

La "carga pública" del pregonero recayó por primera vez en Juan Aba, un indio que no sabía leer. Si bien el Cabildo no especificaba la capacidad de leer y escribir en su concurso por el cargo, es obvio que el pregonero, condenado a repetir, debía valerse de la lectura para poder memorizar.

Juan Aba, entonces, sólo se dedicó a repetir en voz alta los dichos del Escribano del Cabildo u otro funcionario que leyera a su lado los documentos para dar a publicidad. Y debió hacerlo bien, o al menos sin contradicciones, ya que pasaron quince años hasta que el Cabildo tuvo la necesidad de encontrarle un reemplazante. El 5 de septiembre de 1605 se nombró a Juan Moreno, que no sólo fue pregonero de la ciudad sino, a la vez, el portero del Cabildo. Las exigencias eran todavía mayores; en el acta se le recordó que estaba obligado a lo siguiente: "acudir a llamar y ser portero del Cabildo y juntar regidores de él y a todo lo demás que en este caso se le mandare y lleve los derechos que por el arancel real se le debieren... ha de pregonar todos los bandos que la justicia mayor, alcaldes y regimientos le mandaren pregonar, sin llevar ni pedir interés alguno; que todas las veces que se le mandare pregonar todas las obras de la república y conviene a ellas, lo ha de hacer de gracia".

El primer verdugo de Buenos Aires fue Diego Rivera o de Rivera, a la vez pregonero y tambor. Rivera vivía tapado de trabajo: al no existir la cárcel como elemento pretendidamente rehabilitador, eran muy pocas las detenciones que se llevaban a cabo; en general se preferían castigos "ejemplificadores" que iban desde cortar la cabeza a piernas o manos, o el linchamiento. Los castigados eran expuestos durante varios días en la Plaza Mayor, a la vista del público.

No sólo las actas de fundación de la ciudad se han perdido, también las del Cabildo desde la fundación hasta 1588 y las de 1591 hasta 1605; este hecho hizo que se pensara, durante muchos años, que el primer maestro en Buenos Aires fue Francisco de Vitoria, basándose en un acta del Cabildo del 19 de agosto de 1605. Pero estudios posteriores realizados por Manuel Ricardo Trelles y Rómulo Carbia demostraron que antes de esa fecha se inició la enseñanza de las primeras letras en la ciudad. Guillermo Furlong y Enrique de Gandía afirman que la enseñanza primaria debió iniciarse hacia 1591. Pero ya en ese año como en 1605 la profesión de maestro no era respetada. No se consideraba un oficio, sino "la labor de quien no tiene otra cosa que hacer". En 1642 el maestro Diego Rodríguez se propuso ante el Cabildo "porque era pobre y sin oficio". Francisco de Vitoria dijo en su solicitud de agosto que ofrecía sus servicios por no haber en la ciudad quien lo hiciera, "y por ser cosa muy conveniente el servicio de leer, escribir y contar, por hallarme al presente desocupado". De Vitoria, al ser aprobada su solicitud, pidió un adelanto de sueldo: un peso "por los de leer y dos por los de escribir y contar". Se ignora si el Cabildo cumplió lo pactado.

Tres años después de aprobada la solicitud de Vitoria, faltaba un maestro en la ciudad. Lo dejó establecido el acta del 28 de julio de 1608, aclarando que "para ello está en esta ciudad un mancebo estudiante que podrá acudir a ello". Se trataba de Felipe Arias Mansilla, quien fue contratado. A los que enseñara a leer "le darán cuatro pesos y medio por cada un año y los que escriben a nueve pesos, todo pagado por tercias partes y en plata".

Según estudios realizados por Guillermo Furlong, en la Compañía de Jesús ya en 1617, los religiosos se ocuparon de enseñar algunas clases que estaban por encima de leer y escribir, como Gramática y Latinidad. Estudios posteriores mostraron que en el Colegio de la Compañía se enseñó canto en primero y segundo año, rudimentos de gramática latina y griega, fábulas de Fedro y Esopo, la *Eneida* de Virgilio, *Discursos* de Cicerón, *Ciropedia* y *Anábasis* de Jenofonte y *Obras* de Tácito.

En 1605 la ciudad contaba con un sastre, un maestro de primeras letras y un médico. El sastre tuvo un mal comienzo: en el acuerdo del Cabildo del 24 de enero se registró una petición del sastre Sebastián de la Vega en la que pidió que no se le aplicara la pena impuesta por habérsele hallado una vara (metro) falsa; la regla de medir usada por Vega no alcanzaba la longitud de la vara, de modo que al medir la tela de los clientes se quedaba con una parte. Los cabildantes rechazaron el pedido y ejecutaron la condena.

El primer desembarco leguleyo en Buenos Aires no fue aislado: intentó instalarse un bufete completo, que tropezó con la oposición del Cabildo. El 22 de octubre de 1613, bajo el gobierno de Mateo Leal de Ayala, decidió aplicar una ordenanza del Virrey Francisco de Toledo que no dejaba lugar a equívoco alguno: mandaba que "en los asientos de minas, fronteras y nuevas poblaciones no haya abogados". Los nuevos inmigrantes eran tres: el licenciado Diego Fernández de Andrada, "vecino feudatario de Santiago del Estero", su colega José de Fuensalida de la ciudad de Córdoba, y el licenciado Gabriel Sánchez de Ojeda, de Chile.

Aquel Cabildo sesionó completo, incluyendo al capitán de Ayala, gobernador interino, el capitán Simón de Valdez, tesorero, Bernardo de León, depositario general y todos los alcaldes y regidores.

"De lugares distintos cada uno de ellos —se informó— pero se han concertado los tres de venir este verano a este puerto con ánimo de que haya pleitos para ganar plata con que volverse o asistir en él". El regidor Miguel del Corro aseguró que "era público y notorio" que los "tres atrevidos abogados" llegarían en poco tiempo y "con su asistencia no faltan pleitos, marañas, trampas y otras disensiones que resultarán, para los pobres moradores, en inquietudes, gastos y pérdidas de hacienda". Del Corro terminó su exposición solicitando que "los dichos tres letrados, ni ninguno de ellos, no se admitan ni reciban en esta ciudad. Propongo que se les dé aviso de ello enviándoles al camino orden para que no entren en ella si no fuera trayendo particulares licencias de Su Majestad y Real Audiencia".

La preocupación del tesorero Valdez, como se verá, era eliminar a cualquier testigo molesto y peor aún, conocedor de la ley: su anhelo, como el de sus predecesores en el cargo, era entrar en gran escala mercaderías y esclavos negros de contrabando con destino al Alto Perú. Junto al teniente de gobernador Juan de Vergara y al capitán Diego de Vega, representante de comerciantes portugueses, organizaron el "contrabando legal" gracias a las maniobras de "arribadas forzosas".

Ya en 1602, por decisión del Rey de España, se había impuesto un sistema de permisos especiales a aplicarse en un puerto anulado, como el de Buenos Aires. Para decirlo de otro modo: la ley y el estado de excepción nacieron, crecieron y se desarrollaron juntos.

En este puerto cerrado al comercio, el 15 de agosto de 1602 el Rey concedió "que por el tiempo de seis años pudiesen sacar seis navíos, uno por año y por su cuenta de los frutos de sus cosechas... y en retorno puedan llevar cosas de que tuviesen necesidad para sus casas". Esta merced se repitió el 19 de octubre de 1608 y el 14 de enero de 1615. Se trataba, teóricamente, de "permisos de trueque", pero esta franquicia, sumada a la "arribada forzosa" de barcos debido a tormentas o vientos contrarios permitió que las "mercadurías" se remataran frecuentemente en la plaza pública, acrecentando la fortuna de unos pocos funcionarios.

Para ejercer el contrabando llegaron candidatos de España, Portugal y Brasil que constituyeron el llamado "Clan de los Confederados", opuesto a Hernandarias. La introducción de esclavos en el puerto se inició legalmente y en gran escala en 1597, pero antes y en lo futuro se hizo también mediante el contrabando. El gobernador Diego Rodríguez de Valdez y de la Banda, que llegó al Plata con una escuadra de seis navíos el 5 de enero de 1598 fue el primero que interpretó que el único recurso para salir de la miseria era autorizar el comercio con Brasil, siempre bajo la simulación del trueque autorizado.

El grupo de los Confederados llevó a cabo, en 1614, el fraude electoral más escandaloso de la época: contaban con el apoyo del gobernador Mateo Leal de Ayala, que dispuso encarcelar a un regidor y al propio escribano del Cabildo y poner en libertad a varios contrabandistas que cumplían condena para obtener así los votos que garantizaran su triunfo en la asamblea.

Con la llegada del gobernador Marín Negrón aumentaron significativamente el tráfico y lo acrecentaron todavía más durante el gobierno de Mateo Leal de Ayala. Valdez llegó a ser el mayor contrabandista de la ciudad, con el poder suficiente para que la pacata sociedad porteña tuviera que aceptar entre sonrisas a su amante Lucía González de Guzmán, quien se hacía conducir a la Iglesia en una silla cubierta, con estrado y cojines.

Valdez era, en verdad, un botón de muestra. En la primera mitad del siglo XVII Buenos Aires fue un centro de contrabandistas que formaron un poder dentro del poder del Estado, con vínculos y representantes establecidos en Brasil, Portugal, Angola, Holanda y otros puertos de esclavos.

Frente al contrabando ningún gobernador era fuerte: cuando Hernandarias no quiso transigir con aquel ambiente fue perseguido, acusado de crímenes que no cometió y condenado por jueces afines a los contrabandistas.

No se trataba de corromper a los que ya estaban, sino de contar con "tropa propia": adquirían en "subasta pública" los cargos de concejales que eran puestos a remate, ganando así con facilidad la mayoría en el Cabildo.

La venta de cargos públicos —incluyendo gobernadores, grados militares, municipales, etc.— se hacía por remate o como "donativo gracioso" al Rey. Esta "costumbre" comenzó bajo el reinado de Felipe II. Manuel de Velazco y Tezada, por ejemplo, adquirió su empleo de Gobernador y Capitán General de Buenos Aires en la suma de tres mil doblones como "donativo gracioso". El nombramiento le fue extendido en Madrid el 9 de febrero de 1707, con la obligación de entregar el dinero antes de los tres meses; a la vez, se le asignaba un salario de tres mil ducados que sacaría de las Cajas Reales de Buenos Aires, nombrándolo en el cargo por cinco años. El 28 de marzo de 1712 fue engrillado por orden del Juez Pesquisador José de Mutiloa y Andueza, Oídor de la Audiencia de Grados de Sevilla, acusado de excesos y contrabando que nunca se probaron.

El puerto de Buenos Aires estaba, como se dijo, clausurado al comercio; sin embargo, la lógica del donativo gracioso se hizo extensiva a quienes ofrecían donativos al erario local, a cambio de los que obtenían "permisos especiales". Así las cosas, el puerto no vivió sólo de la importación clandestina: también lo hizo de las exportaciones, sacando ilegalmente metales amonedados o en barra que llegaban desde Potosí.

Las telas eran el principal rubro del contrabando, pero muchas otras mercaderías formaban parte de los cargamentos, recibiendo todas en conjunto el nombre de "géneros" en el habla coloquial de la época.

En la confiscación de la Fragata Arbela, en 1719, las autoridades porteñas encontraron armas, telas, cerveza, aguardiente, brea, pólvora, marfil, cera, lienzos de algodón, loza de la China, arroz, cuchillos, espejos, tabaco, prendas de vestir, etc.

Un cargamento sorprendido en las lanchas del navío Wootle, en 1727, arrojó en el inventario: cuchillos, cucharas, limpiadientes, anteojos de larga vista, peinetas de asta, marfil, tijeras, navajas, tornillos, bastones de metal y de vidrio, cajitas de polvillo, medias de hombre y de mujer, medias de seda, vasos, saleros, sombreros finos, encajes, zapatos, chinelas, pañuelos de seda, hojalata para faroles, relojes de plata, hachas y todo tipo de baratijas.

El mito de la riqueza del Plata había encontrado su propia forma: según una crónica de viaje del siglo XVII firmada por Acarete du Biscay, comerciante holandés, había en Buenos Aires "unos cuatrocientos vecinos blancos y otros dos mil", muchos de ellos "muy ricos en dinero". En 1658 escribió que los vecinos "se hacían servir en vajillas de plata por un gran número de sirvientes indígenas, negros, esclavos y mestizos".

"Algunos vecinos tenían grandes capitales y uno de los mayores era de 67.000 libras." El juego ya se hallaba muy difundido. "En esas partidas corrían con profusión las onzas de oro. Noté que la vanidad tiene mucha parte en esta clase de juegos."

Fue nuestro ya conocido capitán Simón de Valdez, tesorero de la Real Hacienda, el primero en instalar una casa de juegos en Buenos Aires, en la esquina sudeste que forman las actuales calles Alsina y Bolívar. Tenía tejas y ladrillos —como pocas casas de la ciudad— puertas ventanas labradas en Brasil y un lujo inusual para este puerto: allí se daban cita oficiales reales, funcionarios, traficantes de esclavos y contrabandistas. Valdez fue denunciado y encarcelado por Hernandarias, aunque su mala fortuna duró poco: en 1616 volvió al cargo de Tesorero y fundó otra "casa de trueques" con mayor osadía: alquiló un local anexo al Cabildo.

La proximidad a los edificios oficiales determinó también la aparición de los primeros "boqueteros" del Plata. Alberto Rivas rescata la anécdota del primer robo de verdadera importancia en la Colonia, en 1631: desde un edificio vecino se construyó por la noche un boquete hasta "la Contaduría y Tribunal de los Jueces Oficiales de Vuestra Majestad, donde está su Real Caja, y quemado la tapa de ella y robado nueve mil cuatrocientos y tantos pesos de a ocho reales".

La cifra era inaudita, y también el sitio, lo que acortó rápidamente la lista de sospechosos: todos señalaron a Pedro Cajal, un funcionario que había desaparecido ese mismo día. Cajal y Juan Puma, su esclavo, fueron arrestados de inmediato, y el dinero se encontró enterrado en el fondo de su quinta. A la hora de discutir la pena, se planteó que ambos debían morir en la horca pero Cajal, "por tratarse de un hijodalgo", no podía ser ahorcado; sólo podía cortársele la cabeza. Y así fue.

José Cardiel observó que los criollos de la época no se dedicaban a los oficios manuales ni a los negocios, pero frente a eso los españoles no sentían la menor repulsa. "Todos son mercaderes —escribió— que acá no es mengua de nobleza. Vemos varias transformaciones: viene un grumete, calafate, marinero, albañil o carpintero de navío. Comienza a trabajar aquí como allá (hecho que espanta a los de la tierra, que no están hechos al tanto) haciendo casas, barcos, carpinteando, aserrando todo el día o metiéndose a tabernero, que aquí llaman pulpero, o a tendero. Dentro de pocos meses se ve con su industria y trabajo y ha juntado alguna plata: hace un viaje con yerba o géneros a Europa, a Chile o a Potosí. Ya viene hombre de fortuna: vuelve a hacer otro viaje y ya a ese segundo lo vemos caballero, vestido de seda de galones, espadín y peluca, que acá hay muchas profanidad en galas... y luego lo vemos Oficial Real o Tesorero, Alcalde o Teniente de Gobernación."

Pedro Juan Andreu testimonió el mismo fenómeno: "Cualquier hombre que venga de España bien criado y si sabe leer, escribir y contar, hará aquí caudal grande como no tenga vicios. Aquí todo hombre de caudal es mercader y el que blasona más nobleza está todo el día con la vara de medir en la mano. El que fuera, pues, recién venido, hallará paisanos en Buenos Aires, de caudal, que le fiarán de dos a tres mil pesos en efectos de las tiendas. Viniendo con ellos por estas ciudades de arriba se gana un ciento por ciento o, a lo menos, un ochenta. Como el quintal de hierro vale 16 pesos en Buenos Aires y 40 en Potosí, la pieza de Bretaña vale en Buenos Aires 4 pesos y de 7 a 8 en Tucumán. El que trae, pues, 2.000 pesos de empleo se lleva, a lo menos, de Tucumán, 1.000 de ganancia después de bien comido".

Acarete du Biscay no menciona que el dinero, más allá del despilfarro era, como serían mucho después los decretos, "urgente y necesario": Buenos Aires era carísimo; el "costo argentino" había comenzado a hacer estragos.

El acta de acuerdo del Cabildo del 27 de febrero de 1589 lamenta que "jamás se haya logrado controlar el precio de los productos en venta al público. Hemos visto lo que pasó con el trigo y el maíz. Precios fijos, libertad de precios y así, según la época, se esconde, se retiene".

Nueve años después de la fundación de la ciudad se decidió que "habiendo visto los precios excesivos en que los mercaderes venden sus mercaderías se dispone que las vendan o compren como pudieren, libremente, sin tasa ninguna para que ni los unos ni los otros se quejen". Así comenzó una política de precios casi fijos para los vecinos y comercio libre con los forasteros, y logró destrabarse el desabastecimiento de carne y cereales.

Aunque nada es para siempre. El 23 de agosto de 1610 el Ayuntamiento nombró una comisión para que relevara los precios fijados por los sastres, zapateros y herreros. La comisión cumplió con su trabajo y sobre ese promedio se fijaron los precios que habrían de regir, otorgando, por primera vez, permiso oficial para el trueque. "Preocupados por la pobreza de los vecinos de esta ciudad —dicen las actas del Cabildo— que no hallan casi plata para acudir a la paga de dichas hechuras" consideraban conveniente que los oficiales sastres, zapateros y herreros "les recibiesen en pago de sus obras otras que ellos hicieren en frutos de tierra: harina, trigo, carneros y sebos, maíz, pan, vino, tocino y la otra mitad en plata, y que cada uno de los dichos oficiales guarde el arancel".

RADIOGRAFÍA
DE LA PAMPA

Es llano, que parece a la vista de un mar, no se ve ni por milagro un árbol, no se encuentra piedra alguna, no hay alojamiento donde detenerse. Pero los campos son muy abundantes en pastos para los animales. Así veía la Pampa el padre jesuita Antonio María Fanelli, a las diez de la noche del lunes 24 de noviembre de 1698, cuando inició su viaje desde Buenos Aires a Mendoza.

Fanelli publicó en Venecia, en 1710, un relato de sesenta y tres páginas bajo el título *Relazione in cui si contiene due relazioni del regna del Io nei viaggi fatti, per mare, e per terra, dal P. Fanelli, jesuita, nella Missione allo stesso Regno.* Pero de todo lo que vio, nada le sorprendió más que la gran cantidad de vacas y toros que recorrían el territorio en libertad. "No reconocen otro dueño que el Creador del Universo —escribe Fanelli—. Cada año se tomaron más de trescientas mil vacas para alimentar todo el reino del Perú, Tucumán y Chile con todos los pueblos de los indios que están bajo el mando de los padres de la Compañía. Cuando llegan a Buenos Aires los navíos de Europa se hace una increíble matanza de toros sólo por las pieles, para transportarlas a España, y dejan la carne para los perros que como las manadas de ovejas viven en estos desiertos con sólo el alimento de la carne."

Aquellos objetos del asombro jesuita, caballos, perros y vacas, habían sido librados a su suerte por los españoles, un siglo atrás.

Cinco yeguas y siete caballos escaparon a tiempo de la antropofagia de la primera fundación. Habían sido sesenta y dos, de acuerdo a lo anotado por Ulrico Schmidl, los desembarcados por Mendoza. Ruy Díaz de Guzmán, en su manuscrito *La Argentina*, escrito en 1600, señala que los hijos del lusitano Luis Coes fueron los primeros en llevar vacas a Asunción "haciéndolas caminar muchas leguas por tierra y luego por el río, en balsas". Se trataba de siete vacas y un toro. Seis perros llegaron también con Mendoza y en diversos grabados de la época puede vérselos como parte de la iconografía de la conquista: en la avanzada de las tropas, atacando a los indios.

Los españoles ya habían usado a los perros en diversos conflictos: en la toma de Granada en 1492 las crónicas refieren a la "brillante actuación" de un dogo llamado Mahoma. Los alanos, una cruza lograda en la península similar al Gran Danés con perros provenientes de Rusia Oriental, fueron utilizados en las Antillas contra los indios caribes, cargaron contra aztecas e incas y en Chile y Argentina enfrentaron a los pampas y a los araucanos. El fraile Bernardino de Sahagun refirió testimonios de indios atacados por "perros enormes, con orejas cortadas, ojos de color amarillos inyectados en sangre, enormes bocas, lenguas colgantes y dientes en forma de cuchillos". Los alanos se mezclaron luego con otras razas y para mediados del siglo XVII los perros guerreros pertenecían al pasado aunque, como cimarrones, asolaron después el casco urbano de la ciudad y fueron motivo de preocupación para el Cabildo.

El asombro de Fanelli, el viajero jesuita, se mantuvo invariable durante todo el relato: caminaba por tierras repletas de comida. "Abundan además —escribió— estos campos de perdices, que con facilidad se han de matar con un bastón, que llevan siempre los viajeros con ese objeto, porque encontrándose con ellas como gallinas, van por el suelo en busca de alimento, y con el mismo bastón les dan en la cabeza. Y así, fácilmente, cazan de treinta a cuarenta por día mientras avanzan en el camino. Viajando por estos desiertos no es necesaria mucha provisión de víveres porque no faltan terneras, perdices y cabras que se encuentran en buena cantidad para deleitarse, y para tratarse bien como mesa de príncipe basta llevar consigo bizcocho y vino, sin otra cosa. Sucede muchas veces que por una lengua matan a una vaca, como lo he visto con mis propios ojos, por un palmo de piel casi destrozan a un toro y todo esto sucede por la abundancia que el Señor ha dado a estos desiertos".

Fanelli, jesuita y gourmet improvisado, no estuvo a la altura de las circunstancias con la antropología: "Los indios duermen en tierra, sin otro colchón que un cuero de vaca, las mujeres se cubren las carnes con un manto de pieles cuando pasan los españoles, pero todo el día están desnudas. Los hombres iban antes de la misma manera pero ahora, por haber visto a los españoles que van vestidos, tienen vergüenza de salir desnudos, de manera que han inventado un modo extravagante de vestido: se cubren de una colcha de lana tejida y cuadrada y en el medio le hacen un agujero para hacer penetrar la cabeza. La llaman poncho, o camiseta. No adoran ídolos, y no reconocen otro Dios que el propio vientre con el vicio de la carne. Tienen varias mujeres y son especialmente amigos de emborracharse". Fanelli se maravilló al comprobar cómo "procuran con súplicas y eficaces plegarias a todos los que pasan por sus ranchos que les bauticen sus hijos. De modo que quieren ser bautizados, pero no vivir como cristianos. (...) Son en extremo soberbios, de ánimo altanero y sucios por naturaleza, de modo que no tienen otra cosa para ser llamados hombres distintos de los brutos, que el habla, y sin la más mínima sombra de juicio, porque son incapaces de cualquier razón que se les diga".

Fanelli olvidó, en el fragor de su relato, que los indios no hablaban español. Curiosamente los describió como "sucios", aunque anotó en otro párrafo que se lavaban la cabeza dos veces por semana, costumbre que era bastante menos frecuente en Europa. Creían en brujos y en mitos, mientras que en el viejo continente creían en otros brujos y otros mitos, y resultaban, comprensiblemente, "soberbios y altaneros", a la hora de inducirlos al trabajo forzado.

Como apuntó el Padre Lozano, al aparecer los españoles, los indios "abrasaban sus pueblecillos, talaban las mieses, y se escondían donde no pudieran ser hallados". Estaban dispuestos a cualquier cosa, pero no a trabajar para los blancos. Y menos aún para blancos "hijosdalgos" que, para ser estrictos, lo eran sólo en algunos casos; la expedición de Pedro de Mendoza, al decir de Azara, "estaba compuesta por muy buena gente y lucida...", pero la de Ortiz de Zárate fue, según Hernando de Montalvo, "la escoria de Andalucía".

En la conquista del Perú, que para Ricardo Levene "tuvo cierto matiz señorial", a dieciséis años de iniciada había ocho mil castellanos que esperaban mercedes o encomiendas de indios, y desdeñaban el trabajo.

Los indios, además, habían emprendido un viaje de ida: eran adictos al mate, que jalaban con el uso de una pequeña caña o que directamente tomaban como infusión. Era el alimento básico de los indios guaraníes, que lo llamaban *caá-mate*, que significa planta o hierba; mate a su vez deriva de la palabra *mati*, la calabaza que en general se usaba para beberlo.

De acuerdo a Antonio Serrano, en un principio el mate fue usado sólo por los hechiceros como un narcótico que "jalaban" por la nariz hasta entrar en éxtasis, del mismo modo que los quechuas usaban la coca en las ceremonias religiosas.

El mate fue, para los españoles, "un vicio que fomentaba el ocio y que contagiaba a todos, no siendo esto bueno para la salud del alma y del cuerpo". Las colonias de Maracajú, Ibiraparya y Candelaria, situadas dentro de las provincias de Vera y Guairá, entre Paraguay y Brasil, fueron los principales centros yerbateros de la época.

En abril de 1595 una ordenanza dictada por el teniente del gobernador, Juan Caballero Bazán, dispuso prohibir el tránsito por los yerbales en las proximidades del río Xejui y también el cultivo de la yerba. El Padre Pedro Lozano, en su *Historia del Paraguay* afirma que "la yerba es el medio más idóneo que pudieran haber descubierto para destruir al género humano o a la nación miserabilísima de los indios guaraníes".

Desde 1610, año de la llegada de los primeros jesuitas al Paraguay, hasta 1630, se prohibió la exportación de mate y su consumo. Los indios transportaban la yerba desde distancias enormes, y llegaban a veces a tardar un año hasta volver a su punto de partida. La prohibición del consumo de mate disparó la curiosidad de los conquistadores, que comenzaron a consumirlo clandestinamente. Así relató la epidemia el padre jesuita Francisco Díaz Tanho: "No hay casa de españoles ni vivienda de los aborígenes en que (el mate) no sea bebida ni pan cotidiano. Ha cundido tanto el exceso de esa asquerosa zuma que ya ha llegado a la costa y otros muchos lugares de la América y Europa el uso y abuso de ella y es mi sentir que por el instrumento de algún hechicero la inventó el demonio".

El Tribunal del Santo Oficio de la Inquisición llegó a considerar su uso, más que un vicio, "una superstición diabólica".

En 1600 se consumían en Asunción cuatrocientos sesenta kilos de yerba por día dándose "a un vicio tan sin freno que todo el pueblo va tras ellos". Las penas impuestas en 1611 por el gobernador Marín Negrón para quienes fueran sorprendidos en "posesión de yerba" eran de cien latigazos para los indios o de cien pesos para los españoles. Para Hernandarias, en 1613, fueron de diez pesos de multa y quince días de cárcel, mandando quemar en varias oportunidades en la Plaza Mayor sacos de yerba que entraban clandestinamente, traídos por los encomenderos.

"Es una vergüenza —se indignaba el Procurador Alonso de La Madrid— mientras los indios la toman una sola vez al día, los españoles lo hacen durante toda la jornada."

Finalmente, el cultivo fue permitido a favor de la Orden: los jesuitas tuvieron el monopolio del mate hasta 1767. Hacia 1720 también se había generalizado el mate en la zona paulista. En la segunda mitad del siglo XIX los consumidores de mate estaban estimados en la mitad del Perú, la tercera parte de Brasil, la mitad de Bolivia y la totalidad de Chile, Paraguay y Argentina, lo que sumaba once millones de habitantes.

El mate formó parte, al poco tiempo, del desarrollo económico de diversas zonas del país y también marcó pautas y códigos de sociabilidad en zonas rurales y urbanas. Se lo tomaba amargo o dulce, pero caliente en gran parte del país, frío en la zona del litoral (donde se lo llama "tereré") y se le agregaban yuyos y alcohol en los Valles Calchaquíes, al oeste de Tucumán.

El mate comprende, a la vez, un curioso código de señales: si se lo sirve frío significa desprecio, lavado muestra desgano, hervido delata la envidia; es una falta de respeto servirlo por la izquierda, se dice que está enamorado quien lucha con una bombilla trancada, muestra aprecio cuando tiene espuma y nunca acepte el primer mate al comenzar la rueda: es el mate para el tonto, debiendo ser el cebador quien lo prueba primero.

La otra planta que —literalmente— le hizo perder el sueño a•los españoles fue la coca. El historiador Ruggiero Romano señala que ya en 1499 el sacerdote español Tomás Ortiz notó que los indígenas de la costa septentrional de América del Sur se servían de una planta llamada "hayo".

Américo Vespucio, en una carta al rey René II brindó indicaciones sobre el uso de la coca por parte de los indios de la desembocadura del río Pará, o Amazonas. Oviedo, Vicente Valverde, Agustín Zárate, Fernando de Santillana, Francisco Falcón, fueron sólo algunos de los cronistas de época que escribieron largas indicaciones sobre el uso y consumo de coca, y también sobre sus efectos.

En el siglo XVIII, gracias a Linneo, Jussieu y Lamarck, la coca se convirtió en objeto de investigación científica. ¿En qué podrían ser dañinas esas pobres hojas?, se preguntó Romano.

El Segundo Concilio de Lima de 1567 respondió a ese interrogante: los indios, con el uso de la coca, "superstitioni et vanitati deserviunt, et simul daemonum sacrificiis celeberrima sunt". *Era necesario erradicarla para erradicar la idolatría.*

Planteado el debate surgieron, también, los defensores de la planta: aseguraron que los indios pedían cantidades crecientes de coca para poder cumplir con las pesadas tareas que les imponían los españoles. Juan de Matienzo advirtió: "si se les arrebata la coca, los indios no querrán ir más a las minas, no trabajarán más, no extraerán la plata. Intentar suprimir la coca significa querer que no haya más Perú".

La Iglesia vio la luz en el camino: Jaucort, en el tomo III de la *Enciclopedia* escribió que "se hace un comercio de coca tan grande que el ingreso de la Catedral de Cuzco proviene del diezmo de las hojas".

La "taba" está tan vinculada como el mate al medio rural: así se llama un juego antiquísimo pero que, a diferencia del mate, jamás fue legalizado. Los griegos lo llamaban astrágalo, y se trata del hueso de la pata de una vaca u oveja y de la posición que adopta cuando se lo tira al piso. Se juega entre dos personas sobre un terreno húmedo llamado "queso". El "queso" se divide en dos partes, mediante una línea bien marcada. A partir de esa línea cada jugador toma una distancia de cinco o seis metros, y toma posición para lanzar la taba hacia el queso, debiendo pasar la línea hacia el lado contrario; si no lo hace, debe repetir el tiro. Si la taba cae hacia arriba es *Suerte*, ganadora. Con la parte hueca hacia arriba es *Culo*, perdedora y si el hueso queda parado en forma vertical es *Pinino*, siempre ganador y se paga doble o triple. Siempre se apuesta dinero o bienes, y el juego siempre se desarrolló de modo clandestino.

La referencia más antigua al "pato" es de 1610, aunque se jugaba en Afganistán alrededor del año 900 d.C. con el nombre de "buzkasni". A comienzos del siglo XVII, en el Plata, con motivo de celebrarse la beatificación del fundador de la Compañía de Jesús, San Ignacio de Loyola, hubo fiestas religiosas y populares. Dicen las crónicas que "mucho regocijo causó a los espectadores la encamisada o mascarada de a caballo de unos sesenta jinetes, la mitad de ellos con librea a la española y la otra mitad desnudos y pintados como los indios que corrieron a algunos patos, que a todos causó admiración".

El marino José de Espinoza escribió a fines del siglo XVII sobre "las costumbres del que llaman guazo u hombre de campo: (...) se junta una cuadrilla de estos guazos que son todos jinetes más allá de lo creíble, uno de ellos lleva un cuero con argollas y el brazo levantado y parte como un rayo; llevando 150 varas de ventaja y a una seña, todos corren a él a matacaballo, todos persiguen al pato y procuran quitarle la presa, y son diestrísimas las evoluciones que éste hace para que no lo logren, ya siguiendo una carrera recta, ya volviendo a la izquierda, ya volviendo por medio de entre los que lo siguen hasta que alguno, más diestro o más feliz, lo despoja del pato, para lo que no es permitido que lo tomen del brazo, en este feliz momento todos le vitorean y le llevan entre aplausos, alaridos y zamba al rancho suyo, al que frecuenta o bien al de la dama que pretende. Reina todavía entre estas gentes muchos restos de la antigua gallardía española".

El juego del pato fue prohibido por Sobremonte en 1784 y 1790.

El juego "nacional" de naipes, el truco, también fue perseguido. Como observa con inteligencia Julio Mafud en *Psicología de la Viveza*

Criolla, en el truco el argentino "puede imaginar o violar la realidad. El truco es el único juego que permite al argentino ser en su mundo como él quiere ser. Existe algo que hay que apuntar con insistencia: los sueños o la ficción en este mundo compartido equivalen a la realidad."

"No es que en cualquier juego no suceda más o menos lo mismo. Lo fundamental es que en el truco la victoria o la derrota dependen más del hombre, del jugador frente al jugador, que del valor inamovible de las leyes y los naipes del juego."

Nuestro "juego nacional" no está basado en la inteligencia del contrincante sino en su capacidad para engañar al adversario, para "hacerlo entrar". El truco es un juego árabe que fue introducido por los moros en España, donde lo llamaron truque o truquiflor. El vocablo tiene origen portugués, y significa "trampa". En *Dichos del Truco*, publicado por la Editorial Selene, se lo define como un juego en que "la mayor parte del éxito estriba en engañar a los contrarios haciéndoles creer que se tiene tal o cual juego". *Son buenas*, se dirá cuando se perdió el tanto y no se canta para que los demás no conozcan el juego. *Venga*, se le advierte al compañero para que no juegue una carta alta aunque la tenga.

Una carta del Obispo Sebastián Malvar y Pinto al Rey el 11 de diciembre de 1780 señala que "el juego de banca está muy difundido y es el azote y ruina de la ciudad, habiéndose llegado a jugar hasta veinte mil pesos entre los vecinos; hasta los niños y niñas de más tierna edad se dedican a los juegos prohibidos, facilitándoles sus propios padres el dinero". La preocupación de las autoridades o de la Iglesia distaba bastante de la moral: como ya vimos y veremos también más adelante, cada estado de prohibición iría acompañado de un aumento del precio del producto o de la cuota por la protección que lo apañara. Fue prohibido por un bando de Rivadavia en 1812 y perseguido y proscrito hasta fines del siglo pasado.

Los bailes de todo tipo, junto al Carnaval, sufrieron un destino similar: siendo Obispo de la ciudad Fray José de Peralta, de la Orden de Santo Domingo, dio a publicación un edicto por el que prohibía los bailes y danzas que se efectuaban en algunas casas particulares con motivos de las bodas o bautizos, condenando a quien lo inflingiera con la pena de excomunión mayor.

En 1752 el Obispo Cayetano Marsellanio y Agramont reflotó el edicto anterior y prohibió también "los bailes de fandango". El Procurador de la ciudad terció ordenando que "los bailes de minués y contradanzas que por común regocijo y divertimento se frecuentan entre hombres y mujeres se hagan solamente en el interior de las casas".

El gobernador Vertiz ordenó que el Carnaval se celebrara en lugares públicos, para evitar los "festejos secretos" de los arrabales; a la vez alquiló el Teatro de la Ranchería por dos mil pesos fuertes, para realizar allí las conmemoraciones. Sin embargo, los "bailes desenfrenados, estampidos de pirotecnia y juegos de armas blancas de consecuencias fatales", no cedieron.

El virrey Cevallos prohibió en febrero de 1778 los "juegos de carnestolendas, ya que ni en su propia casa está el más recogido ni la señora más honesta cubierta de algún insulto". El Cabildo ratificó la prohibición en su primer año de gobierno independiente, el 22 de febrero de 1811: "Sería un negro borrón para los pobladores de Buenos Aires el perpetuar entre las costumbres represensibles que supo tolerar por pura debilidad el gobierno antiguo, la bárbara del carnaval". Para ello se nombró a una comisión integrada por Ildefonso Paso y Pedro Capdevila "para que se disponga que desde el presente año queden olvidados para siempre los juegos de carnaval"; y para "compensar al pueblo con alguna otra diversión" hicieron corridas de toros con entrada franca en la Plaza Mayor. Las corridas, que comenzaron en Plaza de Mayo el 11 de noviembre de 1609, fueron prohibidas en enero de 1822.

En 1823 —describe Alonso Piñeyro— la prensa porteña consideraba al carnaval como "una corruptela de torpe grosería". En aquellos años se acostumbraba tirar huevos a los transeúntes, en lugar de bombitas de agua, y cuando tiraban agua lo hacían con baldes.

En 1846 Rosas dictó el siguiente decreto:

"Artículo 1: Queda abolido y prohibido para siempre el juego de carnaval. Artículo 2: Los contraventores sufrirán la pena de tres años destinados a trabajos públicos del Estado. Si fuesen empleados públicos serán, además, privados de sus empleos."

Caído Rosas, en 1859 se realizó el primer corso porteño.

DIOS MÍO

Arbanel, Farías o Pinedo,
arrojado de España por impía
persecución, conservan todavía
la llave de una casa de Toledo.

JORGE LUIS BORGES

El primer inquisidor general de España fue el fraile dominico Tomás de Torquemada, que falleció en 1498. Le sucedieron en el cargo
Diego de Deza, Jiménez de Cisneros, y Juan Enguerra a quien reempla-
zó el Cardenal Adriano de Utrecht en 1516, luego Papa con el nombre
de Adriano VI. El primer nombramiento inquisitorial para América corresponde a su época, y recayó en el dominico Pedro de Córdoba, que
residía en la Isla Española.

La Inquisición no sólo se dedicó a trazar la línea de la vida y la
muerte para quienes consideraban herejes o descubrían judíos, sino que
encubrió, a la vez, sordas luchas palaciegas por el poder con el manto de
la observancia religiosa. En *La Inquisición en el Río de la Plata*, José Toribio
Medina recuerda el proceso sufrido por Francisco de Aguirre, quien ocupara
un lugar destacado en la conquista de Chile (donde fundó *La Serena*) y

Argentina. El 20 de diciembre de 1567 Aguirre le escribió al Rey: "Los que han delinquido contra Vuestra Majestad se van sin castigo, pero aún se concertaron el Obispo y el Presidente de esta ciudad (de La Plata, en Lima) para que me prendiese a mí el Obispo por la Inquisición, y me tuvieron donde no podía decir la causa de mi prisión, ni nadie la sabía, más de la voz de Inquisición. (...) Yo no consentí que los religiosos se metieran en la Real Caja, como hasta allí se había hecho y de este desacato que tuve con el clérigo me hizo el Obispo caso de Inquisición". Los cargos imputados por el Santo Oficio a Aguirre fueron: "Que con sólo la fe se pensaba salvar, que no se había de tener pena por no oír misa, pues le bastaba la contrición y encomendarse a Dios con el corazón, que había dicho que no confiasen mucho en rezar, que dijo que si viviesen en una república un herrero y un clérigo, habiendo de desterrar a uno de ellos, que preferiría desterrar al sacerdote, que las excomuniones eran terribles para los hombrecillos y no para él, que se hacía más servicio a Dios en hacer mestizos que el pecado que en ello se cometía, que Platón había alcanzado el Evangelio de San Juan".

Llevado con grillos a la ciudad de La Plata —relata Medina— se le tuvo allí preso mientras se tramitaba el respectivo expediente, que demandó meses de espera. Concluye el propio Aguirre: "Pensando yo que aquello se acabara en una hora, me hicieron detener cerca de tres años y gastar más de treinta mil pesos, y aún procuraron que nadie me fiase ni me prestase, para que me muriese...".

De la misma época Medina cita una carta del Vicario General de las Provincias del Tucumán, Juríes y Diaguitas, el licenciado Martínez, al Consejo de Inquisición: "En estos reinos del Perú es tanta la licencia para los vicios y pecados que si Dios, nuestro Señor, no envía algún remedio, estamos con temor no vengan estas provincias a ser peores que las de Alemania... Y todo lo que digo está probado, atrévome a decir con el acatamiento que debo, considerando las cosas pasadas y presentes, que, enviando Dios, nuestro Señor, a estos reinos jueces del Santo Oficio, no se acabarán de concluir los muchos negocios que hay hasta el Día del Juicio". Felipe II tomó rápida nota de los pedidos de sus vasallos del Perú y designó como Virrey a Francisco de Toledo, "que tenía como lema castigar en materia de motines aún las palabras más livianas".

En la mayor parte del siglo XVI sólo habían sido fundadas Mendoza, San Miguel del Tucumán, Santiago del Estero y Asunción. Para los Inquisidores de Lima no era fácil nombrar "comisarios" en esos pueblos. El 18 de marzo de 1575 escribe en una carta Gutiérrez de Ulloa: "En los negocios de Inquisición, decían en efecto, que se ofreciesen en el Paraguay y el Río de la Plata, que son de este distrito, no podemos entender en ninguna manera por la distancia de más de ochocientas leguas de esta ciudad, hay en medio muchos despoblados y tierra de indios de guerra, y sería menos dificultoso tratar los dichos negocios desde Sevilla".

Martín del Barco Centenera, autor del poema *La Argentina* que bautizó a nuestro país, fue uno de esos comisarios de la Inquisición en Cochabamba, y fue acusado y procesado por el Santo Oficio en 1590. Se lo condenó al pago de doscientos pesos de multa: "Se le probó haber sustentado bandos en la Villa de Oropesa y el Valle de Cochabamba, a cuyos vecinos trataba de judíos y moros, vengándose de los que se hallaban mal con él mediante la autoridad que le prestaba su oficio; que trataba a su persona con grande indecencia, embriagándose en los banquetes públicos y abrazándose con botas de vino; de ser delincuente en palabras y hechos, refiriendo públicamente las aventuras amorosas que había tenido; que había sido público mercader y, por último, que vivía en malas relaciones con una mujer casada".

El comisario de Córdoba entró en funciones en 1579 con el proceso de Diego de Padilla, "testificado de haber dicho que creía en Dios y en Nuestra Señora y en Abraham y en Moisés". Fue detenido con secuestro de sus bienes. En 1592 se falló en la causa de Manuel Rodríguez Guerrero, secretario del gobernador de Tucumán, quien fue denunciado por el Obispo porque "habiéndose ocultado en la iglesia un hombre que se había acuchillado con otro, y negándose los alguaciles a penetrar en el sagrado recinto, Rodríguez entró en la Iglesia y volviendo las espaldas al Santísimo Sacramento y desacatándose a él, con la espada desnuda tiró muchas cuchilladas y estocadas al retraído, el cual tenía una cruz en las manos para defenderse, y con las acuchilladas la hizo pedazos". Le dieron cárcel domiciliaria. Rodríguez dijo en su descargo que "en cuanto a las cuchilladas a la cruz no era culpable, porque el aposento donde estaba metido el reo era tan oscuro que nada pudo distinguir".

José Ingenieros, en *La Evolución de las Ideas Argentinas*, señala la abundante inmigración de judíos portugueses como un elemento decisivo en la constitución de la sociedad del Río de la Plata. "En 1600 —dice Ingenieros— eran ya numerosos y fueron vanas las persecuciones intentadas por las autoridades civiles y eclesiásticas de Buenos Aires. Adquirían la calidad de vecinos desposados con mozas de la ciudad y muy luego ocupaban posiciones de primera fila en el comercio o las estancias. A pesar de las dificultades opuestas por los españoles, un siglo después eran descendientes de judíos portugueses buena parte de la "gente principal" según puede inferirse del análisis de los apellidos porteños de la época". En su ensayo *Los criptojudíos y la Inquisición*, Matilde Gini de Barnatán asegura que "una de las consecuencias más significativas fue el surgimiento de un fenómeno sociocultural muy particular, el criptojudaísmo. El terror llevó a los judíos a convertirse al catolicismo masivamente; como no eran sinceros, continuaban profesando en secreto su fe. Esta doble actitud hacia lo religioso produjo algunos cambios en lo social. Cambiados los apellidos, los conversos accedieron a elevados cargos de carrera o eclesiásticos, o se enlazaron a través del matrimonio con altos linajes de la nobleza en Castilla y Aragón". Matilde Gini cita un caso de 1627: "Francisco Maldonado de Silva era un médico tucumano residente en Chile. Su padre, Diego Núñez de Silva, uno de nuestros primeros médicos de la colonia, que ejercía su profesión en Córdoba, había sido procesado ya junto a otro hijo suyo y cumplido ambos condena, acusados de judaísmo y admitidos a "reconciliación" (una solemne promesa de "enmienda"). Don Diego, que continuaba secretamente fiel a la fe judía, la transmitió a su hijo Francisco, que se transformó en un ferviente judío y llegó, incluso, a practicarse la circuncisión por sí mismo. Pero al tratar de transmitir a sus hermanas su fe secreta una de ellas, Felipa Maldonado, lo denunció al Santo Oficio: fue apresado en secreto, confiscados sus bienes y trasladado a la cárcel de Valladolid. Constan por escrito las palabras de su primera declaración: "Yo soy judío, señor, y profeso la Ley de Moisés, y por ella he de vivir y he de morir. Y si he de jurar juraré por Dios vivo que hizo el Cielo y la Tierra y es el Dios de Israel". Después de doce años de encierro el nombre de Francisco Maldonado de Silva aparece en un auto de fe para cumplir su pena en la hoguera. "Flaco —dice el documento—

encanecido, con la barba y el cabello largos, con los libros que había escrito atados al cuello. (...) Esto lo ha dispuesto el Dios de Israel para verme cara a cara en el Cielo", dijo por últimas palabras.

El padre Diego de Torres, desde Córdoba, le escribió al Santo Oficio de Lima el 24 de septiembre de 1610 que debían preocuparse por los daños acarreados por la yerba mate, que en su mayor parte era transportada hacia Buenos Aires por los portugueses, "las costumbres están muy estragadas y cada día serán peores", dijo.

El Estatuto de Limpieza de Sangre imponía que "ni judíos, ni moros, ni herejes, ni hijo o nieto de quemado, reconciliado o sambenitado podrá ingresar a las Indias". Dice Torre Revello en *La Sociedad Colonial*: "Se advierte cómo, desde los comienzos de la dominación española, los componentes de las expediciones destinadas al Río de la Plata gozaron de un privilegio quizá destinado a favorecerlas, cual fue la no investigación de su pasado familiar y la eximición de nacionalidad. Por otro lado, la venta de licencias para viajar, e incluso su falsificación fue otra de las puertas que utilizaron muchos desheredados para arribar a nuestras playas".

La otra preocupación de la Inquisición fueron las bibliotecas; cuenta José Toribio Medina: "Al librero Francisco Ramón de la Casa mandó devolver Don Baltasar Maciel, que era comisario, tres tomos en folio mayor de una obra cuyo título era *Corpus Juris Canonici*, de Joannis Petrus Gibert, por estar prohibida. En octubre de 1796 se procedió al inventario de los libros del obispo Azamor, y se supo que dicho prelado había dejado un estante entero lleno de libros prohibidos: una edición en francés de *El Paraíso Perdido* de Milton, las *Cartas de varios judíos* a Voltaire, el *Contrato Social* de Rousseau, *Historia de América* de Robertson, el *Diccionario de Bayle* (que estaba prohibido aún para los que tenían licencia) y varios libros de Montesquieu. El Santo Oficio también prohibió los Epistolarios, "donde la juventud encontraba modelos para escribir sus cartas de amor" y —obviamente— la *Destrucción de las Indias Occidentales*, por el padre Fray Bartolomé de las Casas.

También se persiguió al "papel pintado", cuyos rollos llegaban en abundancia a Buenos Aires y contenían figuras paganas, como Hércules o Venus. "En otros papeles pintados —señala una carta de Antonio Ortiz al doctor Joaquín Castellot— que han venido de Barcelona he visto y recogido horror de figurillas y alusiones que me parecen pueden causar ruina espiritual. Tal es una donde al parecer se representa al globo terráqueo rodeado de flores y una figura, al parecer Cupido, que vuela sobre él con un mechón encendido que, según parece, va a abrasarlo en su impuro fuego."

LA MUERTE DE FIESTA

*La actitud de olvidar y perdonar todo, que corres-
pondería a los que han sufrido injusticia, ha sido
adoptada por los que la practicaron.*

THEODOR W. ADORNO

La tortura como parte integrante del sistema jurídico reconoce
—según explica Ricardo Rodríguez Molas en su ensayo *Torturas, su-
plicios y otras violencias*— su origen en el Imperio Romano. El capítulo XVIII del libro LVIII del *Digesto* de Justiniano, "De questionibus"
incluía las reglas que deben seguir los jueces para atormentar a los presos. Con la caída de los romanos tanto los merovingios como los
carolingios y otros pueblos "bárbaros" dejaron de aplicarla. España, más
romanizada que el resto de Europa, persistió en el uso de la tortura. En
las *Siete Partidas de Alfonso X*, El Sabio (continuadoras del *digesto* romano e inspiradas en el derecho canónico), el título XXX, "De los tormentos", decía: "Cometen los hombres a hacer grandes yerros y malos, encu-
biertamente, de manera que no pueden ser sabidos ni probados. Y por
ende tuvieron por bien los sabios antiguos que hiciesen tormentar a los

hombres, porque pudiesen saber la verdad de ellos. Queremos aquí decir de cómo los presos deben ser tormentados: y demostraremos qué quiere decir tormento y qué tiene de pro, y de cuántas maneras se hace, y quién lo puede hacer y en qué tiempo, y cuáles, y en qué manera, y por cuántas sospechas y señales se debe dar, y ante quién, y qué preguntas les deben hacer mientras que los tormentan".

La ley III explicaba: "En qué manera y por cuáles sospechas deben ser tormentados los presos y ante quién y qué preguntas les deben hacer mientras los tormentaren: (...) Fama siendo comunalmente entre dos hombres que aquel que está preso hizo el yerro por que lo prendieron, y siéndole probado por un testigo que sea de creer, o que fuera hombre de mala fama o vil, puédelo mandar a atormentar el juzgador. Pero debe él estar adelante cuando lo atormentaren (...) Y débele dar el tormento en lugar apartado, en su prioridad, preguntando el juez por sí mismo en esta manera, al que metieron en tormento: ¿Tú, fulano, sabes alguna cosa de la muerte de fulano? Ahora dí lo que sabes y no temas, que no te harán ninguna cosa, si no, derecho. Y no debe preguntar si lo mató él, ni señalar a otro ninguno por su nombre, a tal pregunta como ésta no sería buena, porque podrá acaecer que le dará carrera para decir mentira".

"Los prudentes antiguos —decía Alfonso X— han considerado bueno atormentar a los hombres para sacar de ellos la verdad". A excepción hecha de Inglaterra —no así de Escocia— el resto de Europa tuvo a la tortura como moneda corriente desde la Edad Media. Señala Rodríguez Molas que "las mutilaciones estaban legisladas en sus últimos detalles en la Ley 1, título VII, libro II de la *Nueva Recopilación de Castilla*. En orden decreciente de barbarie —dice— podemos encontrar el "potro" o el "burro". Como en España, el *potro* es uno de los tormentos más usados en la Argentina: consistía en una chapa acanalada de dos metros de longitud y cincuenta centímetros de ancho, apoyada a manera de mesa sobre pies de madera reforzados. Encima del *potro* e inmovilizado se ubicaba el reo, atándole el verdugo dos garrotes en cada brazo y en cada pierna que luego estiraba con un gato de hierro y un torniquete.

Alonso Gómez de Santoya, citado por Rodríguez Molas, relató en el siglo XVI la condena de muerte de un contramaestre y la mutilación de sus dos amigos: "Aconteció un caso nefando y harto estupendo, que en la nave capitana se halló el contramaestre de ella que era puto, que se echaba con un muchacho y con otro, pasaba un caso horrendo; y al contramaestre dieron garrote y echaron a la mar y a los muchachos azotaron, por ser sin edad les quemaron los rabos, cosa que dio alteración harta en ambas naves".

En el *Archivo General de Indias* se encuentra un documento del gobernador Hernandarias de Saavedra, del 19 de noviembre de 1616, dando cuenta del interrogatorio a un detenido por contrabando: "Dijo Hernandarias que (si no declaraba) proseguirá en darle tormento y para el dicho efecto hizo traer ante sí un burro de madera con un argollón de hierro, y le dijo al preso que el daño que en él recibiere sea de su cuenta y riesgo y no por la del dicho gobernador, que es comisario. Y al dicho efecto le mandó quitar los grillos y cadenas que tenía puestos y desnudar y echar en el dicho burro, y estando echado le volvió a hacer el mismo requerimiento: que diga y declare todo lo que sabe en razón de las dichas ocultaciones. Dijo que antes que surjan los navíos echan negros por esa costa, que es vergüenza, que los suelen andar a recoger los alguaciles y que de las mercedes sacaron más de cuarenta y tantos negros. Y con esto, por no decir nada, le mandó el dicho gobernador poner los cordeles y atarlos en las pantorrillas, y la argolla de hierro al pescuezo. Y estando así le dijo el preso: Si voy declarando no apretéis mucho. Y el dicho gobernador mandó que no le diesen ninguna vuelta hasta que vaya diciendo y declarando".

La marcación de esclavos, aunque no como castigo sino como distintivo de propiedad, formó parte de los tormentos de la época. Rodríguez Molas cita el pedido de autorización del Gobernador del Río de la Plata Francisco de Céspedes a Felipe II para herrar a los indios serranos de Buenos Aires: "Conviene señalarlos en el rostro para enfrenar su furia y venderlos, y es tanta verdad esto que teme más el indio que lo embarquen, desterrándolo a Brasil, que si lo sentenciaran a muerte". Las marcas con hierro se generalizaron luego a los ladrones de hacienda; un acta del Cabildo del 26 de marzo de 1759 dice en su parte resolutiva: "Sólo halla el Cabildo el remedio de que se haga una marca pequeña para que con ella se marque a fuego a los dichos ladrones, poniéndosela por la primera vez en la espalda, y por la segunda que haya reincidido otra marca en la misma espalda o en una mano y que a la tercera vez de su reincidencia, según lo prevenido en semejantes casos, será ahorcado y que para llegar a marcar así la primera como la segunda vez ha de ser con equivalente prueba, castigándoselo según el mérito del delito, pues las marcas, se debe entender, que sólo se le deben aplicar para ser conocido y para que lo contenido tenga el correspondiente efecto".

En todos los casos —a excepción de los interrogatorios— los castigos eran públicos. En 1857 Fray Mamerto Esquiú, en Catamarca, pronunció un discurso con motivo del suplicio de un parricida: "El ocio blando —dijo— las divertidas orgías, los lances de fortuna en el juego, que cosas bellas para vosotros... Ellos son el semillero de todos los grandes crímenes, allí está la escuela de los mayores; ellos son la cuesta rápida que termina en el patíbulo".

En todos los casos los tormentos eran aplicados a quienes no poseían títulos o propiedades, existiendo una nómina precisa de los exceptuados: el militar y el caballero, el consejero del Rey y los miembros de la burocracia cortesana, el noble y el hijosdalgo, el maestro y el doctor de ciencia, el consejero o regidor de ciudades o villas, los descendientes de los mencionados en los puntos anteriores, siendo de buena fama y no habiendo caído en el pecado nefando o atentado contra la seguridad del Estado, el viejo decrépito, la mujer preñada o parida, el menor de catorce años y el clérigo de orden sacro.

Hernández, un cronista de 1545 citado por Rodríguez Molas, autor de la *Relación de las cosas Sucedidas en el Río de la Plata*, cuenta los tormentos más frecuentes en Buenos Aires y en Asunción: refiere, por ejemplo, que Irala ordenó cortar los brazos de un indio por el delito de "cruzar a traviesa un campo sembrado"; también son frecuentes las mutilaciones sexuales: "Juan Pérez cortó lo suyo a un indio cristiano de casa de Moquirace por celos que tuvo de él".

Hernando de Lerma, que fundó la ciudad de Salta en 1582, asesinó y torturó a su antecesor Gonzalo de Abreu; un testigo relató que Abreu fue colgado "echándole doce arrobas a los pies, con lo que lo mató y le rompió las venas".

CARNIFEX

La mención más antigua respecto a los verdugos profesionales en España data de 1340, en los documentos relativos a la repoblación de la Villa de Garrovillas. Alfonso XI, el Justiciero, Rey de Castilla y León, autorizó a su hijo bastardo Don Fernando, al que concedió el señorío de esta villa, a que "pueda haber y tener horca y cuchillo y allí justicia mayor y menor, y verdugo y vocero". El verdugo —mencionado *bergugo* en el documento original— fue, tradicionalmente, quien cubrió también el cargo de vocero. También se lo llamaba con la expresión latina *carnifex*, que proviene de *caro*, carne, y *fex*, *factor*, hacer, designando a la persona que "hace carne del hombre". No era fácil encontrar voluntarios predispuestos al trabajo de verdugo y menos fácil aún lograr que lo hicieran con soltura; una carta del Cabildo de Montevideo al gobernador Francisco de Paula Sanz, escrita en 1786, señala: "Habiéndose experimentado en esta ciudad, con ocasión de haber salido condenado a la horca Juan Esteban Núñez, que el verdugo se halla enteramente falto de práctica para dar muerte a los reos destinados de ella, atormentándoles en tan tremenda hora, con una muerte dilatada, cuyo daño seguramente habrá de suceder a otros varios delincuentes, por ello ha meditado este Cabildo mandar hacer un instrumento de dar garrote como el que tiene esa capital".

En su ensayo *Patíbulos y verdugos*, Juan Carlos García Basalo cita las dificultades para hallar verdugo en Salta: "El 19 de febrero de 1803, en la Plaza de Salta, debe cumplirse la pena de muerte impuesta a Miguel Oviedo. Como la ciudad carece de verdugo el Alcalde de primer voto se ve en figurillas para disponer su ejecución. No encuentra milicianos dispuestos a arcabucearlo. Puesto ya en capilla Oviedo, se manda enseñar a dos reos el manejo del arma para que lo ajusticien mediante la promesa de recibir la libertad en compensación por el servicio prestado. Con tan precario entrenamiento, no se logra que la pena se cumpla con presteza y sin exponer al reo a padecimientos innecesariamente crueles.

"La falta de verdugo también creó dificultades en tiempos del Brigadier Andrés Mestre, que obligó a los soldados saboyanos que le tiraran a otro reo y habiendo éstos después reclamado que sólo estaban obligados a arcabucear a los reos de su compañía se produjeron graves costos en su conducción."

Uno de los primeros verdugos y pregoneros de Buenos Aires —dice García Basalo en el ensayo ya citado— fue Diego de Rivera, casado con Ana María Escobar. Ejerció sus oficios entre 1611 y 1618.

En 1671 la función recayó en el negro ladino (*ladinos* eran los negros que hablaban español, *bozales* los que sólo hablaban su dialecto africano) Cristóbal, y en 1701 en Lorenzo de Ulate.

Los verdugos porteños trabajaron a sueldo y comisión; el sueldo anual corría por cuenta del Cabildo: entre 1755 y 1783 fue de cien pesos y a partir de 1800 de ciento cincuenta.

En el Cabildo del 13 de febrero de 1607 se colocó a la vista del público el "Arancel de los derechos de los jueces y escribanos, en una tabla, para que a todos conste". Según aquel arancel, los derechos de los verdugos eran los siguientes: por ejecutar una sentencia de tormento, un peso y medio; por cualquier sentencia que no fuera de muerte, dos pesos y medio; por la condena a muerte, dos pesos y medio con más la ropa del delincuente. Como pregonero le correspondía: en el pregón por las cosas perdidas, un peso; por el voceo de una rebeldía, seis reales; por el remate de bienes, seis reales; por salir con los delincuentes pregonando su delito y sentencia, un peso y medio.

En el Cabildo del 27 de marzo de 1753, y ante la constante escasez de verdugos, se discutió "comprar un esclavo ladino para realizar dicho trabajo". El Cabildo compró al negro ladino Félix. Antes de cumplir los primeros nueve meses en su trabajo, Félix resultó el colmo de los verdugos: fue condenado a muerte. El 19 de noviembre de 1753, en presencia del Defensor de Pobres, el negro Félix fue notificado de la sentencia de muerte impuesta por el Alcalde de segundo voto don Luis Aurelio de Zabala, por "ladrón famoso".

Mariquita Sánchez recuerda en sus *Memorias* que "a todos los muchachos de las escuelas les daban azotes, para que no olvidaran lo que habían visto". El 9 de octubre de 1813, formalmente, fueron prohibidas las penas corporales a los niños. El 20 de noviembre de 1814 el padre Diego Mendoza fue condenado a ocho meses de prisión por azotar a sus alumnos. En 1815 la Junta de Observación autorizó nuevamente, en sus Estatutos, los castigos físicos a los estudiantes. El 22 de mayo de 1815 un artículo publicado en *El Americano* da cuenta de la reimplantación de la costumbre en la escuela del Convento de San Francisco. "La necesidad me hace pasar casi diariamente por la calle a la que cae la ventana de la Escuela de San Francisco —les dice un lector en la sección de Cartas— y puedo asegurar a Ud. que no habré pasado por allí seis veces sin haber oído el golpe ignominioso de la flagelación y los clamores de la juventud afligida".

La idea de "dar el ejemplo" con los castigos físicos tampoco fue abandonada: el memorando 116 del Juzgado del Crimen del 3 de julio de 1827 decía: "Sírvase disponer que para el día de mañana 4 del corriente a las 10 se hallen en la puerta de la Cárcel Pública los auxilios de tropa y caballos para que se ejecute el castigo de azotes por las calles públicas en los morenos José Carreras y Joaquín Pedro Cuebas, por haberse así determinado".

El 30 de abril de 1860 la Asamblea Constituyente de Buenos Aires debatió sobre la inclusión en la Constitución del artículo 18 que decía en su *corpus* original: "Quedan abolidos para siempre la pena de muerte por causas políticas, toda especie de tormento, los azotes y las ejecuciones a lanza y cuchillo". La discusión entre Mármol, el poeta de la proscripción rosista y autor de *Amalia* y el General Bartolomé Mitre se centró en la conveniencia de prohibir el sistema de azotes en el Ejército. En la ocasión señaló Mitre: "Sea que los azotes se prohíban o no por la Constitución, ella no prohíbe que en el Código Militar puedan introducirse penalidades que la Constitución no autoriza. Los primeros criminalistas del mundo han definido al derecho militar como la excepción del derecho: no está sujeto a ninguna regla. En donde hay ejército debe haber disciplina y subordinación y, entonces, los hombres van sacrificando la libertad, la vida (...) Mirada filosóficamente creo que la pena de azotes es mucho más humana, porque las otras penas dignifican al hombre para matarlo (...) Está visto, pues, que la pena por la cual se castiga al hombre salva a la humanidad. (...) El que levanta la voz al sargento, como el que levanta la espada al coronel, comete un acto de insurrección y merece una pena grave; y si los azotes están abolidos, es preciso matar al hombre por una pequeña falta cualquiera. Ha llegado el día en que ha habido cuarenta y tres casos de muerte, porque no ha habido otro medio de castigar las faltas graves. Digo, pues, que la penalidad de azotes es más humana, considerada filosóficamente".

En junio de 1864, poco antes de entrar a la Guerra de la Triple Alianza, el diputado correntino Torrent y su par santafesino Granel, presentaron en la Legislatura un proyecto para suprimir los castigos corporales en las Fuerzas Armadas. El diputado coronel Conesa confesó durante el debate que, estando al frente de un cuerpo militar "había aplicado la pena de azotes", sin embargo, de prohibirla la Constitución "la abolición de esa pena —argumentó Conesa— va a dar por resultado la disolución del ejército. Vamos a abolir la pena de azotes, pero tengamos presente que esta pena va a ser reemplazada por la última pena". Similar opinión fue sostenida por el entonces Ministro de la Guerra, Gelly y Obes. Rufino de Elizalde argumentó a favor de los azotes, diciendo que "esta pena ha sido autorizada por todos los poderes públicos de la Nación, y ésa ha sido la tradición de nuestro país hasta el presente". Adolfo Alsina, autonomista, fue también partidario de los castigos corporales: los palos o varazos, las estaqueadas al aire libre, los aprisionamientos de cepo. En el caso de este último, el cepo fue oficialmente prohibido recién en noviembre de 1881.

A partir del golpe de Uriburu, el 6 de septiembre de 1930, el Estado vuelve a respaldarse en un aceitado sistema de violencia institucional. En febrero de 1931 torturan en los sótanos de la Penitenciaria a presos sociales y políticos. "Por primera vez en la historia nacional —acusó el ex presidente Alvear antes de partir al exilio— se oye hablar de espantosas torturas medievales aplicadas con entonación tenebrosa". Es el comienzo de *La hora de la espada* de Leopoldo Lugones, sobre cuya historia volveremos más adelante.

En *Los torturados*, publicado en Buenos Aires en 1931, Medina Onrubia describió los engranajes de la Oficina de Orden Político: "Orden Político era una oficina anodina dentro de la Policía hasta que el General Uriburu escamoteó la Revolución del 6 de septiembre o, más bien dicho, hasta que se hizo cargo de la Jefatura de esa repartición el desconcertante coronel Pilotto. Diez o veinte empleados, a lo sumo, dedicados a la vengatiza tarea de coleccionar informaciones sobre los políticos de la oposición y escuchar tal o cual conferencia pública, componían todo el elenco. Era una rama policial que pasaba sin pena ni gloria y que en ningún instante había despertado en el ánimo popular la repulsión que provoca Orden Social, por ejemplo. Pero Uriburu ensanchó sus actividades y elevó su jerarquía; Lugones (hijo) la hizo tristemente célebre en muy pocas semanas, y el coronel Pilotto dejó que pasara a manos del anormal ex director del Reformatorio de Olivera todo el control social de la metrópoli y el país. Nada menos que mil novecientos empleados policiales se pusieron bajo la dependencia del organismo y, a su frente, quedó el personaje que, fuera de su anormalidad documentada, tenía estos dos brillantes antecedentes: ser hijo de Leopoldo Lugones (padre), el desvergonzado rapsoda de la dictadura, y haber inventado a los dieciséis años, es decir, en plena adolescencia y cuando la gente de esa edad se dedica a jugar al fútbol o a borronear los primeros versos, nada menos que un aparato para torturar a los detenidos. Uriburu había encontrado su hombre para dirigir su Tcheka".

El "invento" referido por Medina Onrubia era una versión elemental de la picana, que luego el propio Lugones hijo perfeccionó con la práctica en Orden Político y, más tarde, utilizaran los franceses en la guerra colonial de Argelia.

Prosigue Onrubia con *Los tormentos del General Baldassarre*: "Cuando a fines de febrero del año pasado se comenzó a hablar en Buenos Aires de que distintos militares argentinos habían sido torturados en los

subterráneos de la Penitenciaria Nacional, nadie quiso dar crédito a la
noticia. Se mencionaba que al General Baldassarre, al teniente de aviación Cardalda, al teniente de aviación Etchegaray, al teniente de aviación Grisolía, al hijo del General Toranzo, al teniente Valotta... Son exa-
geraciones de los opositores! —se dijo todo el mundo—. Hasta entonces,
sólo habían sido sometidos al proceso de las torturas los presuntos delincuentes a quienes quería hacer cantar la policía de investigaciones. Era el
sistema de los "hábiles interrogatorios" tantas veces denunciados. Se sabía, también, que días antes habían sido brutalmente torturados en la
Penitenciaria Nacional, horas antes de ser fusilados, es decir, encontrándose en la sagrada institución de la capilla, dos anarquistas: Di Giovanni
y Scarfó. Pero un general y otros militares argentinos no podían ser confundidos o equiparados con estos procedimientos. Sin embargo, los es-
cepticismos tuvieron que desaparecer ante la evidencia de los comentarios. "El General Baldassarre fue torturado en tal forma", se aseguraba,
como Di Giovanni, como Scarfó. "Tal otro militar fue atado a la silla y
golpeado brutalmente." "Tal teniente fue sometido al inmundo suplicio
del tacho." "Mientras se castigaba a tal militar argentino y mientras quedaba hecho un guiñapo en su físico y en su vestimenta había un alto
funcionario nacional que hacía servir su condición de médico a la situación del martirizador: Todavía resiste —manifestaba—, mientras le tomaba el pulso al torturado y, tranquilos ante ese dictamen científico,
que desechaba la posibilidad de la inmediata muerte, los torturadores
seguían inflexibles en su tarea satánica."

CAPÍTULO TRES

EL PRIMER
TRABAJADOR

En su ensayo *El Gaucho*, Emilio A. Coni escribe: "Ni bien desembarcaba un español en Indias, por más modesta que fuera su alcurnia, su primera preocupación era tener uno o varios sirvientes que le evitaran el menor esfuerzo físico, hasta el mínimo de ir a buscar un poco de agua para tomar". En un acta del Cabildo de 1590 en la que se discutieron los argumentos que el procurador Beltrán Hurtado expondría ante el Rey para mostrarle la pobreza de la tierra, los vecinos decían: "y ansí quedamos tan pobres y necesitados que no se puede encarecer más de que certificamos que aramos y cavamos con nuestras manos... y padecen tanta necesidad del que el agua que beben del río la traen sus propias mujeres e hijos... y sabido por cosa cierta que mujeres españolas nobles y de calidad por su mucha pobreza han ido a traer el agua que han de beber...".

El vecino fray Sebastián Palla dijo en las mismas actas que era "cosa de mucha lástima ver a los moradores servirse a ellos mismos". Un inconveniente fortuito agravaba la situación: los primeros pobladores no habían encontrado aquí la numerosa mano de obra servil que otros conquistadores encontraron en Paraguay, Córdoba, Tucumán o Mendoza.

Los indios con que se topó Garay no eran tan salvajes como los que diezmó Mendoza y su hermano, pero se negaron a trabajar para los españoles. Entre 1580 y 1672 no se encuentra ninguna mención de ataques indígenas contra la ciudad. Las "encomiendas" otorgadas por Garay a los primeros pobladores fueron sólo formales: los indios repartidos nunca llegaron a prestar servicio y, según Coni, "huyeron todos para el Norte", ya que eran tribus vinculadas a los guaraníes, "indios de canoa", vagabundos fluviales que hacían cortas estadías en tierra.

Los araucanos o pampas fueron vistos por primera vez por los españoles cuando Garay marchó al sur de Buenos Aires en 1582, en busca de la Ciudad de los Césares, llegando a la actual ciudad de Mar del Plata. Los indios pampas "eran incapaces de domesticar" y muy hostiles. El propio Garay, en ruta hacia Santa Fe, murió en manos de los querandíes.

Precisamente, 1672 marcó el inicio del cerco de los pampas sobre la ciudad, con el ataque a una estancia de Tandil. La multiplicación salvaje del ganado cimarrón en el desierto de la Pampa había favorecido la mudanza de los pampas hacia el norte. Hasta aquellos años todas las obras públicas que no contaban con mano de obra de esclavos negros autorizados o de contrabando fueron realizadas por indios extranjeros que eran traídos desde el Paraguay, Brasil o las Misiones.

Existía una importante variedad de tribus indígenas en el país, de distintas razas, lenguas y costumbres, aunque ninguno de esos pueblos podía tener el calificativo de "nación" comparable con los incas o los aztecas ya en su evolución social o política.

En la región occidental del país se hallaban: los atacamas en los Andes, en La Rioja y Catamarca los calchaquíes, en Salta los pulares, en Jujuy los omahuacas, y en San Juan y Mendoza los huarpes. Todos ellos eran agricultores, recolectaban algarroba y quinoa (llamado por los españoles el maíz de la tierra, con unas hojas similares a la espinaca de las que hacían harina). No cultivaban el algodón, cazaban avestruces, cerdos, guanacos, etc.

En la región mediterránea convivían —o chocaban, en verdad— los cazadores de la región chaqueña con los agricultores de la occidental; los juríes y los sanavirones.

La región chaqueña estaba poblada por tribus feroces como los lules, guaycurúes, frentones, abipones, mocovíes y tobas. Eran los más salvajes de todo el territorio, a excepción de los pampas, puelches, aucas y serranos de la región pampeana.

En la región mesopotámica vivían los guaraníes, un pueblo sedentario y de marcada aptitud agrícola.

La zona sur estaba poblada por los charrúas, chanaés, timbúes y querandíes. Los indios de la región patagónica, al sur del Río Negro (mapuches y onas, básicamente) no tuvieron contacto con los blancos sino hasta que fueron diezmados, varios siglos más adelante.

Ya en 1573, fecha de la fundación de Córdoba, se cultivaban en la región no pampeana muchas plantas de origen europeo: trigo, avena, cebada, caña de azúcar, arroz, viña, algodón, duraznos, higueras, melones y sandías, y flores —rosas, por ejemplo—. El cultivo de todas estas especies, el trabajo de las minas, el corte de maderas y los transportes de a pie fueron hechos exclusivamente por los indios.

El noroeste era la región del actual territorio argentino sobre la que los españoles tenían mayor interés. Como se dijo, la población era agrícola y pastoril, mayoritariamente sedentaria y producía excedentes económicos. La cercanía con los incas los había condicionado, también, a un tipo de organización social con jerarquías diferenciadas. Los españoles no privaron totalmente de su poder a los *curacas* (caciques) y aprovecharon para sí el sistema tributario que los incas habían impuesto a favor de su Estado. Los indios del noroeste no reaccionaron en bloque ante la invasión, ni tampoco lo hicieron apenas se produjo. Eduardo A. Crivelli Montero recuerda que en 1536 los indios de Humahuaca resistieron la entrada de las tropas de Almagro, pero aclara que sus enemigos jurados eran los yanaconas del Cuzco que venían de refuerzo. La resistencia más firme fue la de los Valles Calchaquíes: allí los indios enfrentaron la política del gobernador Castañeda que, aunque estaba prohibido por las Leyes de Indias, organizó traslados masivos de indígenas a través de la Cordillera para las encomiendas chilenas. La rebelión del Valle Calchaquí fue difícil de sofocar y dio lugar a la fundación de un cinturón de ciudades, Córdoba entre ellas, para proteger la ruta hacia el Atlántico.

La fundación de San Salvador de Jujuy (1593) fue el antecedente de la rebelión de Viltipoco, en la región de Humahuaca, a quien se le unieron unos diez mil indios. El alzamiento cortó la comunicación con Perú pero finalmente el líder fue atrapado y murió en prisión.

En *Los primeros encuentros*, publicado por la revista *Todo es Historia*, Crivelli describe los detalles del sistema de encomienda: "...la mano de obra se reclutaba compulsivamente entre los indígenas: un grupo de ellos, o un cacique con sus parciales quedaba asignado a un español, el encomendero, que debía pagarles un jornal, alimentarlos, vestirlos, protegerlos y darles doctrina cristiana. A su vez, les cobraba el tributo que los naturales, como vasallos de la Corona, debían pagar. (...) Generalmente no se les pagaba el jornal al que eran acreedores. Se violó por mucho tiempo la prohibición de sacarlos de su tierra para obligarlos al servicio personal en las haciendas de los españoles".

Con la fundación de Córdoba (1573) el Virreynato del Perú no sólo interponía un mojón en la frontera con el indio; también daba un paso hacia el Atlántico. Por eso se planteó el exterminio de los comechingones. Pero no fue fácil: eran disciplinados en el combate, formaban escuadrones nutridos y compactos, divididos en cuatro cuadrillas y llevaban "lumbre muy escondida" con la que incendiaban las chozas de los cristianos.

En Cuyo, el testimonio de Villagra en 1551 mostró que los huarpes eran "indios de pocos bríos, muy quitados de cosas de guerra y amigos de estarse en casa". Los españoles, violando las leyes vigentes, los hacían atravesar la Cordillera por el camino entre San Juan y La Serena, que no quedaba cerrado por la nieve del invierno. Para evitar las fugas durante el trayecto los indios eran puestos en largas filas, atados por las muñecas con sogas. Si alguien moría en el viaje se le cortaba el brazo y se abandonaba el cuerpo, para no tener que detener la caravana.

Los encomenderos trasladaban más de mil indios al año por ese cruce, incluyendo niños y mujeres. En el caso de las mujeres, las huarpes representaron un oscuro objeto del deseo: eran delgadas, altas y de medidas adecuadas al gusto europeo; "traen los pechos de fuera —escribió Bibar en 1558— y son causa de que se estraguen los hombres". Los jesuitas advertían que las huarpes "podían provocar distracciones del espíritu y caídas miserables".

Al hablar de los naturales del Río de la Plata, más allá de lo expuesto arriba, vale la pena aclarar aquella historia que propone a Solís como el primer plato de la cocina rioplatense: fue, en verdad, el primer ingenuo de estas tierras. Solís remontó la banda oriental del río en 1516 y, a medida que avanzaba navegando cerca de la costa, observó que muchos indios aparecían en la playa y con señas los instaban a hacer intercambios, poniendo en el suelo cestas con comida. Solís decidió desembarcar, curioso y con el deseo de raptar a alguno de esos indios para exhibirlo en las cortes españolas. Los indios lo emboscaron y mataron a todos los que lo habían acompañado a la costa. Sólo salvó su vida el grumete, Francisco del Puerto, que vivió algunos años entre los indios y fue luego rescatado por otra expedición. Los charrúas —que de esos indios se trata— "no comen carne humana, manteniéndose de pescado y caza", escribió Diego García en su memoria de viaje de 1527. Hubiera sido inverosímil, por otro lado, que se comieran a Solís y mantuvieran al grumete, a menos que estuviera poco salado.

Los indios que en la región practicaron el canibalismo —aunque no cotidianamente y sólo en ceremonias religiosas— fueron los tupinambás, en Brasil, según el testimonio de Hans Staden.

En el caso del sur, las noticias sobre los indios alimentaron el mito de la Tierra de los Gigantes. En el otoño de 1520 Hernando de Magallanes, navegante portugués al servicio de España, invernó en Puerto San Julián (actual provincia de Santa Cruz) antes de proseguir con su búsqueda de un paso entre los dos océanos. Recién al cabo de dos meses se hicieron ver los primeros indios, que impresionaron a Magallanes por su altura, su contextura y sus mantos de pieles de guanaco. Magallanes los llamó patagones inspirándose en el *Primaleón*, una novela de caballería que daba ese nombre a unos guerreros solitarios que comían carne cruda y vestían con pieles de animales. Antonio Pigafetta, el cronista de la expedición, contribuyó a la leyenda al escribir que cualquier europeo les llegaba a la cintura. Aclara Crivelli Montero que los tehuelches meridionales eran, en efecto, altos y corpulentos pero, como comprobó Francis Drake en 1578 "no son tan monstruosos ni gigantescos como se dijo, habiendo algunos ingleses tan altos como los más altos entre ellos".

EL GAUCHO

Emilio A. Coni señala que la primera prueba documental de la existencia de individuos de tipo gauchesco la encontramos en Santa Fe, en una carta de Hernandarias del 8 de julio de 1617, que dice así: "He puesto orden en las vaquerías de las que vivía mucha gente perdida que tenían librado su sustento en el campo... atenderán por el hambre y necesidad a hacer chacaras y servir poniéndose a oficio a que he forzado y obligado a muchos mozos perdidos poniéndolos de mi mano a ello...".

Esos "mozos perdidos" que Hernandarias quería, ingenuamente, sacar de las correrías camperas, eran criollos, hijos de padre y madre españoles. No eran indios, pues entre ellos la difusión de los caballos se hizo lentamente; no eran negros, porque sólo existían los esclavos, que los dueños cuidaban celosamente. El Cabildo santafesino respondió indignado a las observaciones de Hernandarias: "En esta ciudad no hay mozos perdidos ni vagabundos porque es muy corta y los mozos sirven a sus padres en sus chacras y estancias y cuando fuera verdad que hubiera mucha cantidad de mozos perdidos y todos se sustentaran del ganado vacuno cimarrón no se podía echar de ver ni fuera de ningún daño antes de provecho...".

Pero en 1635 el propio Cabildo se quejaba, en otra de sus sesiones, de "los jóvenes criollos santafesinos que van a cazar y vivir entre los indios copiando sus costumbres y defectos".

Las vaquerías porteñas se convirtieron en verdaderas expediciones militares, con guardia de gente armada desde 1650, como así también las de Santa Fe o Entre Ríos. Una vaquería requería de un fuerte capitalista que contara con docenas de carretas y que pudiera alimentar durante seis meses a los miembros de la expedición.

En el acta del Cabildo del 7 de febrero de 1642 se produjo la primera mención sobre los gauchos, como "cuatreros y vagabundos" que andaban por las estancias. En otras sesiones se habló de los "arrimados", que eran los gauchos que vagaban de estancia en estancia, o los "changadores" quienes carneaban ganado ajeno con el objeto de vender el cuero y canjearlo por otra cosa en una pulpería.

Eran pocos: una "bandada de palomas que se desparrama en el campo", describió Domingo González en 1756; para el censo de 1738 la población rural de Buenos Aires era de 1.102 personas.

En 1753 el gobernador Andonaegui fijó la pena de doscientos azotes para todo aquel que portara un cuchillo: esa fecha marcó el inicio de los problemas del gaucho con la ley urbana. El proceso de Juancho Barranco —para Coni, el primer *Martín Fierro*— mostró al precursor del gaucho perseguido en 1759: Barranco fue acusado por el cura de Luján de vivir amancebado con una mujer casada, y fue perseguido por una partida hacia la tierra de los indios. La partida los alcanzó y Barranco, con un sable en la mano, un puñal en la otra y el poncho envuelto en un brazo exclamó: Déjenme al Alcalde, que quiero pelear con él! A la intimación de que se rindiera respondió: Primero muerto que rendido!, no obstante lo cual lograron detenerlo. Varios testigos que declararon en el proceso coincidieron en describirlo como un gaucho "que no se ocupa más que en hurtar mulas y caballos a los vecinos y llevarlos para vender a los indios". Barranco, interrogado por su oficio dijo ser: "Peón de campaña". Unos años antes, el Cabildo había descrito a los gauchos como personas "sin Dios, sin Rey y sin Ley". En un proceso tramitado en 1795 en la Capilla de Mercedes de la Banda Oriental, la "Causa contra Bernardo Ledesma por vago", preguntado un testigo sobre el oficio del acusado contestó que "le consta que es gaucho y que no sabe tenga otro ejercicio que andar de rancho en rancho y en las pulperías embriagándose y después con el cuchillo en la mano peleando con todo el mundo". El reo no aceptó aquella acusación: "Es falso que sea gaucho", dijo.

Uno de los libros más deliciosos, breves y olvidados de Adolfo Bioy Casares es *Memoria sobre la pampa y los gauchos*, publicado por Sur en Buenos Aires, en 1970. Allí, Bioy se pregunta llanamente si los gauchos y la pampa existen o, lo que es peor, si existieron alguna vez. "En la provincia de Buenos Aires —escribe Bioy— no he conocido a ninguna persona medianamente allegada al campo que pronunciara el vocablo "pampa", en la acepción atinente de la llanura que vemos desde el automóvil o desde la ventanilla del tren y que de modo mínimo recorremos a caballo. (...) Frasecitas del tenor de "Voy a galopar un rato por la pampa" son concebibles únicamente en extranjeros de comedia, con propósito caricaturesco. (...) Cuando pude volví la mirada a los libros. En Bartolomé Hidalgo, el más antiguo de los poetas gauchescos, no encontré la palabra. En las muchas páginas de Ascasubi aparece en dos o tres ocasiones. Primero en el Santos Vega:

> Ansí la Pampa y el monte
> A la hora 'el mediodía
> *Un desierto parecía*

"También en una nota a esos versos, que registra la acepción original de "territorio desierto que queda más allá de las fronteras guarnecidas, donde no hay propiedad y donde las tribus indígenas vagan y viven según el estado salvaje". Después en *Aniceto el Gallo*, a estímulo de lejanía y de la nostalgia, en un brindis "Al Señor Sarmiento" pronunciado en París:

> Un cuarto de siglo hará
> A que cerca de la Pampa
> Me dio un amigo su estampa
> *Como prenda de amistad*

"Creo que Hernández emplea dos veces la palabra; una en *El Gaucho Martín Fierro*:

> Las estrellas son la guía
> *Que el gaucho tiene en la pampa*

"Y otra en *La Vuelta de Martín Fierro*:

En la pampa nos entramos

"Indudablemente en el sentido preciso que fija la nota de Ascasubi. Si no me equivoco "pampa" no figura en el *Fausto* de Estanislao del Campo."

Brillante Bioy: "La apuntada inhibición o reticencia despertó siempre mi curiosidad. Joseph Conrad menciona libremente el mar, pero Estanislao del Campo no menciona la Pampa. ¿Por qué? (...) Creo que para muchos argentinos "pampa" es palabra de turistas, de personas ajenas al medio. (...) El trabajo que ahora me ocupa no es de erudición, reconoce por fuente primordial mi experiencia, que no excede uno o dos partidos de la provincia de Buenos Aires. (...) Cuando yo era chico, no había gauchos. Hilario Ascasubi señala, en 1872, que el "gaucho ha desaparecido" (en el prólogo de *Santos Vega*) y Vicente Fidel López, en 1883, afirma "no existe ya: hoy es para nosotros una leyenda de ahora setenta años" (en *Historia de la República Argentina*, tomo III, página 124) (...) Adolfo Bioy, mi padre, escribe en *Antes del Novecientos* que la gente de campo —se refiere principalmente a los partidos de Las Flores, Tapalqué, Azul y Bolívar— por entonces vestía chiripá; Miguel Casares me dice lo mismo para el partido de Cañuelas. De modo, pues, que yo pasé la infancia y la adolescencia a la espera de un chiripá auténtico. (...) Para los carnavales yo tenía libertad de elegir cualquier disfraz, menos el de gaucho. "Un argentino no se disfraza de gaucho", me había dicho mi padre. (...) Tuve que esperar hasta el año 1935 para ver —en La Francia, de Crotto, en el partido de General Alvear— gauchos de chiripá. Habíamos ido con Borges a un remate de haciendas, útiles y enseres, y en un montecito marginal los descubrimos. Por suerte ahí estuvo Borges, porque si no yo podría creer que todo fue un sueño.

"De Vicente L. Casares dijo Ezequiel Ramos Mexía en su elogio fúnebre: "Estanciero, muy de campo, nada gaucho". Es fama que algunos estancieros argentinos de aquella época se jactaban de no permitir la entrada de gauchos en sus establecimientos, abiertos a trabajadores de cualquier parte. (...) El dueño de un campito sobre el arroyo Gualicho, un señor que mis apresurados amigos de Buenos Aires describirían tal vez como gaucho me peroraba:

"—Mire, Bioy, yo soy contrario al conchabo, en un establecimiento que se respete, de domadores y toda esa gente a la antigua, holgazana y por suerte ratera, que no sabe más que de mañas y usted a cada trica traca los encuentra mateando en los galpones, que es un mal ejemplo para el hombre de trabajo.

"Añadiré de paso que tengo por expresión de habitantes de la ciudad la palabra gaucho en acepción de "servicial", para calificar a una persona que ayuda, obtiene puestos o ascensos para sus protegidos, y también al derivado "gauchada"."

Resume Bioy Casares: "Testigos de diversas generaciones coinciden en afirmar que sólo existió en el pasado, con preferencia setenta años antes de cada una de tales afirmaciones". Y agrega una novedad: "Me parece que ahora hay más gauchos que antes. Hasta domadoras han aparecido. En todo Pardo y en los linderos pagos de Tapalqué es merecidamente renombrada Zulema Andrade. (...) Los nuevos retoños del gaucho que nos deparan los caminos de la patria, los remate-ferias, las yerras, las carreras cuadreras, las domas, se visten según el sastre de Rodolfo Valentino. (...) Abundan los procesos de agauchamiento rápido, que se completan en un solo individuo y se afianzan en la prole". En su *Memoria...*, Bioy cierra el relato dando cuenta del único gaucho que conoció: "uno de los gauchos más gauchos que conocí, gaucho por el aspecto, el andar, la fonética, la índole, el oficio y las habilidades, hombre de cuidado por la baquía en el manejo del cuchillo así como por el coraje, noble bajo una apariencia huraña de puro cimarrona, famoso domador, suavemente socarrón y estoicamente desdichado, fue don Cipriano Cross, francés de nacimiento y hermano, para colmo de la anomalía, de un hotelero marplatense".

LOS PRIMEROS DESAPARECIDOS

Negros, en Buenos Aires, no hay.

Así comienza *Los afroargentinos de Buenos Aires*, de George Reid Andrews, publicado en 1980 por The University of Wisconsin Press. Isabel Rennie, autora de una Historia argentina en lengua inglesa, describe la "desaparición de los negros como uno de los enigmas más intrigantes de la historia argentina". James Scobie anota que "la desaparición de los negros de la escena argentina ha intrigado mucho más a los demógrafos que la desaparición de los indios". En 1974, la revista norteamericana *Ebony* envió corresponsales a Buenos Aires para escribir una nota sobre "Argentina: tierra de los negros que desaparecen".

Andrews señala que el proceso de desaparición fue bastante repentino, y comenzó a tener efecto en la década de 1850. El censo de 1778 mostró que los negros y mulatos eran un 30 por ciento de la población: 7.256 sobre un total de 24.363 habitantes.

La proporción se mantenía en 1810 y 1838, aunque en este último año, tomando en cuenta cifras relativas, había bajado a un cuarto del total. Pero para 1887 sólo había 8.005 negros sobre una población total de 433.375; menos del dos por ciento.

Los historiadores han ensayado diversas explicaciones, sin que ninguna resultara concluyente:

La masiva participación de los negros en la primera línea de combate de todas las guerras por la Independencia, los enfrentamientos con Brasil y Paraguay y las guerras civiles.

El mestizaje, entendiendo que las mujeres negras elegían hombres blancos, que les darían una mayor movilidad social.

Las bajas tasas de natalidad.

La eliminación del comercio de esclavos.

Buenos Aires fue el principal centro americano de tráfico de esclavos. Entre 1606 y 1652 fueron "confiscados" 8.932 negros introducidos sin licencia en navíos declarados de "arribo forzoso". Si se cuenta los que desde 1597 pasaron por este puerto suman 22.892, con una población total para la época que nunca superó las treinta mil personas.

En 1585, apenas iniciado el tráfico marítimo de Buenos Aires con el Brasil, empezó el tráfico de esclavos. La tercera nave que zarpó del puerto, el día 20 de octubre de aquel año, fue una fragata construida allí mismo, propiedad del Obispo Victoria, que llevó treinta mil pesos en vajillas y cadenas de oro y plata hacia Brasil; a la vuelta trajo los primeros esclavos negros que vendió en Potosí.

La compañía inglesa South Sea y la Real Compañía Francesa de Guinea casi monopolizaron el tráfico de esclavos que costaban entre 60 y 75 pesos y que, en el caso de tener un oficio conocido, podían llegar hasta los 1.000 pesos (eso se pagó por un herrero en 1616).

Al llegar, en 1703, el Opiniatre, buque de la Real Compañía de Guinea, depositó a los esclavos en la "chacra del Señor Obispo", a media legua de la ciudad, celebrando un contrato de arrendamiento por un año y medio con el Deán de la Quala. Finalmente, debido a los inconvenientes que planteaba la distancia y la falta de agua suficiente Maillet, tesorero de la Compañía, se interesó por El Retiro, residencia del ex gobernador y maestre de campo Agustín de Robles, el edificio más grande y más suntuoso de la ciudad. Se componía de treinta y dos cuartos o "rrepartimientos" cubiertos de tejas, y en sólo cuatro de ellos podían alojarse más de ochocientas cabezas de negros, a razón de doscientos en cada uno. Pastaban en la chacra quinientos porcinos y doscientos caballos. La casa fue depósito de negros desde abril de 1704 hasta el mismo mes de 1706. El Cabildo se negaba a recibir "negros que no vinieren con toda sanidad", y en esos casos se los desembarcaba en cuarentena en la Isla Martín García; el resto quedaba en El Retiro. Finalmente, luego de un pleito por el alquiler del predio, la Compañía de Guinea se trasladó al actual Parque Lezama, sobre la calle Brasil.

Llegados los esclavos al "depósito" se procedía al "palmeo", o sea la valuación oficial y medición de las "cabezas de negro"; la estatura de cada esclavo era tomada con una varilla de madera en la que estaban marcados los palmos y sus fracciones, haciéndose deducciones por defectos físicos como raquitismo, deformaciones, pérdida de miembros, extrema juventud o vejez. Se formaban de ese modo grupos de esclavos separados por sexo y con un valor promedio similar, eran las llamadas "piezas de Indias". El palmeo se completaba con el "marcado", hecho con un sello de metal, la carimba, calentado al rojo, con el que se marcaba a los esclavos en diferentes lugares del cuerpo, generalmente en el pecho o la espalda.

Los negros eran empleados para todos los oficios manuales que el español se resistía a desempeñar. A veces trabajaban en talleres y era su amo quien cobraba el salario y otras lo hacían bajo la dirección de éstos.

La separación existió siempre y estuvo bien marcada: no podían trabajar en el mismo ámbito físico que los blancos ni tampoco ejercer ciertas tareas de atención al público como, por ejemplo, la de pulpero. Nunca tuvieron representación política en el Cabildo ni en organismo alguno y vivieron bajo una legislación paternalista similar a la de los indios.

No eran admitidos en los establecimientos de enseñanza, y según Juan Probst en *La enseñanza durante la época colonial*, en Catamarca se llegó a azotar a un mulato "por haberse descubierto que sabía leer y escribir".

Fue precisamente una venta de esclavos el primer remate público de Buenos Aires. Los negros se llamaban Macián y Vicencio, y fueron vendidos el 20 de diciembre de 1539. Vicencio fue comprado por el capitán López de Aguilar en 145 ducados, y Macián fue adquirido por Gregorio de Leyes en 65 ducados.

Desde 1595 sólo 233 esclavos habían sido traídos a esta ciudad, una cifra que resultaba muy escasa para la creciente demanda de mano de obra. Ese año la Corona otorgó permiso a Pedro Gomes Reynel, esclavista portugués, para traer 600 esclavos por año a Buenos Aires, durante el período de nueve años. Pero aun aquella cifra era insuficiente.

El primer caso informado de esclavitud ilegal implicó al Obispo de Tucumán, que en 1585 fue sorprendido importando esclavos desde Brasil sin el correspondiente permiso real. Los esclavos fueron confiscados pero el Obispo siguió con su debilidad hasta 1602 cuando intervino directamente el Rey, acusándolo de sobornar a los funcionarios del puerto.

Para dar una idea de la magnitud del contrabando basta saber que de los 12.778 esclavos ingresados a Buenos Aires desde Brasil entre 1606 y 1625, sólo 288 tenían permiso.

En 1716 el gobernador de Buenos Aires permitió que representantes de la South Sea Company vendieran esclavos y manufacturas libres de impuesto a cambio de una comisión del 25 por ciento de las ganancias.

Juan Abbot, médico de una embarcación británica citado por Andrews en su trabajo, describió en 1740 las condiciones en que los africanos eran trasladados a la Argentina: "Durante más de setenta días tuve que levantarme a las cuatro de la mañana y bajar hasta donde se encontraban los esclavos, para ver los que se habían muerto y auxiliar a los moribundos. Me vestía a las siete y suministraba remedios a más de cien lisiados o enfermos. A las diez asistíamos a los blancos de la tripulación y atendíamos nuevamente a blancos y negros a las cuatro de la tarde. La hidropesía fue enfermedad fatal. De cuatrocientos cincuenta y cinco esclavos, hombres y mujeres, sepultamos a más de la mitad. La hidropesía se originó en individuos no acostumbrados al encierro, debido a la falta de ejercicios y a la reducida alimentación de porotos y arroz. La gravedad del cuadro general aumentó con la aparición del escorbuto".

Los esclavos no vendidos eran abandonados por los traficantes en las calles de la ciudad, desnudos, sin hablar español y sin ningún medio de sustento.

El censo de artesanos de 1778 muestra el diseño de una pirámide racista en la distribución de los oficios: caso todos los negros eran jornaleros o aprendices, y —en el marco urbano— estaban en las profesiones menos lucrativas: zapatería, sastrería, control de plagas, changadores, portadores de carga y panaderías. Los mejores empleos estaban reservados para los europeos, y los blancos criollos tenían una posición intermedia. Era muy común también que los amos alquilaran sus esclavos a otras personas que los necesitaban, recibiendo así un ingreso directo en dinero efectivo.

Los Códigos del Derecho Español puestos en vigencia por Alfonso el Sabio enumeraban una serie de situaciones en las que el esclavo podía ganarse su libertad: si se casaban con una persona libre, si resultaban herederos del amo o si el amo obligaba a su esclava a la prostitución. Otro mecanismo era el llamado "servicio heroico prestado al Estado", generalmente en la lucha contra invasores extranjeros. El cumplimiento de este derecho era irregular: en 1806 y 1807 el Cabildo sólo otorgó la libertad a 22 de los 688 esclavos que combatieron en las Invasiones Inglesas. Las bajas de los Pardos y Morenos, según el informe de la Secretaría de Liniers, "registraron, proporcionalmente, mayor cantidad de muertos y heridos que el resto de las tropas".

Según Francisco Morrone, en julio de 1664 la Guarnición de Buenos Aires incluía en forma oficial la presencia de negros y mulatos: una compañía de mulatos de caballería con treinta hombres y otra de negros de caballería con 47 soldados. En 1765 ya constituyen un 11 por ciento del total de las tropas: el cuerpo de Pardos está formado por ocho compañías que reúnen a 24 oficiales y 400 soldados y el de Negros Libres a 27 oficiales y 150 soldados.

Reglamentada la milicia urbana por la Primera Junta de Gobierno el 29 de mayo de 1810, 9.615 soldados eran de origen afroamericano, esto es el 30 por ciento del total. En las fuerzas del Ejército del Norte representaron otro 30 por ciento del total de efectivos bajo las órdenes de Francisco Ortiz de Ocampo y González Balcarce. El Regimiento de Pardos acompañó a Belgrano en la expedición al Paraguay y en el Ejército del Alto Perú. Los negros fueron casi la mitad de las tropas del General Rondeau en el sitio a Montevideo.

En *Memorias de un viejo*, Víctor Gálvez recordó así a estos soldados: "Muchos negros que pertenecieron al Ejército de los Andes se arrastraban por las calles con las piernas cortadas o perdidas en las nieves al atravesar las altas cordilleras, y estos inválidos que mendigaban el pan tenían fuego en la mirada cuando les hablaban del ejército de la patria, que tan mal les había pagado abandonándolos a la caridad pública".

El 60 por ciento del Ejército del Norte estaba compuesto por negros cuando San Martín se hizo cargo de su mando. En junio de 1816 le escribió a Tomás Godoy Cruz: "No hay remedio, mi buen amigo, sólo nos puede salvar el poner a todo esclavo sobre las armas. Por otra parte, así como los americanos son lo mejor para la caballería, así es una verdad que no son los más aptos para la infantería, mire usted que yo he procurado conocer a nuestros soldados, y sólo los negros son verdaderamente útiles para esta arma". En el censo de 1778 de la ciudad de Mendoza, se observa que vivían en el casco urbano 4.491 blancos y 2.129 negros, el 24 por ciento del total.

Mitre afirma, en su *Historia de San Martín* que "a pesar de ser los esclavos los únicos brazos con que contaban los propietarios para el cultivo de sus haciendas, y no obstante la gran resistencia que opusieron... al fin se allanaron buenamente al gran sacrificio que se les exigía". Nada más lejano de la verdad: la polémica respecto del precio al que los particulares venderían los esclavos al Estado duró meses, y la operación se concentró en precios mucho mayores a los del mercado: un promedio de 315 pesos por esclavo, superior a los valores de tasación que tenían otros esclavos con oficio de albañil o carpintero, que eran los más costosos. Mendoza le vendió a San Martín 270 esclavos, con una tasación total de 62.875 pesos, San Juan vendió 233 esclavos a 73.426 pesos y San Luis 42 esclavos más.

La Asamblea de 1813, contra lo que se cree, no dispuso la libertad de todos los esclavos sino la libertad de vientres, esto es que todos los hijos de madres esclavas nacidos después del 31 de enero de 1813 nacían libres, aunque con ciertas condiciones. Esos niños, a los que se llamó "libertos", debían vivir en la casa del dueño de su madre hasta que se casaban o llegaban a la mayoría de edad, sólo después eran completamente libres. Entretanto se les obligaba a servir al patrón de su madre, sin salario hasta los quince años, después de lo cual recibían un peso por mes hasta obtener la libertad plena.

También se modificó en aquel año la convocatoria al servicio militar, ante la escasez de postulantes: si se integraban, los esclavos eran libres tan pronto fuesen reclutados, aunque se les exigía un período mínimo de servicio.

Entre 1813 y 1818 dos mil esclavos ingresaron al Ejército de la Provincia de Buenos Aires.

Un texto de Manuel Ugarte, publicado en *El porvenir de América Latina*, da una idea precisa del ambiguo estado de abolición de la esclavitud posterior a 1813. "Cuando una ley discutida le concedió la libertad —escribió Ugarte— el esclavo abrió los ojos, sin alcanzar a ver. Muchos se negaron a abandonar la cárcel y prolongaron su servidumbre. El ser humano se adapta a todo. Pero es necesario recordar también en qué condiciones se encontró el liberto. Se abría para él la época más dolorosa. No estaba a las órdenes de ningún hombre, pero su situación de inferior no había cambiado. ¿Adónde ir? ¿Qué intentar? Acostumbrado a obedecer, carecía de audacia para abrir rumbo. De aquí que la mayoría continuara sirviendo en la casa del amo mediante la ínfima retribución que sólo sirvió para salvar las formas. Otros se emborracharon de libertad durante algunos días hasta que, mordidos por el hambre, tuvieron que volver también. Y aquellas muchedumbres inmensas que la avaricia de los hombres precipitó sobre el Nuevo Mundo, modificadas por el ambiente, multiplicadas por los años, diseminadas por las revoluciones, pero invariablemente atadas al origen, prolongaron, primero políticamente y después étnicamente, en plena democracia, la situación inicial. Se habían extraviado en la tierra. El país en que trabajaban y nacían era una patria de adopción. Formaban un haz aparte que no podía confundirse porque llevaba el distintivo en la cara. El hijo del extranjero emigrado es criollo al cabo de una generación. Nadie logra descifrar su procedencia. Pero ¿quién arrancaba al negro su nacionalidad aparente?".

En su estudio *Prolongación de la esclavitud en Argentina*, Alberto González Arzac recuerda que el 4 de febrero de 1813 la Asamblea declaró libres a todos los esclavos que se introdujesen en el territorio de las Provincias Unidas desde países extranjeros; pero una ley aclaratoria del 21 de enero de 1814 estableció que se refería a "los esclavos que fuesen introducidos por vía del comercio o venta, y de ningún modo los que se hubiesen fugado o se fugasen de otras naciones, ni los introducidos por viajantes extranjeros que se conservasen en su propio dominio y servidumbre, los cuales no podrán pasar al otro por enagenación o cualquier otro título".

Molinari cita algunas disposiciones de los gobiernos patrios que significaron "regresiones bochornosas y poco laudables" como la autorización concedida el 7 de enero de 1823 a Miguel Riglos, que había introducido algunos negros libertos, para que le sirvieran hasta los dieciocho años. El 10 de junio de 1823 se permitió la venta en el país de unos esclavos traídos del extranjero. Y fueron tantas las excepciones —señala González Arzac— que el 3 de septiembre del mismo año Las Heras debió dictar un Decreto prohibiendo nuevamente que los esclavos introducidos al país como sirvientes fueran vendidos "constando al Gobierno los abusos que comienzan a hacerse al decreto de la soberana Asamblea del 11 de enero de 1814 explanatorio del 4 de febrero de 1813 y a fin de cortar de raíz dichos abusos".

A finales de 1813, el Segundo Triunvirato suspendió la vigencia de lo resuelto por la Asamblea y dispuso que "todo esclavo perteneciente a los Estados Unidos del Brasil que hubiesen fugado o fugaren en adelante a nuestras provincias, sea devuelto escrupulosamente a sus amos". En circunstancias de la Guerra con el Brasil, durante 1827, se reglamentó el patronato de los esclavos tomados en corso: "Los armadores de corsarios que apresasen esclavos o cargamentos de ellos podrán empeñar sus servicios por la cantidad de doscientos pesos cuando más, en compensación de los riesgos y gastos de habilitación de los buques. El tiempo de este empeño variaba según la edad del esclavo: los que tuvieran menos de diez años servirían hasta cumplir los veinte, los de diez a quince años serían esclavos por diez años más, los de quince a veinticinco por ocho años más, los de veinticinco a treinta y cinco por seis años y de allí en adelante solamente cuatro".

El 30 de noviembre de 1821 un reglamento policial permitió la instalación de sociedades de negros que fueron agrupándose por naciones y se instalaron en el sur de la ciudad, en las actuales calles Independencia, Chile y México. Las sociedades fueron la Cubunda (en 1823), Benguela, Mores y Mina (1825) Rubolo (1826) Angola y Congo (1827), Cabundas, Quisamá, Hombé y Bamba. El 1 de febrero de 1822 se les prohibió bailar en las calles, y el 27 de junio de 1825 se prohibieron terminantemente los batuques y candombes. Los negros bailaban en los "quilombos", que más tarde, en la época de Rosas, recobraron su esplendor. Wilde escribió que la adhesión de los esclavos a Rosas los llevó a rebelarse contra sus amos: "En el sistema de espionaje establecido por el tirano, entraron a prestarle un importante servicio, delatando a varias familias y acusándolas de salvajes unitarias; las negras se hicieron altaneras e insolentes, y las señoras llegaron a temerles tanto como a la Sociedad de las Mazorcas".

Cuando el artículo 15 de la Constitución de 1853 proclamó que en la Nación Argentina "no hay esclavos", reconoció de hecho que la institución subsistía: "Los pocos que hoy existen quedan libres desde la jura de esta Constitución, y una ley especial reglará las indemnizaciones a que dé lugar esta declaración". González Arzac calcula que a mediados del siglo XIX, sobre un total de 800.000 habitantes de la Confederación, 110.000 eran mulatos y 20.000 negros. Aquella proporción del 30 por ciento había quedado sepultada por las guerras de la Independencia, el maltrato y las enfermedades.

CAPÍTULO CUATRO

LA PRIMERA
INVASIÓN INGLESA

En 1950 Enrique M. Barba publicó, en el tomo XXXII de la *Revista Humanidades*, en la Facultad homónima de La Plata, un trabajo titulado *Una invasión inglesa durante el gobierno de Cevallos*. Barba aclaró entonces: "Está fuera de mi propósito presentar las cosas con ribetes sensacionalistas. No titularé a mi trabajo *La primera invasión inglesa*". Un par de décadas después, en el número 43 de la revista *Todo es Historia*, se mostró arrepentido: "Creo, ahora —escribió— que debí titularlo de esa manera". En efecto, es ése el título que lleva en la revista de Félix Luna. Barba refiere a un documento hallado en la Biblioteca Nacional de Madrid, sección manuscritos, con la signatura MS19.658, y se titula "Proyecto de los ingleses y portugueses sobre la conquista y saqueo de Buenos Aires y su fin".

Los ingleses contaban como segura a la Colonia del Sacramento, ya que estaba en manos de los portugueses. Nunca pudieron prever que caería bajo la dominación de Cevallos el 2 de noviembre de 1762. No estaban satisfechos con las crecientes ganancias proporcionadas por el contrabando y, ante una propuesta lusitana, cedieron a la tentación: apoderarse del Río de la Plata quedando la parte oriental para los portugueses y Buenos Aires para Inglaterra.

Joseph Reed, tonelero de un navío que había llegado en 1754 a Buenos Aires, se presentó en Inglaterra ante el capitán Mac Namara agregando leña al fuego: le dijo que tenía "amigos de autoridad" en Buenos Aires, cuyo río conocía, al igual que sus "entradas y salidas de tierra", y que la ciudad era apetecible y de fácil conquista. Reed convenció a Mac Namara y logró la patente de capitán para la empresa, dirigida por la Compañía de Indias Orientales. Fijaron carteles en Londres para que se presentasen los que quisieran embarcarse en una expedición al Mar del Sur, ofreciéndoles participar en la división de las ganancias que se consiguieran. La empresa fue financiada por suscripción, y comerciantes británicos interesados en el "negocio" integraron un capital de cien mil libras esterlinas. También llevaron cuarenta mil libras en géneros a bordo del Lord Clive.

Mac Namara equipó y armó a sus expensas un navío con sesenta cañones y una fragata, la Ambuscade, con cuarenta marinos y setecientos hombres anotados como voluntarios. La expedición partió de Londres en julio de 1762. Pasaron en agosto por Lisboa, donde recibieron instrucciones para "sacar del Brasil las embarcaciones y tropa necesaria". El 1 de octubre, en Río de Janeiro, el gobernador Bobadela les entregó un navío con setenta cañones, seis bergantines y seiscientos portugueses.

A principios de diciembre estaban a la altura de Maldonado. A la altura de Montevideo abordaron una lancha española: allí se enteraron, por relato de los prisioneros, que Colonia había sido tomada por el Gobernador Cevallos el 30 de noviembre. La noticia los desesperó; discutieron la posibilidad de atacar directamente Buenos Aires y sondearon varias veces el río sin encontrar paso para el canal del Sur.

Recalaron en la desembocadura del río Rosario, y se mantuvieron un tiempo entre este puerto y el de Santa Lucía. Cevallos, enterado de los movimientos, mandó refuerzos a la ensenada de Barragán, a Maldonado, Montevideo y también pertrechó Buenos Aires. Dejó en Colonia una tropa de quinientos hombres y otra de cien en la isla de San Gabriel.

El 6 de enero de 1763 las tres embarcaciones mayores de la escuadra, Lord Clive, Ambuscade y la fragata portuguesa Gloria entraron al canal del puerto de Colonia e iniciaron el ataque. El fuego comenzó a las doce horas y cuarenta y tres minutos, y duró hasta las cuatro de la tarde. Según el parte de los ingleses, dispararon tres mil treinta y siete cañonazos. Poco después de las cuatro la nave capitana inglesa comenzó a arder, con tanta fuerza que luego de notarse fuego en la cámara de popa ya estaba encendido todo el velamen. Las tropas de Cevallos recogieron ochenta hombres del agua, trescientos se ahogaron. Mac Namara, el jefe de la escuadra, se quedó en el navío, dejándose quemar a la vista de todos. Pese a ser víctima de una voladura, el Lord Clive no se hundió de inmediato y le dio tiempo a las tropas de españoles, indios y criollos, a sacar cuarenta cañones de bronce.

La Ambuscade tuvo cuarenta bajas, salvándose el poeta Thomas Penrose, cronista de la expedición. Las tropas de la Colonia sólo perdieron un teniente de Dragones, tres indios y un negro. Los prisioneros ingleses y portugueses solteros fueron despachados a las provincias y Chile y los casados fueron destinados a los pueblos de Areco y Luján. Con el correr de los años muchos de ellos, básicamente los portugueses, que provenían de distritos viñateros, se dedicaron en Mendoza al cultivo de la vid.

GOD SAVE THE KING: LA SEGUNDA Y TERCERA INVASIÓN INGLESA

En su libro *Historia Integral de la Argentina*, Félix Luna contextualiza con síntesis y claridad las dos invasiones inglesas posteriores. Luna señala que: "En las postrimerías del siglo XVIII, la declinación de España como potencia colonial coincide con el afianzamiento de la supremacía inglesa en el mundo. (...) Ya en 1618 el marino inglés Sir Walter Raleigh explicaba al Rey Jacobo I: "Quien manda en el mar manda en el comercio del mundo, manda en las riquezas del mundo y, consecuentemente, en el mundo mismo". Una guerra enfrentó entonces a España y Francia, aliadas, contra Gran Bretaña, Austria y Holanda. El tratado de paz de Utrecht, firmado en 1713, cerró el conflicto y abrió las puertas a la hegemonía británica. Inglaterra obtuvo ventajas que le permitieron fortalecerse en el mar, detener la expansión francesa y socavar el imperio español de ultramar. Y uno de los privilegios más importantes: la autorización para vender a la América española cuatro mil ochocientos esclavos por año durante un período de treinta años, más el envío regular de un barco cargado con mercancías.

"A fines del siglo XVIII, cuando se rompió la alianza entre España y Francia, se gestaron dos planes en el gobierno inglés: el de Nicholas Vansittart y el del General Tomas Naitland. Ambos tenían la idea de una invasión "en arco" que tomara Buenos Aires, avanzara hacia Chile y llegara hasta Perú. El plan de Naitland avanzó aún más proponiendo, desde Lima, llegar a Quito.

"A mediados de 1804 dos figuras clave del gobierno inglés se reunieron con una tercera para desempolvar aquellos planes: el primer Lord del Almirantazgo, Henry Melville y el primer ministro William Pitt convocaron al comodoro Home Riggs Popham. Los tres coincidieron en que la ocupación militar debía servir de apoyo a la expansión comercial: lo que convenía, en realidad, era apoyar o estimular la independencia bajo la discreta mirada de Gran Bretaña. El proyecto, sin embargo, nunca llegó a una instancia oficial: era el sueño de un conciliábulo.

"Popham recibió, a mediados de 1805, la orden de escoltar la expedición del General David Baird a Ciudad del Cabo, con seis mil trescientos hombres. Los británicos recuperaron Ciudad del Cabo en enero de 1806 de la ocupación holandesa aliada de Napoleón. Allí, en Sudáfrica, Popham se enteró de la batalla de Trafalgar donde el almirante Nelson desbarató a la alianza franco-española.

"Decidió que sus sueños se hicieran realidad al recibir una orden del Almirantazgo para enviar una fragata a la costa de Sudamérica, entre Río de Janeiro y el Río de la Plata, con la idea de recabar datos de inteligencia del enemigo y prevenir cualquier ataque.

"Popham contaba entonces con algunos datos de Buenos Aires que le enviara William White, su ex socio en la India. Los tiempos no alcanzaron para consultar a Londres; Popham le comunicó su plan a Baird en Ciudad del Cabo y éste le facilitó el Regimiento 71 de Infantería, piezas de artillería y mil hombres para emprender la invasión a Buenos Aires.

"Baird, a la vez, ascendió a general al coronel William Carr Beresford con la orden de nombrarlo vicegobernador, con lo que excluía la posibilidad de que se proclamara la independencia de Buenos Aires.

"Popham zarpó de El Cabo el 14 de abril de 1806. El 8 de junio la expedición llegó frente a Montevideo y Popham desestimó la propuesta de Beresford de desembarcar allí."

Ves aquel bulto lejano
que se pierde atrás del
monte?
Es la carroza del miedo
Con el Virrey Sobre Monte

La invasión de los ingleses
Le dio un susto tan cabal
Que buscó guarida lejos
Para él y el capital.

COPLA POPULAR
DEL SIGLO XIX

Desde los primeros meses de 1805 circularon en Buenos Aires rumores sobre el comienzo de una nueva guerra entre España e Inglaterra, y el Virrey del Río de la Plata, Marqués Rafael de Sobre Monte, intuía un ataque británico a estas tierras, hecho que manifestó en una carta al ministro de Guerra Manuel Godoy (cuyo cargo se denominaba, en realidad, Ministro del Despacho de la Guerra y Príncipe de la Paz).

El 2 de abril de 1805 se celebró una Junta de Guerra con los principales jefes militares y allí Sobre Monte discutió los planes de prevención. Más tarde, según señala Antonio Emilio Castello en *Sobre Monte: ¿inocente o culpable?*, en carta al ministro Caballero, Sobre Monte le informó que "estas provincias no podían alcanzar a resistir un ataque formal que hicieran los ingleses". Torre Revello dice al respecto que "es conveniente tener en cuenta este detalle, que se irá convirtiendo en idea fija en todos los actos posteriores del Virrey".

En noviembre de 1805 se recibieron noticias de la presencia de una escuadra inglesa en el Brasil, y el Virrey se trasladó a Montevideo, que se pensaba como primer punto de acceso para una invasión a Buenos Aires.

En la noche del 24 de junio, según relata F. de Oliveira Cezar en *Las Invasiones Inglesas*, escrito en 1891, el virrey Sobre Monte se encontraba con su familia en el palco oficial de La Comedia, viendo *El sí de las niñas.* Se presentó de pronto un ayudante de campo dándole la noticia de que una escuadra con bandera inglesa había penetrado hasta la rada exterior de la ciudad. "Los concurrentes a la fiesta se apercibieron al instante de aquella alarma que Sobre Monte no trató de disimular, dirigiéndose al Fuerte sorprendido y temeroso, sin atinar a disponer nada de lo que hubiera sido conducente para defender la ciudad. Mandó acuartelar las tropas y ordenó al Alférez Manuel Sánchez que, con doce hombres, se trasladase a Quilmes, donde ya se encontraba un sargento con cinco hombres de guardia".

En la noche, algunos jóvenes que habían asistido a la fiesta teatral y que salieron juntos a la calle, permanecieron reunidos comentando la alarma y proyectando planes imaginarios de defensa. Entre ellos estaba Martín Miguel de Güemes, tenía entonces veintiún años y había entrado a servir en el Batallón fijo de línea en 1799. Su padre era Tesorero General del Rey en Salta. Güemes logró ganarse la confianza de Santiago de Liniers, al que sirvió en San Isidro como ayudante de campo. Durante la Reconquista, Liniers ordenó a Güemes vigilar y hostilizar a las naves inglesas con la ayuda de los Húsares de Pueyrredón. Los gauchos de San Isidro, Luján y Las Conchas se enfrentaron al buque Justina, abordándolo y tomando un centenar de prisioneros. Al año siguiente el ya subteniente Güemes asistió a la campaña contra las tropas de Whitelocke, en la tercera invasión.

No fue Güemes el único caudillo de actuación destacada contra los ingleses: Héctor José Iñigo Carrera describe la actuación de un oficial de Blandengues llamado José de Artigas, quien llegó a Liniers como correo especial desde Montevideo y le solicitó quedarse para pelear en Buenos Aires. Asistió después al sitio de Montevideo, dieciocho días de bombardeos, al frente de sus blandengues. En el cuerpo de Arribeños peleó Juan Bautista Bustos, defendiendo la manzana de La Merced, entregando más de ciento cincuenta prisioneros británicos.

El valiente capitán
don Juan Bustos, de
Arribeños,
con 18 de su gente
carga con valor sobre ellos
y se rinden los britanos

COPLA POPULAR
DE LA ÉPOCA

La polémica se centra sobre la real participación de Rosas en este evento, ya que durante su gobierno se publicitó su actuación en las invasiones, asegurando que "había salvado a la patria antes de que naciera". Fuentes respetables como Adolfo Saldías mencionan la actuación de Rosas durante la Reconquista, entonces un niño de trece años. Fue nombrado "agregado de artillería", y prestó servicio auxiliar en uno de los cañones. Pero todo se complica al hablar de la tercera invasión: Rosas se incorporó al cuerpo de Caballería de los Migueletes antes de cumplir los catorce años (esto es, no cumplía la edad mínima de quince que establecía el Reglamento de Milicias para los cuerpos de voluntarios). Según José María Rosa fue aceptado de todos modos, como premio a su labor durante la Reconquista, pero otras fuentes señalan que fue dado de baja quince días antes de la contienda.

Soldado era Miguelete
cuando Güiteló atacó
y con su corvo afilado
en la aición se distinguió

Manuel Belgrano, en su *Autobiografía*, describió el desconcierto de aquellos días: "Conducido del honor volé a la Fortaleza, punto de reunión: allí no había orden, ni concierto ni cosa alguna, como debía suceder en grupos de hombres ignorantes de toda disciplina y sin subordinación alguna; allí se formaron las compañías y yo fui agregado a una de ellas avergonzado de ignorar hasta los rudimentos más triviales de la milicia y pendiente de lo que dijera un oficial veterano, que también se agregó de propia voluntad, pues no le daban destino. Las armas entregadas fueron tan pocas que, luego de la rendición de la ciudad, los cuarteles entregados a los ingleses estaban repletos de armamento y municiones".

Castello refiere a una investigación posterior del Cabildo: "Se acumularon las acusaciones de falta de previsión y dirección. Declararon sobre las irregularidades cometidas los oficiales José del Llano, Pedro Ibáñez, Juan Manuel Álzaga, Manuel Martínez, Fermín Tocornal, José María Balbastro, Manuel Falque, Manuel Naranjo, Juan Ignacio Terrada, Francisco Vidal, Manuel de Lezica, Manuel Ortiz Basualdo, Pedro Antonio Cerviño y José Fernández de Castro. ¿Sobre Monte fue el únicoresponsable de este desorden? ¿Qué hicieron esos oficiales? —se pregunta Castello—.

Se va la Segunda

En la mañana del 25 las naves aparecieron frente a Buenos Aires. El coronel de Administración Alejandro Gillespie, oficial de las tropas invasoras, escribió el testimonio directo más interesante de aquellos días: *Buenos Aires y el Interior, observaciones reunidas durante una larga residencia, 1806 y 1807*. La estancia de Gillespie, en verdad, fue involuntariamente larga: lo tomaron prisionero y fue confinado a San Antonio de Areco, Salto, Rojas y posteriormente a Calamuchita (Córdoba). Publicó en 1818, en Inglaterra su *Buenos Aires...* Su libro fue traducido al español en 1921.

Gillespie recuerda que los datos sobre Buenos Aires entregados por White a Popham no eran los únicos con que contaban los ingleses: el 9 de junio, en las cercanías de Montevideo, detuvieron a una goleta de bandera portuguesa. "Había a bordo —escribió Gillespie— un escocés llamado Russel, quien se ocultó y fingió no hablar nuestro idioma, pero después de un prolijo examen confesó ser súbdito naturalizado de Buenos Aires, que desempeñaba el puesto de práctico real en el Plata (...) La noticia, dada por Mr. Russel fue que una gran suma de dinero había llegado a Buenos Aires desde el interior del país para ser embarcada rumbo a España en la primera oportunidad, que la ciudad estaba protegida solamente por un poco tropa de línea, cinco compañías de indisciplinados blandengues, canalla popular, y que la festividad de Corpus Christi, que se aproximaba y atraía la atención de todos, terminando en una escena de borrachera general y tumulto, sería la crisis más favorable para un ataque contra la ciudad. (...) Parecía también, según la información de Russel, que sobre nuestra expedición, que había tocado en San Salvador el pasado noviembre se había informado por sus agentes públicos allí, al gobierno español, que tenía por objetivo alguna parte de la América del Sur; pero, dado el tiempo transcurrido sin haberse oído nada de sus operaciones en las costas se concluyó que tenía otras vistas y, en esta confianza, todos los departamentos habían recaído en su habitual despreocupación".

Continúa Gillespie: "En la tarde del 25 de junio la sección militar del armamento estaba frente a Quilmes, una punta baja de tierra situada a doce millas de Buenos Aires, y en el curso de esa tarde se efectuó el desembarco de toda la fuerza efectiva con su munición para el servicio. Las fogatas encendidas en todas las alturas, y un inmenso concurso de jinetes viniendo de todos los rumbos al gran centro de la Reducción, pueblito a más de dos millas de nuestro frente, denotaban una alarma general y que el terreno alto era el elegido por el enemigo para la lucha que se aproximaba. (...) Nuestro ejército efectivo, destinado a conquistar una ciudad de más de cuarenta mil habitantes, con un inmenso cuerpo para disputarnos la entrada en ella, se componía solamente de setenta oficiales de toda graduación, setenta y dos sargentos, veintisiete tambores y mil cuatrocientos sesenta y seis soldados; haciendo un total general de mil seiscientos treinta y cinco".

Según el relato del alférez de milicias de infantería José Fernández de Castro "alrededor del mediodía Sobre Monte, por medio de un catalejo, observaba desde la azotea de sus habitaciones en el Fuerte el avance de las tropas inglesas. Después de haber preguntado cuántos cañonazos se habían tirado aseguró a todos los concurrentes, en voz clara e inteligible, que no había que tener cuidado, que los ingleses saldrían bien escarmentados: que él estaba sumamente complacido y que su corazón rebosaba de contento al ver el esmero, vigor y puntualidad con que todo el vecindario había tomado las armas para la defensa de la Patria. Dos horas después, es decir a las tres de la tarde más o menos, se vio que Sobre Monte no trataba de más nada, que de ponerse a salvo su familia e intereses, con escándalo de todo un público que se hallaba presente no atinando a dar disposición alguna sobre lo que más interesaba al bien del Estado".

Por la tarde, antes de dirigirse a Barracas con la caballería que le servía de escolta, Sobre Monte delegó el mando de la plaza en el coronel José Pérez Brito, advirtiéndole que si las cosas marchaban mal se internaría en la campaña y que Pérez Brito, por su parte, debía encerrarse en el Fuerte con las fuerzas de que dispusiera y defenderlo hasta lo último "sin preocuparse de nada", y "sin reparar en los perjuicios que pudiese ocasionar a la ciudad y sus edificios".

Recién a las nueve de la mañana del día 27 apareció a caballo el Brigadier De la Quintana impartiendo la orden de retirada hacia el Fuerte. Varios oficiales le respondieron que "cómo se entendía retirarse al Fuerte, sin haber disparado un tiro, sin ver la cara del enemigo y, lo que es más, sin poder dar razón de qué color era su uniforme". Quintana ordenó que ninguno levantase la voz, so pena de muerte, y que se retirasen al Fuerte por orden del Virrey. Y dice Fernández de Castro "que en ese momento todos disgustados, tomaron la calle del Alto dirigiéndose a la Real Fortaleza, confusos y llenos de vergüenza, sin osar levantar la vista y muchos llorando de pena...".

Escribió Mariano Moreno sobre estos hechos: "Yo he visto en la plaza llorar muchos hombres por la infamia con que se les entregaba; y yo mismo he llorado más que otro alguno cuando a las tres de la tarde del 27 de junio de 1806 vi entrar mil quinientos sesenta ingleses que, apoderados de mi Patria, se alojaron en el Fuerte y demás cuarteles de la ciudad".

La resistencia encontrada por los ingleses en el desembarco fue insignificante; las tropas avanzaron hasta el Riachuelo donde, sigue Gillespie, "nuestras pérdidas fueron insignificantes por la puntería alta de los cañones españoles pero Mr. Hallyday, que era médico ayudante, fue bárbaramente asesinado.

"Después de un alto de dos horas para reponerse y para mantener vivo el pánico producido, se continuó la persecución (*N. del A.*: de las tropas locales); sus partidas dispersas se retiraron sobre el Riachuelo, donde había un puente de madera al que pegaron fuego y después reunieron sus fuerzas en la margen opuesta. (...) Antes de aclarar estábamos formados y cuando fue de día nos pusimos en movimiento, precedidos por un fuerte destacamento de artillería sobre el que el enemigo comenzó un nutrido fuego desde sus refugios en zanjas, cercos y casas a unas cien yardas del Riachuelo; pero después de luchar una hora, sus tropas desaparecieron. (...) Se despachó una intimación a la ciudad a mediodía del 27 de junio que fue aceptada verbalmente, para ratificarse enseguida, y para honor eterno del nombre británico fue cumplida en una extensión mucho mayor de sus condiciones primitivas o de las más atrevidas expectativas de nuestros enemigos."

Para decirlo con palabras de un historiador argentino, Busaniche, "la ciudad prestó oficial acatamiento al monarca inglés ya que Beresford, en su primera proclama, exigió al pueblo juramento de fidelidad al Rey Jorge III".

Las porteñas, según anotó Gillespie, parecían encantadas con el cambio de mando: "Los balcones de las casas estaban alineados con el bello sexo, que daba la bienvenida con sonrisas y no parecía de ninguna manera disgustado con el cambio.

"Después de asegurar nuestras armas, instalar guardias y examinar varias partes de la ciudad, los más de nosotros fuimos compelidos a ir en busca de algún refrigerio. Había muchos guías prontos a nuestro servicio para conducirnos, entre una cantidad de changadores haraganes que importunan por las calles. Nos guiaron a la fonda de los Tres Reyes, en la calle del mismo nombre. Una comida de tocino y huevos fue todo lo que nos pudieron dar, pues cada familia consume sus compras de la mañana en la misma tarde, y los mercados se cierran muy temprano. A la misma mesa se sentaban muchos oficiales españoles con quienes pocas horas antes habíamos combatido, convertidos ahora en prisioneros con la toma de la ciudad, y que se regalaban con la misma comida que nosotros. Una hermosa joven servía a los dos grupos, pero en su rostro se acusaba un hondo ceño. La cautela impidió que por mucho tiempo ella echase una mirada, esa chismosa de los pensamientos femeninos, sobre su objeto, y lo consideramos causado por nosotros.

"Ansiosos de disipar todo prejuicio desfavorable le expliqué, valiéndome del señor Barreda, criollo civil que había residido algunos años en Inglaterra y que estaba presente, los usos liberales de los ingleses en tales casos, y le rogué que hiciera confesión franca del motivo de su disgusto. Después de agradecernos por esta declaración honrada, inmediatamente se volvió a sus compatriotas, que estaban en el otro extremo de una larga mesa, dirigiéndose a ellos en el tono más alto e impresionante: "Desearía, caballeros, que nos hubiesen informado más pronto de sus cobardes intenciones de rendir Buenos Aires pues apostaría mi vida, que de haberlo sabido, las mujeres nos hubiéramos levantado unánimemente y rechazado a los ingleses a pedradas". Este heroico discurso aturdió a aquellos guerreros y agradó no poco a nuestro amigo criollo."

Armando Alonso Piñeyro recuerda, en su libro ya citado, un hecho obviado por los manuales escolares: Buenos Aires tuvo cuarenta y seis días de gobierno inglés. La edición del *Times* de Londres del sábado 13 de septiembre de 1806 decía que "Buenos Aires, at this moment, forms a part of the British Empire". "Sábado, tres de la mañana —decía textualmente el suelto del *Times*—. Debemos congratular al público con motivo de un comunicado urgente que acabamos de recibir de Portsmouth, sobre uno de los más importantes acontecimientos de la presente guerra. En este momento Buenos Aires forma parte del Imperio Británico, y cuando consideramos las consecuencias resultantes de su situación y sus posibilidades comerciales, así como también de su influencia política, no sabemos cómo expresarnos en términos adecuados a nuestra idea de las ventajas que se derivarán para la nación a partir de esta conquista."

El 28 de junio de 1806 el gobernador de Buenos Aires, William Carr Beresford comenzó sus 46 días de gestión inglesa: hizo jurar fidelidad a Su Majestad Británica a todos los funcionarios y miembros de comunidades religiosas (la de los bethlemitas se negó a hacerlo) y a cincuenta y ocho civiles, miembros de la "parte sana" de la ciudad.

José Martínez de Hoz asistió a la jura y fue nombrado administrador de la aduana inglesa. Manuel Belgrano, funcionario del Consulado, viajó a su campo de Mercedes, en la Banda Oriental, para no verse obligado a jurar. Liniers, olvidado en Barragán por los invasores, también eludió el forzado compromiso de lealtad.

Beresford ratificó las leyes españolas, garantizó la seguridad de los bienes de la Iglesia, y sólo modificó los aranceles de importación, que hasta el momento eran del 34 por ciento del valor de la mercadería: fueron reducidos a un 12,5 por ciento para los productos ingleses y un 17,5 por ciento para los demás. La implantación del libre comercio, como lo afirma Tulio Halperín Donghi, "era en verdad el núcleo de un nuevo pacto colonial a cuya sombra los comerciantes porteños seguramente no hubieran encontrado fácil seguir medrando".

El tesoro cargado por Sobre Monte en su huida, nunca llegó a Córdoba; quedó retenido en Luján y finalmente cayó en manos de los ingleses. Eran —señala Piñeyro— ocho grandes carruajes con cinco toneladas de pesos plata cada uno, procedentes en su mayor parte del interior. Beresford exigió, como condición ineludible para la rendición, la entrega del tesoro, que volvió a Buenos Aires bajo la protección de los soldados ingleses. El 5 de julio las cuarenta toneladas de pesos plata llegaron a la capital, y el 17 de julio fueron embarcadas en la fragata Narcissus con destino a Gran Bretaña. En septiembre el tesoro porteño fue depositado en el Banco de Inglaterra esperándose el momento propicio para distribuirlo entre los invasores sin sospecharse que para aquellos días Buenos Aires ya había sido reconquistada.

La versión del capitán Gillespie es otra: escribió que Sobre Monte, a causa de las lluvias había tenido una huida demasiado lenta, y tardó tres días en llegar al pueblo de Luján. Gillespie asegura que la entrega del tesoro no fue fruto de un acuerdo de rendición: "No se perdió el tiempo en perseguirlos —escribió— y la atrevida tarea se confió al capitán Arbuthnot, del Regimiento 20 de Dragones Ligeros, tenientes Graham y Murray, con treinta hombres del valiente Regimiento 71. Este pequeño destacamento salió el 3 de julio y regresó el 10, conduciendo 631.684 duros en plata acuñada y en barras, gran parte de la que había sido tirada en los pozos, confiando en que ninguna fuerza militar se atrevería a penetrar hasta dentro del país en su busca".

El reparto del dinero se hizo, de todos modos, en Londres en 1808. Hubo una pelea entre Beresford y Popham por el monto de las cuotas, pero el gobierno inglés terció sobre el punto. 296.187 libras, tres chelines y dos peniques fueron distribuidos entre los 1.235 miembros del ejército y los 1.606 integrantes de la Armada que formaron el ejército invasor. Cada soldado y marinero raso recibió, aproximadamente, treinta libras; el General Baird "coautor ideológico" del proyecto se alzó con 36.000 libras y el saldo fue distribuido entre los otros jefes.

Con el correr de los días, Gillespie anotó diversos cambios en la actitud de los porteños: hubo los que, muy pronto, se asombraron del escaso número de soldados que los habían rendido, otros, "más ilustrados" que también pronto supieron "e hizo fuerte impresión en ellos, que la expedición hubiese tenido origen en un solo individuo, y que no podían esperar sino pocas confirmaciones de las promesas que les habían hecho en nombre de nuestra legislatura, pronunciadas por boca de un órgano desautorizado", y había también, en la clase alta local, un número sorprendente de admiradores de los británicos que se les acercaban. "Casi todas las tardes, después de oscurecer, uno o más ciudadanos criollos acudían a mi casa para hacer el ofrecimiento voluntario de su obediencia al gobierno británico y agregar su nombre a un libro, en el que se había redactado una obligación. Había también muchos otros que se contenían por desconfianza del futuro, y no por ningún escrúpulo político o falta de apego a nosotros. (...) Los más de nuestros oficiales se alojaban con familias particulares, que les otorgaban las más bondadosas atenciones que asentaron el cimiento de amistades recíprocas. Dieron muchos ejemplos de bondad natural de corazón y era tan frecuente y tan generalmente demostrada que nos convencieron de que la benevolencia era una virtud nacional. El bello sexo es interesante, no tanto por su educación como por un modo de hablar agradable, una conversación chistosa y las disposiciones más amables. Era invierno cuando nos apoderamos de Buenos Aires; en esa estación se daban tertulias, o bailes, todas las noches, en una u otra casa. Allí acudían todas las niñas del barrio, sin ceremonia, envueltas en sus largos mantos, y cuando no estaban comprometidas, se apretaban juntas, para calentarse, en un sofá largo, pues no había chimeneas y se utilizaba el fuego sólo con frío extremo. (...) Los jefes de familia demostraban su gran bondad hacia nosotros, por sus ofrecimientos de dinero y todas las comodidades, pero siempre había una reserva visible en ellos".

Ya a mediados de julio comenzó a sentirse en Buenos Aires que un complot se estaba gestando: centinelas atacados por jinetes desconocidos, sacerdotes que instaban a tomar las armas contra el invasor, etc. Finalmente se supo que un gran polvorín, en el Regimiento de Flores, no había sido entregado a los ingleses. El 2 de agosto Beresford logró desarticular al grupo de Juan Martín de Pueyrredón, que organizó una escaramuza en la Chacra de Perdriel. Liniers, entretanto, concentró todas sus fuerzas en Colonia y logró desembarcar en el Tigre el 6 de agosto, avanzando hasta los Corrales de Miserere. Al día siguiente se le unió Pueyrredón, y luego Álzaga. Recuperaron el arsenal el 11 de agosto, y en la plaza —con la ayuda espontánea de pobladores— el número se impuso a la disciplina militar.

El 12 de agosto de 1806 el Regimiento 71 desfiló, rendido, entre soldados criollos y españoles. Ciento sesenta y cinco muertos fue el saldo de la batalla final.

Inglaterra, aunque tarde, envió refuerzos para sostener a Beresford y a Popham. Son los que sirvieron para organizar un tercer intento de invasión: 6.300 soldados al mando del Mayor General Sir Samuel Achmuty, que finalmente sumaron 12.500 hombres, integrándose bajo el mando del General John Whitelocke, ahora sí con una orden expresa del Rey: que Buenos Aires quedara bajo dominio inglés.

Desembarcaron y tomaron Montevideo, a fin de no cometer el mismo error que Popham y eligieron el mismo mes para llegar al Plata: llegaron a Ensenada el 28 de junio.

Liniers contaba con 8.000 hombres uniformados. Whitelocke se propuso "atacar la ciudad casa por casa y calle por calle, de modo que no quedara sitio en el que pudieran protegerse francotiradores y guerrilleros". Álzaga dispuso fortificar el centro y las tropas nunca llegaron; dispersas, comenzaron a retroceder y capitular. El 7 de julio de 1807 se firmó un acuerdo de rendición.

La prensa inglesa, entonces, cayó sobre el gobierno: *The Times* calificó los dos intentos como teñidos de "avaricia y pillaje", comparándolos con "las vergonzosas expediciones de los bucaneros", que "carecían de todo plan".

Martín A. Cagliani agrega, desde su página de *Historia Argentina* en Internet, otro dato curioso sobre la historia de las invasiones: los insistentes y desoídos intentos de los tehuelches por colaborar en la pelea contra los británicos. Estos indios habitaban la Pampa y la Patagonia y eran enemigos eternos de los araucanos, provenientes de Chile. "Cinco días después de la rendición de los ingleses —escribe Cagliani— el 17 de agosto de 1806, se apersonó en la Sala del Cabildo —según dice el acta correspondiente— el indio pampa Felipe con Don Manuel Martín de la Calleja y expuso aquel por intérprete que venía a nombre de dieciséis caciques de los pampas y tehuelches a hacer presente que estaban prontos a franquear gente, caballos y cuantos auxilios dependiesen de su arbitrio para que este Cabildo echase mano de ellos contra los colorados, cuyo nombre dio a los ingleses; que hacían aquella ingenua oferta en obsequio a los cristianos, y porque veían los apuros en los que estarían, que también franquearían gente para conducir a los ingleses tierra adentro si se necesitaba, y que tendrían mucho gusto en que se los ocupase contra unos hombres tan malos como los colorados". Los cabildantes agradecieron el ofrecimiento, y le dieron al cacique Felipe tres barriles de aguardiente y un tercio de yerba. Al mes los indios volvieron al Cabildo. Esta vez Felipe acompañaba al cacique pampa Catemilla, ratificaron la oferta anterior y expuso que "sólo con el objeto de proteger a los cristianos contra los colorados habían hecho las paces con los ranqueles, con quienes están en dura guerra". Estos ofrecimientos se repitieron en tres oportunidades más, y nunca fueron atendidos por el Cabildo.

CAPÍTULO CINCO

EL AGUA
Y EL FUEGO

Mariano Moreno no tenía tiempo. Cuando vio abrirse las puertas de la Historia, el 25 de mayo de 1810, tenía 31 años. Nueve meses y ocho días después su cadáver fue arrojado al mar. Sólo cumplió doscientos seis días como funcionario, y antes de terminar 1810 ya había salido de la Junta, víctima de los artilugios de Saavedra.

Mariano Moreno no tuvo, tampoco, ese cutis terso ni el rostro amable con que lo muestra, bajo la diagonal de luz de una lámpara, el cuadro del pintor chileno Subercaseaux; la viruela le marcó el rostro a los ocho años, y tenía los zarpazos de la enfermedad en sus facciones. Mariano Moreno se veía como lo vio el cuzqueño Juan de Dios Rivera, que pudo pintar un retrato en su presencia: abundante pelo cubriéndole la frente, frondosas patillas, nariz afilada, ojos vivos y grandes.

Mariano Moreno no fue, gracias a Dios, un hombre equilibrado. Dijo al respecto Enrique de Gandía: "Un psicoanalista diría que Moreno, cargado de temores, impresionable, nervioso, acudió al procedimiento de todos los enfermos en estos casos: la manera más radical. Si estas causas psicológicas existieron, ellas coincidieron con las necesidades políticas del momento". A lo que agregó Miguel Ángel Scenna en el número 35 de *Todo es Historia*, en una nota titulada "Moreno: ¿sí o no?": "Tal vez Moreno haya sido un neurótico, un angustiado, un desequilibrado, no un hombre corriente y centrado. Pero de un hombre corriente y centrado podrá hacerse un excelente juez de paz, un correcto oficinista, incluso un buen académico. Nunca un creador, difícilmente un conductor y jamás un revolucionario".

Las interpretaciones más disímiles se han volcado sobre la figura de Moreno: desde su entronización como prócer de la historia "liberal" en 1920, con la aparición de *La Revolución de Mayo y Mariano Moreno*, de Ricardo Levene, hasta el peor de los denuestos a cargo de Gustavo Martínez Zuviría, en 1960, al publicar *Año X* bajo el seudónimo de Hugo Wast. Martínez Zuviría lo acusa de haber sido agente británico, un paranoico empachado de teorías europeas.

Un asunto de enconos personales nunca expuestos ayudó a desdibujar el rol de Moreno anterior a los sucesos de Mayo. La *Historia Argentina* de Vicente Fidel López —que por motivos que se desconocen detestaba a Álzaga— se ocupó de señalar que la "asonada" del 1 de enero de 1809 había sido un movimiento "contrarrevolucionario". Su enfoque llegó a ser palabra sagrada en otros historiadores, como Levene. Todos desdeñaron entonces el punto de vista de Mitre, que fue el primero en señalar una relación de filiación entre 1809 y los sucesos de 1810. Con el tiempo, la verdadera significación de la revolución del 1 de enero fue estudiada por Enrique de Gandía y Enrique Williams Álzaga.

Recuerda Miguel Ángel Scenna que "después de las invasiones inglesas, y a medida que España se desmoronaba ante el embate francés, se perfilaron en Buenos Aires varios partidos, con vistas a la actitud que se debería asumir en caso de desaparecer el legítimo gobierno metropolitano". Bajo la cabeza de Liniers se ordenaron los filofranceses, acordes en aceptar la dinastía bonapartista que se instaló en lugar de los Borbones. Hubo también otros partidarios de que Liniers quedara indefinidamente en el poder hasta que se aclarara la situación europea: ésa fue la posición de la mayoría de los jefes militares criollos, entre ellos Saavedra. Un grupo importante de criollos pensó que no podíamos esperar la suerte de España; había que declarar la independencia, llamar a la Infante Carlota Joaquina, hermana de Fernando VII y esposa del Rey de Portugal y establecer una monarquía constitucional; éstos eran los carlotistas: Belgrano, Castelli y Paso, entre otros. Y había un cuarto partido, que también proponía la independencia lisa y llana de España estableciendo en el Virreynato un gobierno de Juntas de corte republicano; se los llamó "juntistas", su líder era Martín de Álzaga y contó con Mariano Moreno, los hermanos Funes y muchos españoles.

El 21 de agosto de 1808 fue jurado el ausente Fernando VII en Buenos Aires, y al día siguiente el Cabildo emitió una proclama con tono amenazador: "No se escuchará —decía— entre nosotros otra voz que la del monarca que habéis jurado; no se reconocerán relaciones distintas de las que nos unen a su persona"; era una advertencia al Virrey Liniers y a los afrancesados. Según Vicente Sierra, el texto de la proclama había sido escrito por Mariano Moreno.

Fernando VII estaba preso en Francia, Napoleón completaba su ocupación de España, y debía derrocarse a Liniers para instalar una Junta. La asonada del 1 de enero fue sofocada por Saavedra, quien sostuvo al Virrey. "¿Quién fue entonces el revolucionario y quién el contrarrevolucionario?" —se pregunta Scenna—. Ernesto Palacio escribió: "Este oscuro episodio de la historia argentina suele interpretarse (desde la creación del mito por Vicente Fidel López) como un triunfo de los criollos sobre los peninsulares. La verdad es que fue el triunfo del conformismo y el espíritu conservador sobre la decisión revolucionaria. El impulso renovador no se encontraba en el partido de Liniers sino en el de Álzaga, Liniers y sus sostenedores representaban la timidez y la reacción".

La Representación de los Hacendados dio lugar a otro mito que la historia "liberal" le adjudicó a Moreno. A mediados del 1809 la firma inglesa Dillon y Thwaites pidió al Virrey Cisneros la libre introducción de sus mercancías. Lo que solicitaban no era nuevo: Inglaterra había condicionado su ayuda a España para pelear contra Napoleón al hecho de que se aceptara el librecambio en la península. Los hacendados y labradores acudieron al estudio jurídico de Moreno —el más prestigioso de Buenos Aires— para que elaborara su defensa. Moreno preparó el escrito con el tono de un abogado que defiende a su cliente, no como quien elabora un plan de gobierno.

Paul Groussac señaló que Moreno no tenía nada de economista, y Scenna agrega "que nunca pretendió serlo. Para elaborar su Representación debió documentarse y asesorarse en una materia a la que no estaba habituado. Precisamente otro abogado, Manuel Belgrano, tenía redactada una memoria propiciando la apertura del comercio exterior, y hay muy buenas razones para pensar que Moreno tomó gran parte de aquel trabajo".

Escribió Vicente Sierra: "Es un error de fondo asignar a la Representación de los Hacendados el carácter de pilar inicial del liberalismo económico argentino, pues ni política ni económicamente el documento permite asignarle tal posición. Las conclusiones del escrito bastan para confirmarlo". Norberto Galasso recuerda que "en la misma Representación se recomienda fijar derechos aduaneros de 20 por ciento sobre los tejidos que pudieran competir con los tucuyos de Cochabamba".

Al convocarse el Cabildo Abierto del 22 de Mayo, los días del Virrey Cisneros estaban contados. Moreno asistió a la reunión aunque no intervino en las discusiones previas a la votación y se lo vio apartado, silencioso y hasta molesto. Darragueira, Echevarría, Rivadavia, Irigoyen votaron aquel día igual que Moreno: cese del Virrey y nombramiento de una Junta.

Al otro día el Cabildo efectuó el recuento de votos y nombró una junta presidida por el ex Virrey Cisneros y cuatro personas que representaban las tendencias presentes. Según José María Rosa: Saavedra en nombre de las fuerzas armadas y de los viejos linieristas, Castelli en nombre de los carlotistas y los abogados, el cura Solá representando al clero y José Santos Incháurregui en nombre de los alzaguistas y el comercio. El 24 a las cuatro de la tarde la Junta juró y fue puesta en funciones. Muchos historiadores la han considerado la verdadera Primera Junta de Gobierno, y lo fue, cronológicamente, aunque sólo se mantuviera un día en el poder.

Al enterarse de los nombres de la Junta, el regimiento de Patricios estuvo al borde de la insurrección, muchos particulares empezaron a manifestar su oposición frente al Cabildo y a las pocas horas Castelli y Saavedra presentaron sus renuncias junto a la de Cisneros.

Al día siguiente, el 25, se publicó y aclamó la nueva Junta, presidida por Saavedra. Miguel Ángel Scenna reconoce, en ese día, un hecho increíble: "Nadie ha podido decir hasta ahora quién o quiénes dieron los nombres para la Primera Junta, quiénes elaboraron la lista y repartieron los puestos. Indudablemente no fueron los interesados —afirma— que estaban en ayunas de lo que pasaba".

"Es curioso que los hechos de mayo de 1810, repetidos hasta el cansancio, estudiados minuciosamente por una legión de historiadores solventes, contengan aún tantos elementos misteriosos como ningún otro acontecimiento de nuestra historia, siendo en suma de muy difícil interpretación", escribió Scenna. Su referencia al desconcierto de los protagonistas es estrictamente cierta: Manuel Moreno recordó que su hermano llevaba horas de nombrado secretario, sin estar enterado del asunto. Lo mismo le pasó a Belgrano, que recuerda en sus *Memorias*: "Apareció una Junta, de la que yo era vocal, sin saber cómo ni por qué, en que no tuve poco sentimiento". Hasta el mismo Saavedra que se resistió para aceptar la presidencia por acabar de renunciar a la otra Junta y por temor a que se interpretara como un manejo ambicioso de su parte. Moreno protestó ante la Junta por su nombramiento compulsivo y, como abogado, quiso cerciorarse de la validez legal del mismo.

Moreno ocupó en la Primera Junta el cargo de Secretario de Gobierno y Guerra. Hay decenas de interpretaciones enfrentadas respecto a su brevísima obra de gobierno (recordemos que sólo estuvo en la función pública durante nueve meses). Antes de avanzar sobre cualquier contexto es imprescindible entender que se trató de una "junta revolucionaria", en la que cualquier error podía pagarse con la vida; si la Revolución fracasaba, los fusilados serían los miembros de la Junta: estaba todavía fresco el recuerdo de lo sucedido con Tupac Amaru y sus seguidores, y aún estaba fresca también la sangre derramada en el Alto Perú por Nieto y Sanz.

Vicente Sierra aclara que "el terrorismo fue una reacción de la que participaron todos los miembros de la Junta, porque ninguno quería "morir a cordel" y, en caso de derrota, era lo que les reservaba el enemigo".

Domingo Matheu, miembro de la Junta, escribió: "el compromiso o la sentencia que entre los miembros de la junta se prestaron fue eliminar a todas las cabezas que se les opusieran; porque el secreto de ellas era cortarles la cabeza si vencían o caían en sus manos y que si no lo hubieran hecho así ya estarían debajo de tierra...".

Por eso Liniers fue fusilado. Cuando Ortiz de Ocampo titubeó antes de matar a quien fuera ídolo de los porteños, Moreno no dudó un segundo en relevarlo y mandar a Castelli diciéndole que si tampoco él lo hacía enviaría a Larrea y sino iría él personalmente. Aquella ejecución reunió al viejo amigo de Liniers, Saavedra, con su eterno adversario, Moreno, enemigos ambos entre sí, pero unidos por el espanto de Liniers levantándose para fusilarlos a los dos.

La pluma de Moreno reflejó aquellos meses: "Sólo el terror del suplicio puede servir de escarmiento", escribió. "No permita el cielo que algún día pueda ser reconvenido el nuevo gobierno por lentitudes capaces de comprometer la seguridad de su pueblo. Todo sacrificio es pequeño cuando ha de resultar en provecho de la Patria. Los opositores aprenderán a su costa que nadie ofende impunemente los derechos de la comunidad". Le escribió a Castelli: "La Junta aprueba el sistema de sangre y rigor que V.E. propone contra los enemigos. (...) Todo oficial que desaliente al soldado o manifieste cobardía será pasado por las armas irremisiblemente. (...) En la primera victoria que logre dejará que los soldados hagan estragos entre los vencidos para infundir terror a los enemigos...".

El decreto del 31 de julio de 1810, firmado por la Junta en pleno, ordenó:

1 - A todo individuo que se ausente de esta ciudad sin licencia del gobierno le serán confiscados sus bienes sin necesidad de otro proceso que la sola constancia de su salida.

2 - Todo patrón de buque que conduzca pasajeros sin licencia del gobierno irá a la cadena por cuatro años y el barco será confiscado.

3 - Toda persona a quien se encuentren armas del Rey, contra los bandos en que se ha ordenado su entrega, será castigada con todo género de penas, sin exceptuar el último suplicio según las circunstancias.

4 - Todo el que vierta especies contra europeos o contra patriotas, fomentando la división, será castigado con las penas que imponen las leyes contra la sedición.

5 - Todo aquel a quien se sorprendiese correspondencia con individuos de otros pueblos sembrando divisiones, desconfianzas o partidos contra el actual gobierno, será arcabuceado sin otro proceso que el esclarecimiento sumario del hecho".

¿Fue Moreno nuestro primer periodista? No. Sin embargo, al día presente, el Día del Periodista se celebra bajo su advocación.

El decreto de fundación de *La Gaceta*, fechado el 2 de junio de 1810, llevó sólo la firma de Moreno, pero se desprende de su texto que fue discutido por toda la Junta. Cronológicamente, tampoco lo fue. El pionero fue el español Francisco Antonio Cabello y Mesa, que el 1 de abril de 1801 lanzó *El Telégrafo Mercantil*. Si se lo descartara por nacionalidad, aún hay dos criollos anteriores a Moreno: Juan Hipólito Vieytes, que el 1 de septiembre de 1802 publicó el *Semanario de Agricultura, Industria y Comercio* y Manuel Belgrano, que a principios de 1810 dirigió el *Correo de Comercio de Buenos Aires*.

Se pregunta Scenna, en el artículo citado: "¿Fue Moreno un paladín de la libertad de prensa?". La respuesta también es negativa: *La Gaceta* era el órgano oficial de un gobierno revolucionario, y no un periódico privado independiente. Bajo el título de *La Libertad de Escribir*, Moreno precisó lo siguiente: "Debe darse absoluta franquicia y libertad para hablar en todo asunto que no se oponga en modo alguno a las verdades santas de nuestra augusta religión y a las determinaciones del gobierno".

En su sordo litigio con Saavedra, Moreno cometió un primer error: dejar que enviaran al interior a Belgrano y Castelli, separándolos de la Junta. Ambos eran prestigiosos y lo apoyaban, y Moreno quedó aislado. Saavedra acentuó la debilidad de su rival incorporando a la Junta a los diputados del interior que iban llegando a la capital. "La incorporación no era según derecho —reconoció Saavedra— pero accedía por conveniencia pública". Con aquel argumento arrastró los votos de Azcuénaga, Alberti, Matheu y Larrea. Moreno quedó sólo, acompañado por Juan José Paso, y presentó la renuncia.

Señala Scenna que después de la polémica por el decreto de supresión de honores, la tensión entre Moreno y Saavedra había llegado a extremos máximos de desconfianza. Uno y otro temían ser asesinados por partidarios del enemigo. Saavedra dejó sentada por escrito la sospecha de que Moreno pensaba eliminarlo, y Manuel Moreno escribió de su hermano: "Ya he dicho que el doctor Moreno tuvo en esa época una influencia decidida sobre la Junta. Por consiguiente, los enemigos del sistema lo señalaban como la primera de las víctimas que debía ser inmolada a su venganza. No por esto el doctor Moreno dejó de manejarse con la sencillez que usó siempre. Todas las noches se retiraba del palacio de gobierno en horas bastante avanzadas, con riesgo de ser acometido por los descontentos... Instado varias veces por los comandantes de guardia para que llevara custodia hasta su casa, su respuesta fue siempre: ‹Quiero más bien correr el riesgo de ser asesinado por servir a mi patria, que presentarme en las calles con el aparato de los tiranos›.

"Continuamente llevaba un par de pistolas en el bolsillo, y al retirarse de los asuntos de la noche, era siempre acompañado por dos o tres amigos, pero nunca por soldados."

En aquellos días la Junta estaba por enviar a Londres a Hipólito Vieytes, para gestionar la ayuda del gobierno británico. Moreno entrevistó a Saavedra y le pidió el cargo. No había terminado de hablar cuando ya lo tenía concedido. El 24 de enero de 1811 salió de Buenos Aires rumbo a Ensenada. El 25 llegó a la fragata mercante Fama, donde lo esperaban su hermano Manuel y Tomás Guido, que serían secretarios de su misión. Esperaron allí dos días por un fuerte vendaval que casi los lleva a naufragar. Para evitar un ataque de los realistas desde Montevideo, los escoltó la fragata Misletoe. Moreno, muy deprimido, comentó a su hermano: "No sé qué cosa funesta se me anuncia en mi viaje". La navegación era mucho más lenta que de costumbre, y la salud de Moreno fue empeorando con el correr de los días. Su hermano y Guido le pidieron al capitán que desviaran el rumbo hacia Río de Janeiro o Ciudad del Cabo para tratarlo, ya que no había médico a bordo. El capitán se negó. Al otro día, sin conocimiento de sus acompañantes, le administró a Moreno un emético que no hizo más que agravarlo a las pocas horas. Tres días más tarde murió.

Desde entonces se sospechó que la muerte fue producida por envenenamiento con tártaro emético. La lentitud de la navegación, el hecho de que el capitán nunca volviera a Buenos Aires aunque sí lo hizo el buque y la administración secreta del emético contribuyen ampliamente a esa sospecha.

Enrique de Gandía descubrió, en los papeles de la época, una extraña disposición de la Junta que, a poco de salir Moreno, nombró a un tal Mr. Curtis para reemplazarlo "en caso de que falleciera". Un caso único de nombramiento premonitorio. El artículo 11 del contrato firmado por la Junta con Curtis señala que: "Si el Sr. Mariano Moreno hubiese fallecido, o por algún accidente imprevisto no se hallare en Inglaterra, Mr. Curtis deberá entenderse con don Aniceto Padilla en los mismos términos en que lo habría hecho el Dr. Moreno", refiriéndose a la compra de equipamiento para el incipiente ejército argentino.

Años más tarde Mariano Moreno hijo comentó a Adolfo Saldías que al día siguiente de partir su padre, María Guadalupe Cuenca, su madre, recibió un pequeño cofre con un abanico negro y un pañuelo de luto, junto a una nota anónima que le advertía que pronto iba a tener que usarlos.

María Guadalupe Cuenca escribió durante meses cartas que se fueron apilando en algún lugar de Londres, sin que nadie las abriera. En 1967, recopiladas por Enrique Williams Álzaga, fueron publicadas bajo el título de *Cartas que nunca llegaron*.

"La casa me parece casi sin gente —escribió Guadalupe el 14 de marzo de 1811— no tengo gusto para nada de considerar que estés enfermo o triste sin tener a tu mujer y tu hijo que te consuelen y participen de tus disgustos."

El 20 de abril: "Y así, mi querido Moreno, porque Saavedra y los pícaros como él son los que se aprovechan y no por la patria, pues lo que vos y los demás patriotas trabajaron ya está perdido...".

El 1 de mayo: "Has visto Moreno hasta dónde llega el rencor de estos malvados?".

El 25: "No se cansan tus enemigos de sembrar odio contra vos ni la gata flaca de la Saturnina (Saavedra) de hablar contra vos en los estrados y echarte la culpa de todo...".

"Mi querido y estimado dueño de mi corazón —le escribió María Guadalupe en una de las cartas que nunca llegaron— me alegraré que lo pases bien y que al recibo de ésta estés ya en tu gran casa con comodidad y que Dios te dé acierto en tus empresas; tu hijo y toda tu familia queda bueno, pero yo con muchas fluctuaciones y el dolor en las costillas que no se me quita y cada vez va a más; estoy en cura, me asiste Argerich, se me ajumentan mis males al verme sin vos y de pensar morirme sin verte y sin tu amable compañía, todo me fastidia, todo me entristece, las bromas de Micaela me enternecen porque tengo el corazón más pa'llorar que pa'reir y así, mi querido Moreno, si no te perjudicas procura venirte lo más pronto o háceme llevar porque sin vos no puedo vivir... O quizás ya habrás encontrado alguna inglesa que ocupe mi lugar? No haga eso, Moreno, cuando te tiente alguna inglesa acordate que tenés una mujer fiel a quien ofendés después de Dios... El cuarto está sin alquilar hace un mes, la negra grande está hecha un monstruo con ese empeine en la cara, no hay quien la compre, voy a ver si me la puedo volver, me dicen que es lepra, la negra chica siempre perversa, no la vendo todavía por miedo a que me toque otra peor, nuestro hijo sigue en la escuela, siempre flaquito, le ha dado en cara el vino y sólo cuando le digo que tome a tu salud lo toma. Te reza al levantarse y al acostarse y me dice mi madre, todo lo que rezo en la escuela lo ofrezco para mi padre...".

Escribió en otra: "Tu madre y las muchachas me acompañan mucho, Micaela y la Marcela no quieren que esté triste ni llore, Micaela se viene junto a mí y me empieza a embromar, y busca medios para distraerme, de suerte que muchas veces me desahogo las noches en mi cama porque hasta ahora no se pasa una sin soñar con vos; algunas me despierta Micaela de las pesadillas que me dan, lo que apago la vela y miro por todos lados y no te encuentro me parece que estoy desterrada (...) El cuarto se lo alquilé a un inglés para almacén y había sido ladrón, lo prendieron a los ocho días, y me han venido a tomar declaración... yo me veo en esta cosa que ni había soñado...".

Le decía el 29 de julio de 1811: "Mi amado Moreno, dueño de mi corazón: me alegraré que estés bueno, gordo, buen mozo y divertido, pero no con ninguna mujer, porque entonces ya no tendré yo el lugar que debo tener en tu corazón por tantos motivos... me parece que llevo con ésta escritas trece o catorce cartas... en todas te aviso novedades... a

Larrea le han embargado todos sus bienes, con que debía de derechos ciento y tantos mil pesos, han hecho mil picardías, han querido que Campana sea depositario de todo, han llegado a tal extremo que han mandado orden a los pueblos de arriba para que los apoderados de Larrea entreguen a las cajas todo cuanto pertenezca a Larrea, y el pobre sigue desterrado en San Juan...

”De tus amigos el que está libre está por caer, todo el empeño de estos hombres es sacarte reo, las prisiones del 6 de abril fueron con ese fin, todas las declaraciones que han tomado han sido para eso... he enterrado los treinta y ocho pesos que he recibido de tres meses que hace que está alquilado el cuarto, los sesenta que me pagó Giménez, doce de las sillas de paja viejas, otros doce y lo demás que he ahorrado de mi mesada...

”Mi madre y Panchita te mandan memorias y me lloran mil pobrezas, que les han rematado la casa y es tal la pobreza en que están que ni cama en qué dormir tienen, por todos lados tengo aflicciones, Dios me dé paciencia.”

Las cartas se apilaron en Londres. El tiempo de Mariano Moreno se terminó sin que llegara a leerlas.

DISCULPE
LAS MOLESTIAS

Durante más de doscientos años —en realidad, hasta su cierre definitivo, en 1821— el Cabildo de Buenos Aires "estuvo en obra". José Torre Revello realizó la investigación más minuciosa sobre los destinos del Cabildo, publicada en 1951 bajo el título *La Casa Cabildo de la Ciudad de Buenos Aires,* por el Instituto de Investigaciones Históricas de la Facultad de Filosofía y Letras. Torre Revello asegura que "las designaciones de regidores que debieron integrar los cabildos de las ciudades fundadas por Pedro de Mendoza nunca fueron erigidas, ni aquellos ejercieron sus cargos". De modo que la historia del Cabildo comenzó con una excepción: "nombrar al Cabildo" era una de las primeras obligaciones de quien fundaba una ciudad en el siglo XVI y el Cabildo era, en términos institucionales, el distintivo que se imponía entre una ciudad y un fuerte. De allí que sería inexacto sostener que Mendoza fundó en Buenos Aires una ciudad; lo que emplazó fue un fuerte que, como se vio, fue luego despoblado.

Por disposición real del 18 de enero de 1637 y 12 de marzo de 1656 los oficios de regidores del Cabildo que debían desempeñarse en América, se subastaron a perpetuidad. El cargo era comprado en remate público y se pagaba por él un "donativo gracioso"; los virreyes y gobernadores debían excusarse de hacer nombramientos para los oficios del Cabildo en ausencia de los "propietarios".

Cuando Juan de Garay repartió solares en la ciudad de la Trinidad, puerto de Buenos Aires, asignó un sitio para que allí se levantara la "Casa Cabildo y Cárcel". Sin embargo, por las demoras ya señaladas, el Cabildo funcionó durante los primeros años de la ciudad celebrando sus reuniones en casas particulares hasta que el gobernador Hernandarias de Saavedra, en 1592, doce años después de la Fundación, acomodó dentro del recinto del Fuerte una pequeña habitación destinada a celebrar las reuniones de los cabildantes.

Según el Acuerdo de Hacienda del 17 de febrero de 1603 "la ciudad carecía de edificios destinados a Aduana y Cabildo". Torre Revello señala que "tales propósitos no pasaron de proyecto, porque no hay constancia alguna de que se hicieran diligencias de acuerdo con lo expresado".

Antes que edificio, el Cabildo tuvo un portero: el 7 de agosto de 1603 se solicitaba por escrito el abono de su sueldo, fijado en veinte pesos anuales; el portero debía dar aviso a los ediles del día en que se celebraban acuerdos.

En 1606, una de las actas del Cabildo vuelve sobre el punto de la necesidad de tener un edificio propio, señalando que "no poseen residencia para celebrar sus reuniones", de lo que se desprende que habían sido desalojados del Fuerte en fecha y circunstancias desconocidas. Luego efectuaron sus sesiones en casa de los tenientes de gobernadores Víctor Casco de Mendoza y Manuel de Frías.

En 1608, en un solar abandonado, se comenzó la construcción de la Casa Cabildo. Diversas actas dan constancia de quienes trabajaron en la obra y las retribuciones que recibieron por ello. El carpintero Pedro Ramírez, por ejemplo, recibió veinte pesos por el labrado de dos puertas y dos ventanas "con destino a los locales construidos debajo de los corredores, que serían ocupados por cuartos de alquiler y tiendas de comercio".

Según Hernandarias, quien fue electo cinco veces como gobernador, las obras del Cabildo terminaron alrededor de 1609. Pero en el Acuerdo del 1 de marzo de 1610 el Alcalde Don Juan de Bracamonte hizo constar que el Rey había cedido por el término de diez años el producto de las condenaciones de Cámara y gastos de Justicia con destino a obras públicas de la ciudad. "Es de necesidad —dijo— atender la defensa del lugar y será muy conveniente proseguir el edificio de las casas del Cabildo." Al año siguiente algo debía estar en el solar del Cabildo ya que la corporación decidió, en una de sus sesiones, alquilar dos locales de su propiedad.

Según las cuentas del mayordomo y depositario del Cabildo, Bernardo de León, en 1612 estuvieron terminadas las obras; más allá de los recibos por dos mil tejas, transporte de una reja y arena, hay otros que indican la compra de cal para el blanqueo y limpieza "de las casas del Cabildo después de acabadas".

Pero el flamante Cabildo resultó pequeño: dos años después la Cárcel y el resto del edificio estaba abarrotado de presos, y las reuniones volvieron a hacerse "temporalmente" en la casa del gobernador.

En ese mismo año los cuartos de alquiler destinados para negocios estaban desocupados, sin locatario posible en vista, le faltaban cerraduras a las puertas, y los locales servían de vertederos de agua.

En 1624 las actas de una de las sesiones expresan que el Cabildo "se estaba cayendo" y que "no obstante estar obligado Bacho de Filicaya a hacer todas las refacciones que el edificio pudiera necesitar, dicho personaje se niega a su cumplimiento".

Dice Torre Revello: "Un lustro después, en acuerdo que la corporación efectuó en el Fuerte el 25 de enero de 1629, dejó constancia que las reuniones que celebraba en edificio propio, las efectuaba en una sala donde también se hallaba la cárcel pública. Allí se aglomeraban los presos, blancos, indios y negros, encontrándose a la vista de los ediles el cepo y el burro. Con el último de los instrumentos mencionados se daba tormento a los delincuentes. Además se hizo notar que la sala tenía ventanas a la calle, no pudiéndose guardar secreto de las deliberaciones porque a través de las mismas se oía cuanto se trataba en el interior. Desde entonces los ediles volvieron a celebrar sus reuniones en el fuerte, mientras el ruinoso edificio se iba desmoronando lentamente.

Un curioso debate se desarrolló en la reunión celebrada el 9 de agosto de 1634, en cuya acta se dejó constancia de la imposibilidad material, por parte de la corporación, para "restaurar las casas o habitaciones que se destinaban a alquiler". Otra acta de 1645 indica que no había podido celebrarse acuerdo en la Sala Capitular "por encontrarse ésta ocupada por presos".

Una carta del Obispo Antonio de Azcano Imberto al Rey, del 28 de agosto de 1678, hacía referencia al paupérrimo estado de la ciudad y la situación ruinosa del Cabildo. El Rey respondió solicitándole a la corporación un proyecto atinente a reconstruir el edificio, y asegurando su financiación.

En el acuerdo del 13 de mayo de 1682 el Cabildo expresó su proyecto; necesitaban un edificio de dos plantas, con las siguientes dependencias: en la Planta Baja la sala que se destinaría a la cárcel "de las personas privilegiadas" (claro antecedente de nuestras cárceles *vip*), más dos viviendas que se destinarían a toda clase de presos, consagrándose una para hombres y otra para mujeres. Con vista sobre la Plaza Mayor se construirían dos habitaciones destinadas a jueces y escribanos. En el patio se instalarían cuatro calabozos y un cuarto para el servicio de vigilancia, y en la planta superior la sala capitular y el archivo. Los gastos de la obra demandarían unos quince mil pesos, y se demoraría unos tres años en finalizarla. Faltaba precisar la cantidad de empleados públicos: el Ayuntamiento necesitaría dos alcaldes porteros que serían, a la vez, alguaciles ejecutores, con un sueldo anual de ciento cincuenta pesos. Dos mulatos libres que percibirían ochenta pesos cada uno. Ochenta pesos anuales en calidad de propina a cada uno de los regidores, que eran ocho. Unos ochocientos pesos anuales para atender las festividades religiosas, para sueldo del capellán y otros gastos fortuitos unos tres mil pesos por año.

La respuesta del Rey fue autorizar cien pesos por año para "atender los reparos que debían efectuarse en el edificio".

El 23 de julio de 1725 el maestro albañil Julián Preciado, acompañado de un grupo de obreros, inició los cimientos y comenzó la construcción del tantas veces proyectado Cabildo de Buenos Aires, bajo la gestión del gobernador Bruno Mauricio de Zavala. En febrero de 1728 las obras fueron suspendidas. Hasta ese momento se habían construido: la sala baja, sitio que fue utilizado temporalmente para la celebración de acuerdos, una habitación que se usaba como depósito, dos calabozos "usuales" y uno chico, lugares comunes para los presos y un pozo de balde; además, un cuarto independiente con salida a la calle y otro cuarto en la planta alta, que fueron arrendados como tiendas.

A partir de ese momento, cuenta Revello, la construcción sufrirá grandes interrupciones debido a la falta de recursos.

Las obras se reiniciaron el 1 de agosto de 1731; en mayo del año siguiente la corporación, por falta de presupuesto, resolvió dejarlas en suspenso.

En la sesión del Cabildo del 17 de octubre de 1733 el alcalde de primer voto Juan Gutiérrez de Paz y el regidor Sebastián Delgado dieron cuenta del "estado miserable en que se hallaban las Casas Capitulares y sus cuartos y calabozos por las goteras", por lo que resolvieron utilizar la labor de los presos de "poco delito", pagándoles a cada uno un real diario de jornal, para realizar los arreglos más urgentes.

Hasta 1739 no se había dado término a la Sala Capitular.

En 1747 se propuso la continuidad de las obras, para lo que el Cabildo pidió un préstamo de cuatro mil pesos pagando un interés del cinco por ciento anual. La dirección de la obra fue puesta entonces a cargo de un conocido contrabandista llamado Juan de Narbona a quien el Cabildo consideraba "persona de mucha inteligencia en las fábricas y edificios".

Once presos, "delincuentes de lo más criminosos", se fugaron del Cabildo en 1748; este hecho concentró la atención de la obra en aspectos de seguridad y relegó la construcción proyectada de la torre. En 1764 el regidor Fermín de Aoiz aseguró que estaba "concluida y cerrada, la torre, en lo substancial".

Algunas actas de 1784 brindan una idea acabada de la situación de los presos en la Casa Cabildo y Cárcel: aquel año había en el edificio 47 detenidos purgando delitos comunes, 147 con causas pendientes y siete mujeres, la higiene dejaba mucho que desear, tomándose entonces algunas medidas para evitar que las ratas, cuya abundancia era notoria, pudieran propagar alguna epidemia. Los calabozos sólo podían albergar a unos cincuenta reclusos.

Dice Torre Revello en su investigación: "Cuando estalló la Revolución de Mayo, el Cabildo no había alcanzado a dar término al edificio que había proyectado para sede de sus actividades, aun reduciendo las proporciones del mismo, tal como hemos expuesto. La llamada Cárcel Nueva se hallaba sin concluir, pero se dio término a la obra antes de finalizado 1810. De modo que las Casas Consistoriales, prácticamente dentro de las líneas que nos son familiares a través de láminas realizadas en el siglo XIX, se dieron por terminadas en el memorado año".

La última sesión efectuada por el Cabildo se celebró el 31 de diciembre de 1821.

EL HOMBRE
QUE OBEDECÍA AL VIENTO

En octubre de 1883 el Padre Martín Castro, cura párroco de Macha, recorría la capilla de Titiri, en el Altiplano boliviano. Dos cuadros de Santa Teresa, corroídos por el abandono, llamaron su atención. El Padre Castro los descolgó y arrancó los marcos para ver si la humedad había llegado a morder el lienzo. Sorprendido, advirtió que detrás de la tela había otra tela; cuando empezó a extenderla notó que la segunda tela estaba manchada de sangre y parecía todavía más vieja que la primera.

Detrás de cada cuadro de Santa Teresa se ocultaba una bandera de dos metros de largo y más de un metro y medio de ancho. Ambas enseñas tenían manchas de humedad y sangre, y tajos de viejas batallas.

El Padre Castro volvió a doblarlas con prolijidad y las escondió de nuevo detrás de los retratos, sin dejar una sola pista.

En 1885, dos años más tarde, la capilla de Titiri tuvo nuevo párroco otra vez. Entonces fue Primo Arrieta quien descolgó los cuadros de Santa Teresa que colgaban junto al altar mayor. Y lo hizo azuzado por la misma curiosidad, ya que el padre Castro no había violado su secreto. Cuando retiró los marcos, aparecieron las banderas.

El Padre Arrieta las estudió con detenimiento: una de ellas tenía 2,34 por 1,56 metros. "Era de seda despulida, con desgarraduras interiores, sin desflecamientos, descolorida, con tres franjas horizontales, celeste, blanca, celeste, es decir una indudable bandera argentina."

El tamaño de la otra, similar, pero su misterio mayor: "medía 2,25 por 1,60, en peor estado de conservación y sus tres franjas eran roja, celeste y roja".

Cuenta Miguel Ángel Scenna que "los capilleros, dos indios muy ancianos que nunca se habían apartado de la región, le dijeron al Padre Arrieta que muchos años atrás, en tiempos del Rey, siendo ellos niños, oyeron de una gran batalla en el paraje cercano de Charayvitú. En aquella pelea había tenido mucho que ver el que entonces era cura de Macha y a raíz de ello fue perseguido por los españoles, debiendo dejar la parroquia y refugiarse con los indios, donde pasó el resto de su vida, aventurándose muy de tarde en tarde, y disfrazado, a las poblaciones blancas".

"El padre Arrieta —continúa Scenna— llegó a una conclusión lógica: era su perseguido antecesor quien ocultara las banderas en la capilla de Titiri, antes de emprender la fuga". La batalla de Ayohuma, derrota de Belgrano en la campaña del Alto Perú, fue librada cerca del Charayvitú de los indios.

El Padre Arrieta encontró en los libros parroquiales el nombre de su predecesor: Juan de Dios Aranívar, quien firmó las novedades hasta el día anterior a la batalla de Ayohuma. Después su rastro se esfumaba. Supo también que Aranívar había sido amigo de Belgrano, dándole refugio en su capilla.

En 1896 el gobierno de Bolivia entregó la bandera celeste, blanca y celeste de Titiri al gobierno argentino. Hoy se encuentra en el Museo Histórico Nacional.

La otra bandera, la de los colores misteriosos, quedó en Bolivia y se conserva actualmente en el Museo de Sucre. Años más tarde su enigma fue aclarado: no era roja, celeste y roja sino blanca, celeste y blanca; los colores del forro que la protegían detrás del cuadro se confundieron con la tela de la bandera original.

Aquella segunda bandera había sido, según Scenna, la misma que Belgrano desplegó en las Barrancas de Rosario a principios de 1812.

Preguntas eternas sobre la bandera: ¿de dónde proceden sus colores? ¿Del azul y blanco del cielo? ¿Del hábito de la Inmaculada Concepción?

¿Del penacho o el uniforme de los Patricios? ¿Del escudo del Consulado de Buenos Aires, del que Belgrano fue secretario? ¿O de la Orden monárquica de Carlos III?

Mitre, que en su *Historia de Belgrano* se había inclinado por la hipótesis de los Patricios, se convenció luego de que procedía de la Orden de Carlos III. Lo que necesariamente no excluye algunas de las otras variantes, ya que dicha Orden tomó sus colores del manto de la Virgen de la Inmaculada Concepción, patrona de España e Indias.

La Orden de Carlos III fue creada en 1771, y era una de las condecoraciones más altas impuestas por la monarquía española. Su distintivo principal era una banda de tres franjas, celeste, blanca y celeste, que remataba en la Cruz de la Orden. Señala Scenna que en varios cuadros de Goya pueden verse a los reyes de España de aquellos años con la "banda presidencial argentina. (...) Muchos americanos eran caballeros de la Orden y es posible que al caer España en manos de Napoleón el celeste y blanco pasara a ser el distintivo de los fieles al rey ausente".

El celeste y blanco, de todos modos, apareció en Buenos Aires antes del 25 de mayo de 1810. Durante la segunda invasión inglesa, el grupo fiel a Pueyrredón que conspiraba para echar a Beresford del Fuerte se identificó colocándose en su casaca una cinta celeste y blanca. En la tercera invasión el regimiento de Húsares de Pueyrredón empleó el celeste y blanco. También los Patricios, al elegir su uniforme, tomaron el azul con vivos blancos, rematando el sombrero con un penacho blanco con punta celeste, lo que les dio el mote de "gaviotas".

La leyenda de French y Beruti del 25 de mayo fue difundida por Mitre sobre la base de datos que le aportó el coronel José María Albariños, testigo presencial de la jornada durante su juventud. Quizás Albariños, con los años, confundiera los colores del 25 de mayo con los de las Invasiones Inglesas.

Roberto H. Marfany demostró, por medio de varios trabajos, que las escarapelas de French y Beruti sólo fueron un invento escolar. Scenna resume bien el alud de nieve histórica alrededor del asunto: "Según Mitre, French y Beruti repartieron cintas sólo entre sus partidarios, nada más. Pero a medida que los historiadores se iban copiando unos a otros, cada uno agregaba su granito de arena, hasta que los dos patriotas terminaron repartiendo escarapelas a todo el mundo. Como cada autor metía un poco más de gente en la Plaza de la Victoria, llegó naturalmente un momento en que ni diez French y Beruti hubieran podido abastecer semejante demanda de parte de una gigantesca y majestuosa muchedumbre... Y entonces se asistió al proceso inverso. En los últimos años del siglo pasado José María Ramos Mejía resolvió la ecuación por el absurdo, invirtió los términos y redujo a French y Beruti de la condición de pioneros a la de furgón de cola. Escribió el estudioso de las multitudes: "Cuando French advierte que por inspiración anónima, todo el mundo usa un distintivo celeste y blanco, él y sus compañeros, que no lo tenían, entran en una tienda de la Recova y los adoptan con entusiasmo. Ésa es la verdadera versión".

Pero son los testigos presenciales los que tienen la última palabra: todos hablan, con notable coincidencia, de cintas rojas, de cintas blancas y de retratos de Fernando VII, pero nadie habla de cintas celestes, o celeste y blancas.

Otro hecho citado por Scenna que tiende a derribar el mito de French y Beruti es que Juan Manuel Beruti, hermano de este último, escribió una "detallada y chismosa" crónica del 25 y no dice ni una palabra de las escarapelas.

Muerto Moreno, Saavedra se transformó en un virtual "dictador" a cargo de la Junta Grande. Los desalojados del poder crearon, el 21 de marzo de 1811, la Sociedad Patriótica: su distintivo fue celeste y blanco.

El 7 de febrero de 1812, Belgrano llegó a Rosario con el regimiento número 5 de Patricios. Una semana después escribía al Triunvirato: "Me tomo la libertad de exigir a V.E. que se declare una escarapela nacional para que no se equivoque con la de nuestros enemigos".

Su preocupación era lógica: en las batallas contra los españoles flameaba la misma bandera en los dos ejércitos. El 18 de febrero de 1812 se creó la escarapela argentina, siendo "la escarapela nacional de las Provincias Unidas del Río de la Plata, de color blanco y celeste".

El 26 de febrero volvió a escribirle al Triunvirato: "Las banderas de nuestros enemigos son las que hasta ahora hemos usado; pero ya que V.E. ha determinado la escarapela nacional con que nos distinguiremos de ellos y de todas las naciones, me atrevo a decir a V.E. que también se distinguieran aquellas, y que en estas baterías no se viese tremolar sino la que V.E. designe. Abajo, Excelentísimo Señor, esas señales exteriores que para nada nos han servido, y con que parece aún no hemos roto las cadenas de la esclavitud!!".

El día 27 Belgrano escribió: "Siendo preciso enarbolar bandera, no teniéndola, la mandé hacer celeste y blanca, conforme a los colores de la escarapela nacional: espero que sea de la aprobación de V.E.".

No hay parte informando sobre quién bendijo la bandera de Rosario, ni cómo se juró, ni quién la enarboló. Pastor Obligado recogió la tradición de que el hombre que la izó fue Cosme Maciel. Félix Chaparro, también, por vía del relato oral, afirmó que la bandera fue hecha por las manos de Catalina Echevarría de Vidal y que fue el padre Julián Navarro quien la bendijo. Pero nada de esto consta en aportes documentales.

Luis Cánepa, en *Historia de los símbolos nacionales argentinos*, asegura que "El lugar preciso donde Belgrano presentó por primera vez la bandera a sus tropas y al pueblo de Rosario es difícil de indicar. En 1898 la Municipalidad rosarina nombró una Comisión Popular encargada de conmemorar aquel episodio los días 23, 24 y 25 de mayo de ese año.

"Días después el mismo Municipio acordó erigir un monumento al pabellón nacional en el sitio donde se enarboló su primer día. La Comisión dictaminó que esto había sido en el terreno ocupado hoy por la Plaza General Belgrano, donde se asentó la Batería Libertad. Esto no resulta posible ya que en un oficio del propio General Belgrano se vio que el 27 de febrero sólo inauguró la Batería Independencia. En aquella fecha era la única que estaba terminada y fue provista de sus correspondientes tropas y del necesario material de guerra."

Cánepa se consuela: "Pero la ubicación fijada por la municipalidad rosarina está bien; ya se dijo que antes que la bandera se izara en la Batería Independencia tuvo que ser presentada al grueso de las fuerzas y al pueblo en tierra firme, posiblemente en un lugar inmediato al de la Batería Libertad que sería, muy aproximadamente sino el mismo, donde está trazada la Plaza General Belgrano".

El Primer Triunvirato, formado por Paso, Chiclana y Sarratea, era manejado por Bernardino González Rivadavia, preocupado por el apoyo inglés a la Revolución. Si América se declaraba independiente los ingleses, como aliados oficiales de los españoles, deberían combatir contra los insurrectos.

Scenna señala que "desde Río de Janeiro, Lord Stanford no hacía sino pedir prudencia y paciencia al gobierno revolucionario".

El 3 de marzo González Rivadavia escribió una indignada carta a Belgrano ordenándole que ocultara de inmediato aquella bandera, y le envió otra, "que es la que hasta ahora se usa en esta Fortaleza".

Belgrano nunca recibió la novedad: días antes había partido a hacerse cargo del Ejército del Norte. En Jujuy, Belgrano festejó el segundo aniversario de Mayo con la bandera celeste y blanca, que fue bendecida por Juan Ignacio Gorriti. Allí le dijo a sus soldados: "El 25 de Mayo será para siempre memorable en los anales de nuestra historia, y vosotros tendréis un motivo más de recordarlo, cuando en él por primera vez véis la Bandera Nacional en mis manos, que ya os distingue de las demás naciones del globo".

Al llegar el parte de Belgrano a Buenos Aires González Rivadavia —que no sabía que Belgrano nunca había recibido su carta anterior— interpretó su gesto como una consciente desobediencia a las órdenes del Triunvirato. Le escribió el 27 de junio: "El Gobierno, pues, consecuente con la confianza que ha depositado en V.S. no puede hacer más que dejar a la prudencia de V.S. mismo la reparación de tamaño desorden; pero debe igualmente prevenirle que ésta será la última vez que sacrificará hasta tan alto punto los respetos de su autoridad, y los intereses de la nación que preside y forma, los que jamás podrán estar en oposición a la uniformidad y el orden".

El 18 de julio, Belgrano le respondió que: "La bandera la he recogido y la desharé para que no haya ni memoria de ella".

1814 estuvo signado por las derrotas de Vilcapugio y Ayohuma y por lo que parecía un retroceso de la Revolución y un enrarecimiento de la situación interna.

Carlos María de Alvear asumió el Directorio entre el 10 de enero y el 14 de abril de 1815, decretando la condena a muerte a quienes se manifestaran en contra del gobierno. Envió al ministro García al Brasil para gestionar la protección británica del Río de la Plata e intentó nombrar a Gregorio Perdriel en reemplazo de San Martín, quien había renunciado. La población resistió la salida de San Martín, que finalmente permaneció en su cargo.

El 16 de abril ya estaba claro que los porteños se habían rebelado contra Alvear, cuyas tropas bordeaban la ciudad y se aprestaban a castigar a la Capital. Finalmente Alvear dejó el poder, abandonó Buenos Aires y fue camino al destierro hasta la llegada al poder de González Rivadavia.

El lunes 17 de abril al mediodía una bandera fue izada en el fuerte cuyo mástil, hasta ese momento, se encontraba vacío. Era celeste, blanca y celeste, y fue la primera vez que la bandera argentina flameó en un edificio del gobierno nacional. La enarboló un marino, norteamericano de nacimiento: el capitán Tomas Taylor, alistado en las fuerzas navales criollas.

La orden de hacerlo fue impartida por el coronel Antonio Luis Beruti, hermano de Juan Manuel, que luego escribió: "Con lo cual se entusiasmó sobremanera el Pueblo en su defensa, y desde este día ya no se pone otra sino la de la Patria".

El 20 de abril el coronel Pizarro le regaló una bandera de raso al Cabildo, en nombre del Cuerpo de Artillería Urbana. Le tocó izarla a un irlandés: el almirante Guillermo Brown.

PEQUEÑO GRAN HOMBRE

Cuando a las dos de la tarde del 4 de septiembre de 1902 exhumaron sus restos, los doctores Quiroga y Malbrán calcularon que la estatura del General Belgrano era inferior al metro y sesenta y cinco centímetros. Manuel Joaquín del Corazón de Jesús Belgrano nació en Buenos Aires el 3 de junio de 1770, hijo del comerciante genovés Domingo Belgrano y Peri y de Josefa González, cuarto descendiente de ocho hijos varones y tres mujeres.

Estudió latín y filosofía en el Colegio San Carlos y luego viajó a España, donde se recibió de abogado en la Universidad de Salamanca. Allí recibió una comunicación oficial informándole que lo habían nombrado Secretario perpetuo del Consulado en Buenos Aires. Tenía 24 años.

En 1806, durante la Segunda Invasión Inglesa fue —como ya se dijo— obligado a jurar obediencia a su Majestad Británica y lealtad a la corona inglesa.

Belgrano se negó, fugándose a la Banda Oriental. Al año siguiente ya en Buenos Aires, como Sargento Mayor de Patricios, participó en la Resistencia contra la Tercera Invasión. En esos años Belgrano pudo ver, y juzgar, la conducta de la clase dirigente de la época, y reflejarlo en su *Autobiografía*: "Todos eran comerciantes españoles —escribió— y exceptuando uno que otro, nada sabían más que su comercio monopolista, a saber, comprar por cuatro para vender por ocho con toda seguridad; para comprobante de sus conocimientos y de sus ideas liberales a favor del país, como su espíritu de monopolio para no perder el camino que tenía de enriquecerse, referiré un hecho... los mismos comerciantes, individuos que componían este cuerpo, para quienes no había más razón, ni más justicia, ni más necesidad que su interés mercantil; cualquiera cosa que chocase con él encontraba un veto, sin que hubiera recurso para atajarlo... Recuerdo lo que me sucedió con mi Corporación Consular, que protestaba a cada momento de su fidelidad al Rey de España; y de mi relación inferirá el lector la proposición tantas veces asentada de que el Comerciante no conoce más Patria, ni más Rey, ni más religión que su interés propio. Cuanto trabaja, sea bajo el aspecto que lo presente, no tiene otro objeto ni otra mira que aquél; su actual oposición al sistema de libertad e independencia de América no ha tenido otro origen, como a su tiempo lo veremos. Como el Consulado, aunque se titulaba de Buenos Ayres, lo era de todo el Virreynato, manifesté al Prior y Cónsules que debía yo salir con el Archivo y sellos adonde estuviese el Virrey, para establecerlo donde él, y el comercio del Virreynato resolviese. Al mismo tiempo les expuse que de ningún modo convenía a la fidelidad de nuestros juramentos que la corporación reconociese otro monarca. Habiendo adherido a mi opinión, fuimos a ver y hablar con el General (Beresford) a quien manifesté mi solicitud y difirió la resolución: entretanto los demás individuos del Consulado, que llegaron a entender estas gestiones se reunieron y no pararon hasta desbaratar mi justa idea y prestar el juramento al reconocimiento a la dominación británica sin otra consideración que la de sus intereses. Me liberté de cometer, según mi modo de pensar, este atentado, y procuré salir de Buenos Aires, casi como fugado, porque el General se había propuesto que yo prestase el juramento, y pasé a vivir en la Capilla de Mercedes".

Belgrano, su primo Castelli y Saavedra fueron los primeros en enterarse de la disolución de la Junta de Sevilla: una gaceta que escapó a la censura del Virrey había llegado en una fragata inglesa. El 20 de mayo de 1810 fueron precisamente Belgrano y Saavedra quienes solicitaron la reunión del Cabildo Abierto.

El 21 una pequeña multitud se reunió en la Plaza de la Victoria liderados por Belgrano, Rodríguez Peña, French y Beruti. Fue vocal de la Junta de Mayo y, paralelamente, fundó el Correo de Comercio. Cedió su sueldo de vocal para financiar una expedición militar a Córdoba, y donó la mayoría de sus libros para crear la base de la Biblioteca Nacional, fundada por Moreno.

En agosto de 1810 fue enviado a Paraguay, a fin de terminar con las acciones hostiles del gobernador Velazco. "Mis conocimientos militares eran muy cortos", reconoció Belgrano, que viajó sin órdenes precisas, soldados novatos y escaso armamento. Aun así prefirió hacerlo para apartarse de las peleas internas en la Junta de Buenos Aires.

Para colmo de males, su presencia no imponía mucho respeto: a su corta estatura se le sumaba una insoportable voz de pito la que, probablemente, diera nacimiento al fantasma de su homosexualidad, del todo falso. Es verídica y famosa la anécdota de aquella ocasión en la que San Martín intentó dar un ejemplo de voz de mando a sus oficiales. Belgrano era su segundo en el mando. San Martín retumbó:

—Batallón! March!!!

Después pitó Belgrano:

—Batallón! March!

Dorrego largó una carcajada y San Martín le saltó encima como un gato:

—Señor —gritó—. Hemos venido aquí a unificar las voces de mando! Repita!

—Batallón! March! —insistió Belgrano, que no tenía otra voz sino la propia—.

Dorrego se volvió a tentar. Al día siguiente San Martín lo trasladó a Santiago del Estero.

Belgrano, en marcha al Paraguay, dispuso el trazado definitivo de dos pueblos al llegar a Corrientes: Curuzú Cuatiá y Mandisoví.

En su primera operación militar tomó Campichuelo de manos realistas. Se replegó en Itapuá y redactó el Reglamento para los Indios de las Misiones.

El 19 de enero de 1811 los setecientos hombres de Belgrano se enfrentaron con los siete mil de Velazco. Su ejército quedó diezmado; Buenos Aires le pidió que se desviara hacia la Banda Oriental para unificar el mando. Allí Belgrano designó a Artigas como su segundo y luego entregó el mando general de las tropas a Rondeau.

La derrota de los morenistas en la Junta también arrastró a Belgrano: le suspendieron las funciones y el grado, y se ordenó enjuiciarlo por la Campaña del Paraguay. Pero el proceso era tan manifiestamente injusto que ningún oficial se presentó a declarar.

Tanto sus oficiales como los alcaldes de barrio enviaron notas a favor de Belgrano. Saavedra retrocedió, ofreciéndole una misión diplomática en Asunción. Belgrano se negó, diciéndole que el juicio tenía que llevarse adelante.

El 9 de agosto de 1811 la Junta le repuso el grado militar; como Coronel del Regimiento de Patricios, y viajó hacia Rosario. Allí sucedieron los equívocos ya relatados respecto a la bandera.

En agosto del año siguiente los españoles invadieron Humahuaca con una fuerza de tres mil hombres. Belgrano, entonces, evacuó Jujuy: había que llevarse todo lo que pudiera ser transportado en caballos o en mulas. Los españoles llegaron a un campo raso: las cosechas habían sido incendiadas y en las calles de Jujuy ardían muebles, enseres y otras cosas que no habían podido cargar.

Belgrano, instalado en Tucumán, volvió a avanzar con sus tropas, y ganó la batalla de Las Piedras.

El gobierno central le ordenó retroceder hasta Córdoba, pero Belgrano desobedeció: se enfrentó a los españoles el 24 de septiembre a las ocho de la mañana.

La batalla de Tucumán duró hasta las primeras horas de la noche: quedaron en tierra cuatrocientos cincuenta muertos y setecientos prisioneros del ejército realista. El ejército español lo esperaba en Salta, con cuatro mil soldados. El 20 de febrero de 1813 los derrotó luego de tres horas de batalla: dos generales, siete jefes, 117 oficiales y 2.683 soldados españoles se entregaron al ejército patriota.

Cuando Belgrano volvió a Buenos Aires la Asamblea Constituyente lo premió con cuarenta mil pesos: los donó para construir escuelas en Tarija, Jujuy, Tucumán y Salta, y volvió al Norte, a la zona de Potosí.

Allí sufrió las derrotas de Vilcapugio y Ayohuma. Enterado del viaje de San Martín al Norte, pidió su relevo del mando, que entregó en Yatasto el 20 de enero de 1814.

En 1816, durante un baile por los festejos de la Independencia, Belgrano conoció a María Dolores Helguera y Liendo, tucumana de catorce años, una chica rubia de ojos café, descendiente de "una vieja familia tucumana retirada de la vida social". En enero de 1818 el gobierno le ordenó viajar a Santa Fe. Luego volvió a Tucumán, donde Belgrano se paseaba con su único lujo: una volanta inglesa de dos ruedas, "primer carruaje de ese género que se vio en la provincia". La relación de Dolores y Belgrano fue la comidilla social de Tucumán. El padre Fray Jacinto Carrasco escribió al respecto que "su conducta fue siempre clara y recta. Por eso, cuando vio que nacía en su corazón ese amor por la joven tucumana, y su conciencia no le permitía llegar a ella sino por el matrimonio, resolvió casarse con Dolores; y se hubiera casado si la fatalidad no se hubiera interpuesto en su camino".

Dolores quedó embarazada. Sus padres, para proteger el honor familiar, la obligaron a casarse con un catamarqueño de apellido Rivas. El 4 de mayo de 1819 nació una niña que fue llamada Manuela Mónica del Corazón de Jesús.

Rivas emprendió un viaje de negocios a Bolivia, y Belgrano volvió a Tucumán. Al poco tiempo cayó gravemente enfermo de sífilis e hidropesía, por lo que debía volver a Buenos Aires, pero no tenía un peso para hacerlo. José Celedonio Balbín, un comerciante amigo, le prestó dos mil quinientos pesos para el viaje, que hizo acompañado por el doctor Redhead, su médico, el capellán y sus dos ayudantes Gerónimo Helguera y Emidio Salvigny.

Detuvo su marcha en Córdoba y otro amigo, Carlos Del Signo, le prestó cuatrocientos pesos para seguir viaje a Buenos Aires. Finalmente llegó a su casa de la calle Pirán (hoy Belgrano), vecina a Santo Domingo.

El gobierno central le debía quince mil pesos de sueldos atrasados, pero había guerra con Santa Fe y le enviaron un mensaje diciéndole que no tenían fondos. Le adelantaron 2.300 pesos.

Fray Cayetano Rodríguez anunció en una carta dirigida al doctor José Agustín Molina: "Belgrano ha llegado hace seis días; está bastante malo, todos dudan de su salud y aun de su vida. (...) El pueblo de Buenos Aires está convertido en una horda de bandidos", le dijo en otro tramo de la carta.

El país vive lo que luego se conocerá como el período de la "anarquía". El 25 de mayo Belgrano llamó al escribano y le dictó su testamento. Allí aseguró en el ítem tercero: "Que soy de estado soltero, y que no

tengo ascendiente ni descendiente". Diversos historiadores suponen que
la omisión de Manuela Mónica se debió al secreto de su relación y al
casamiento de Dolores con Rivas. Veremos más adelante que, sin embargo, se ocupó del futuro de la niña de manera "no oficial". En el cuarto ítem: "Que debo a Don Manuel Aguirre, vecino de esta ciudad, dieciocho onzas de oro sellado, y al Estado seiscientos pesos, que se
compensarán en el ajuste de mi cuenta de sueldos, y de veinticuatro
onzas que ordeno se cobre por mi albacea, y preste en el Paraguay al Dr.
Vicente Anastasio de Echeverría, para la compra de una mulata. Cuarenta onzas de que me es deudor el Brigadier Don Cornelio Saavedra,
por una sillería que le presté cuando lo hicieron Director, dieciséis onzas
que suplí para la Fiesta del Agrifoni en el Fuerte, y otras varias datas, tres
mil pesos que me debe mi sobrino Don Julián Espinosa por varios su-
plementos que le he hecho".

Belgrano designó albacea a su hermano Domingo Estanislao, chan-
tre de la Catedral, y lo instituyó su heredero. A él le dijo secretamente
que "pagadas todas sus deudas, aplicase todo el remanente de sus bienes
a favor de una hija natural llamada Manuela Mónica que de edad de
poco más de un año había dejado en Tucumán".

En verdad, la hija natural de Belgrano no hizo sino sumarse a una
larga lista de hijos naturales que ha convivido con la historia argentina
desde su comienzo: está encabezada obviamente por Urquiza, que reconoció a varios de ellos, pero están también los casos de Sarmiento, Roca,
Mansilla, Sáenz Peña, Rosas, Marcos Paz, Guido o Quintana.

Juan Méndez Avellaneda recuerda que entre la correspondencia obrante en el Archivo Mitre se conserva una carta escrita por el
cura Domingo Estanislao Belgrano, el 15 de julio de 1824 a uno de
sus hermanos, Miguel, director en ese entonces del Colegio de Ciencias Morales. En su calidad de albacea de Manuel Belgrano le da
instrucciones sobre lo que tiene que hacer con los créditos de su
finado hermano y le dice que emplee los saldos de los réditos de los
cuarenta mil pesos otorgados en su momento por el gobierno nacional "en la educación física y moral y en el mantenimiento y vestuario
de la niña Manuela Mónica que se halla en la edad de cinco años y
debe residir en Tucumán en poder de Dolores Helguero y Liendo,
haciendo con dicha niña las veces de padre".

El 3 de julio de 1848, al morir Joaquín Belgrano, otro de sus hermanos, hombre de considerable fortuna, viudo sin hijos de Catalina Melián, ordenó en su testamento que "la casa de la Victoria en que viven las señoras Robledo la lego a favor de mi sobrina doña Manuela Belgrano, hija de mi hermano el señor General Don Manuel Belgrano".

A pedido de la familia Belgrano, Manuela Mónica había sido traída a la ciudad y criada en la casa de Juana Belgrano, una de las hermanas del General.

Paul Groussac, en *El Viaje Intelectual,* alude a aquella noche de festejos de la independencia en que Dolores y Belgrano se vieron por primera vez. "Entre las beldades de la fiesta —escribió Groussac— se encontraban Teresa Gramajo y su prima Juana Rosa, que fue ‹decidida› de San Martín; la seductora y seducida Dolores Helguero, a cuyos pies rejuveneció el vencedor de Tucumán, hallando a su lado tanto sosiego y consuelo, como tormento con Mme. Pichegru." Y ¿quién era Elisa Pichegru, la compatriota de Groussac a la que éste alude como tormento de Belgrano? —se pregunta Méndez Avellaneda. En el Archivo Mitre se conserva una carta, dirigida al General Belgrano, escrita en francés por Elisa Pichegru con una nota bene de Juan María Gutiérrez en la cual afirma que "era reputada como una antigua querida" de aquel. "Vivía frente a la Catedral en una fonda (como se llamaba antiguamente a los hoteles) y se la veía con frecuencia tirar con escopeta a las palomas de los canónigos que entonces eran más numerosas y más mansas que ahora (circa 1870) que no era bonita ni hermosa, pero sí airosa y provocativa al caminar, lo que se agravaba con la moda de llevar corto el vestido, y muy ceñido al cuerpo".

Otros historiadores señalan que Belgrano tuvo una larga relación con María Josefa Ezcurra, hermana de Encarnación, esposa de Rosas. Con ella habría tenido un hijo natural que fue adoptado y criado por Rosas, y que se llamó Pedro Rosas y Belgrano.

Murió a las siete de la mañana del 20 de junio de 1820.

En aquel año, como se dijo, los gobernantes de la provincia de Buenos Aires se sucedieron vertiginosamente: el teniente coronel Miguel de Irigoyen gobernó cinco días (desde el 12 al 17 de febrero), Juan Pedro Aguirre un día (el 17 de febrero), Manuel de Sarratea cuatro días (desde el 18 hasta el 22 de febrero), Hilarión de la Quintana siete días (desde el 22 de febrero al 1 de marzo) como sustituto de Sarratea, quien a su vez era provisorio, reasumió Sarratea y gobernó seis días (desde el 6 al 11 de marzo), le sucedió Miguel de Irigoyen que no llegó a asumir el mando pues volvió Sarratea (entre el 12 de marzo y el 2 de mayo) y a éste le sucedió Ildefonso Ramos Mejía, que gobernó un mes y dieciocho días, hasta el 20 de junio.

Aquel día 20 de junio hubo tres autoridades porteñas: el ya mencionado Ramos Mejía, Juan José Dolz, como alcalde de primer voto por el Cabildo y el General Miguel Estanislao Soler, nombrado por el Ejército que él mismo comandaba, y por el Cabildo de Luján. En ese día murió Belgrano.

Francisco de Paula Castañeda, director del *Despertador Teofilantrópico Místico-Político*, el suplemento al Despertador, el Paralipómenon al Suplemento y el Desengañador Gauchi-Político, fue el único de los ocho periódicos de Buenos Aires que dio la noticia. No lo hizo ni *La Gaceta de Buenos Aires*, ni el *Boletín del Ejército*, ni el *Termómetro del Día*, ni el *Argos*, etc.

En los días 27 y 28 se hicieron los funerales en la Iglesia de Santo Domingo, pero a ellos "asistieron únicamente sus hermanos, sobrinos y algunos amigos".

Porque es un deshonor a nuestro suelo
Es una ingratitud que clama al cielo
El triste funeral, pobre y sombrío
Que se hizo en una iglesia junto al río,
En esta ciudad, al ciudadano
Ilustre General Manuel Belgrano

escribió Castañeda. Nadie podía imaginar entonces que el olvido no iba a ser la peor afrenta contra el prócer: ochenta y dos años después, en la exhumación de sus restos, dos ministros de la Nación tomaron partes de su cadáver como souvenir.

El 4 de septiembre de 1902, a las dos de la tarde, el atrio de la Iglesia de Santo Domingo estaba atestado de curiosos: el gobierno de entonces, decidido a incumplir la última voluntad del prócer, que había sido "poder descansar en una tumba austera", había convocado a una "suscripción popular" para levantar un mausoleo hecho de los mejores materiales de la época: mármoles y escultores italianos.

Hasta aquel momento la lápida de Belgrano había sido parte de un lavatorio de la familia, sumida en la mayor pobreza.

Si fuera por la crónica del diario *La Nación*, aquella tarde de septiembre no había sucedido nada. El diario de los Mitre comentó: "Se verificó ayer a las dos de la tarde la exhumación de los restos del General Belgrano que, como se sabe, estaban sepultados en el atrio de la Iglesia de Santo Domingo y deben depositarse en el mausoleo cuya inauguración se efectuará el mes próximo".

Souto, el Presidente de la Comisión, y los ministros del Interior y de Guerra, Joaquín V. González y el Coronel Pablo Ricchieri, junto a los médicos Marcial Quiroga y Carlos Malbrán presidieron el acto en que se levantó la losa del suelo. El escultor Ettore Giménez —recuerda Jimena Sáenz en el número 38 de *Todo es Historia*— removió los escombros con cuidado, pero debajo de la lápida no había ningún ataúd. Gran alarma del Ministro de Guerra que hizo retirar a todos creyendo que se trataba de un sabotaje.

El servicio de seguridad retiró al público y el escultor siguió removiendo hasta que encontró, debajo de la bóveda, los restos de Belgrano. No había vestigios del ataúd sino algunos clavos y tachuelas, y los huesos estaban dispersos y destruidos por la acción del tiempo. "A medida que se extraían se depositaban en una bandeja de plata, que sostenía uno de los monjes del convento. Las tibias se descubrieron en la tierra colocadas casi paralelamente, pero al sacarlas quedaron reducidas a pequeños fragmentos. (...) Se han encontrado en relativo buen estado algunos dientes". Esta frase, de apariencia inocente, se transformaría luego en la piedra del escándalo.

Sigue *La Nación*: "El escribano Enrique Garrido levantó un acta que firmaron Carlos Vega Belgrano, nieto del prócer, Manuel Belgrano, bisnieto, Armando Clarós, el Dr. Luis Peluffo, el Reverendo Padre Becco, prior de la orden dominicana, el mayor Ruiz Díaz y los ministros del gabinete. La urna fue depositada bajo el altar mayor esperando la terminación de los trabajos del suntuoso mausoleo".

Los lectores de *La Prensa* tuvieron la verdadera versión de los hechos. El diario fundado por José C. Paz tituló: "En el sepulcro del General Belgrano. Exhumación de sus restos. Un acta defectuosa. Repartición de dientes entre los ministros".

La Prensa decía: "en la tumba de Belgrano se encontraron varios dientes en buen estado de conservación, y admírese el público: esos despojos sagrados se los repartieron buena, criollamente, el ministro del Interior y el ministro de Guerra. Ese despojo hecho por los dos funcionarios nacionales que nombramos debe ser reparado inmediatamente, porque esos restos forman parte de la herencia que debe vigilar severamente la gratitud nacional; no son del Gobierno sino del pueblo entero de la República y ningún funcionario, por más elevado o irresponsable que se crea, puede profanarla. Que devuelvan esos dientes al patriota que menos comió en su gloriosa vida con los dineros de la Nación".

Al día siguiente, *La Nación* siguió obviando la noticia para lo cual, como veremos más adelante, tenía buenas razones.

El 6 de septiembre *La Prensa* publicó una carta del Prior de Santo Domingo, titulada "La Razón del Despojo". Decía la crónica: "Las dos cartas que publicamos a continuación y que recibimos ayer del R.P. Becco, prior del convento de frailes dominicos explican los hechos de acuerdo con las respectivas declaraciones de los ministros:

Señor Director de *La Prensa*:
Muy Señor mío:
El Excelentísimo señor Ministro del Interior Dr. Joaquín V. González, que llevó un diente del General Belgrano para mostrárselo a varios amigos, acaba de remitirme esa preciosa reliquia del glorioso prócer de la Patria, la cual está en mi poder y bajo la custodia de esta comunidad, como el demás resto de sus cenizas.

Señor Director de *La Prensa*:
Muy Señor mío:
El Excelentísimo Señor Ministro de la Guerra depositó en mis manos el diente del General Belgrano que llevara para presentarlo al Señor General Dr. Bartolomé Mitre.

Saluda al Señor Director con todo respeto.
S.S.S. Fray Modesto Becco

La aparición de Mitre como furtivo admirador de dentaduras explica la actitud de *La Nación*.

La Prensa agregó: "Las dos cartas que publicamos han sido fechadas ayer 5 de septiembre en el Convento de Predicadores y están timbradas con el sello de la Orden. Así quedará en el Archivo de *La Prensa* y a disposición de aquellos que quisieran verlas como documentación preciosa de hechos contemporáneos. Las explicaciones son de definida ingenuidad, pero nos llama la atención especialmente la del Ministro de Guerra. Este funcionario declaró ayer en su despacho, ante varias personas, que había retirado el diente del General Belgrano con el objeto de consultar al General Mitre sobre "la conveniencia de engarzarlo en oro, para colocarlo luego con los demás restos en la urna del monumento".

La edición de *Caras y Caretas* anterior del 7 de septiembre incluyó un artículo titulado "El Mausoleo a Belgrano": "Sólo unos pocos dientes consérvanse en buen estado —decía— y si la oportunidad no hubiera sido tan impropia, habríase celebrado la ocurrencia de un chusco al ver la curiosidad con que los ministros examinaban los caninos del gran hombre y establecer la comparación mental con los afilados y mordientes de los políticos actuales...". En el mismo número podía verse una caricatura de Belgrano levantándose de la tumba con una leyenda que dice: "Hasta los dientes me llevan! ¿No tendrán bastante con los propios para comer del presupuesto?".

A SUS PLANTAS
RENDIDO UN LEÓN

El *Himno Nacional Español* es uno de los mas antiguos de Europa. Su partitura fue encontrada en un documento de 1761, el *Libro de Ordenanza de los Toques Militares de la Infantería Española*, con el nombre de *Marcha Granadera*, de autor desconocido. Pero desde mucho antes, los Granaderos del Rey iban a combate y desfilaban ante la familia real a los sones de su Marcha. No existe ninguna disposición escrita transformándolo en Himno Nacional, y se ha impuesto por la costumbre y el arraigo popular.

El *Himno Nacional de Colombia* reconoce como antecedente a *La Guaneña*, una canción muy antigua del sur del país, que era entonada por los patriotas en la guerra por la Independencia. Algo similar sucedió con *The Star Spangled Banner*, un poema de 1814 adaptado a una antigua balada inglesa, que se convirtió en el himno de los Estados Unidos.

La Borinqueña, el himno de Puerto Rico, nació de una danza escrita por el catalán Félix Astol Artés en 1867. Varios países llegaron a elegir el himno que los representa a través de la convocatoria a un concurso: eso hizo San Martín en Lima, jurada la independencia del Perú, premiando la composición del Maestro Alcedo. Lo mismo sucedió en México en 1853, cuando se convocó a poetas y compositores para escribir el Himno Nacional Mexicano. En Venezuela, el Gloria al Bravo Pueblo compuesto por Juan José Landaeta y Vicente Salías, surgió de las batallas por la libertad de la Gran Colombia. Sucedió lo mismo con La Marsellesa, compuesta en 1792, tras la declaración de guerra de Francia a Austria. Fue escrita por Rouget de L'isle, oficial francés en misión en Estrasburgo, y se llamó Canto de Guerra para el Ejército del Rin. Fue adoptado espontáneamente por los federados de Marsella que participaron de la insurrección de las Tullerías. En Dinamarca, el himno que celebra los días conmemorativos de la Casa Real se llama El Rey Christian ante el alto mástil (Kong Christian stod ved hojen mast). Su melodía es anónima y figura bajo el sólo título de Aria en El libro del Violín de Bast, que data de la segunda mitad del siglo XVIII. Ni China comunista se animó a imponer un himno a su población: el Kuomintang, en 1928, llamó a un concurso público donde se presentaron 139 melodías, y fue ganadora la de Cheng Mao-yun.

El *Himno Nacional Argentino*, en cambio, nació por decreto de la Asamblea, el 11 de mayo de 1813, con el rango de "única marcha nacional".

El autor del texto fue un miembro de la propia Asamblea, el abogado porteño Vicente López, que escribió el poema en forma gratuita. El autor de la música fue un español, Blas Parera, quien cobró honorarios tanto por la composición como por la ejecución de la pieza.

Ambos respondían, en realidad, a un encargo del Segundo Triunvirato fechado el 6 de marzo para "componer un texto patriótico", aunque se desconoce la resolución indicando los nombres de Parera y López.

En *O juremos con gloria morir*, un brillante ensayo sobre el tema escrito por Esteban Buch, se aclara que "En efecto, el 22 de julio de 1812 el Triunvirato había encargado, mediante una comunicación dirigida al Cabildo, un poema que escribirá Fray Cayetano Rodríguez y al que pondrá música el mismo Blas Parera". Pero los himnos de 1812 y 1813 no fueron las primeras canciones patrióticas.

El 15 de noviembre de 1810 *La Gazeta de Buenos Ayres* publicó un texto sin firma titulado *Marcha patriótica compuesta por un ciudadano de Buenos Aires para cantar con la música que otro ciudadano está arreglando*:

La América toda
se conmueve al fin
y a sus caros hijos
convoca a la lid
a la lid tremenda
que va a destruir
a cuantos tiranos
ósanla oprimir.

Señala Buch que "este llamado a las armas más bien eufórico, sin alusión alguna a la muerte, anuncia el rol que en la empresa épica se reserva a las mujeres":

Bellas argentinas
De gracia gentil,
Os tejen coronas
De rosa y jazmín

Esta marcha se repitió en las reuniones de la Sociedad Patriótica.

También en la época se tocó una canción que imitaba al comienzo de *La Marsellesa* y el 26 de mayo de 1812, en la Plaza de la Victoria y con la presencia del gobierno, se cantó un texto de Saturnino de la Rosa con música de Blas Parera.

Luis Cánepa, en *Historia de los Símbolos Nacionales Argentinos*, adjudica a Esteban de Luca la autoría del texto publicado en *La Gazeta*, y recuerda —como antecedente del himno— *Triunfo Argentino*, un poema escrito por Vicente López con motivo de las invasiones inglesas.

El 6 de noviembre de 1812, por medio de una nota, el cabildante Manuel José García informó que el maestro Blas Parera ya había compuesto la música, presentando las facturas respectivas. El mismo día 6 el Cabildo aprobó las cuentas por la música y entregó a Parera, según recibo que aún se conserva, de ciento noventa y nueve pesos.

Cánepa asegura que la letra encargada a fray Cayetano Rodríguez fue escrita pero "debe haber caído en desuso, cosa que permite suponer la falta de vuelo lírico de Fray Cayetano". '

El Himno Nacional aprobado por la Asamblea fue un poema en nueve estrofas y un coro, escrito en octavas decasilábicas:

> *Oíd, mortales el grito sagrado*
> *Libertad, libertad, libertad;*
> *Oíd el ruido de rotas cadenas*
> *Ved en trono a la noble igualdad*
> *Se levanta en la faz de la tierra*
> Una nueva, gloriosa nación
> *Coronada su sien de laureles*
> *Y a sus plantas rendido un León.*

CORO

> *Sean eternos los laureles*
> *Que supimos conseguir*
> *Coronados de gloria vivamos*
> *O juremos con gloria morir*

> *De los nuevos campeones los rostros*
> *Marte mismo parece animar*
> *La grandeza se anima en sus pechos;*
> *A su marcha todo hacen temblar.*
> *Se conmueven del Inca las tumbas*
> *Y en sus huecos revive el ardor*
> *Lo que ve renovando a sus hijos*
> *De la Patria el antiguo esplendor.*

CORO

> *Pero sierras y muros se sienten*
> *Retumbar con horrible fragor*
> *Todo el país se conturba por gritos*

De venganza, de guerra y furor.
En los fieros tiranos la envidia
Escupió su pestífera hiel
Su estandarte sangriento levantan
Provocando a la lid mas cruel

CORO

No los veis sobre México y Quito
Arrojarse con saña tenaz?
Y qual lloran bañados en sangre
Potosí, Cochabamba y La Paz?
No los veis sobre el triste Caracas
Luto y llantos, y muerte esparcir?
No los veis devorando qual fieras
Todo pueblo que logran rendir?

CORO

A vosotros se atreve argentinos
El orgullo del vil invasor
Vuestros campos ya pisa contando
Tantas glorias hollar vencedor
Mas los bravos, que unidos juraron
Su feliz libertad sostener
A estos tigres sedientos de sangre
Fuertes pechos sabrán oponer.

CORO

El valiente Argentino a las armas
Corre ardiendo con brío y valor
El clarín de la guerra, qual trueno
En los campos del Sud resonó
Buenos Ayres se opone a la frente
De los pueblos de la ínclita unión

Y con brazos robustos desgarran
Al ibérico altivo león.

CORO

San José, San Lorenzo, Suipacha,
Ambas Piedras, Salta y Tucumán
La Colonia y las mismas murallas
Del tirano en la Banda Oriental
Son letreros eternos que dicen:
Aquí el brazo argentino triunfó
Aquí el fiero opresor de la Patria
Su verviz orgullosa dobló.

CORO

La victoria al guerrero argentino
Con sus alas brillantes cubrió
Y azorado a su vista el tirano
Con infamia a la fuga se dio
Sus banderas, sus armas se rinden
Por trofeos a la libertad
Y sobre alas de gloria alza el pueblo
Trono digno a su gran majestad

CORO

Desde un polo hasta el otro resuena
De la fama el sonoro clarín
Y de América el nombre enseñando
Les repite, mortales oíd:
Ya su trono dignísimo abrieron
Las provincias unidas del Sud
Y los libres del mundo responden:
Al gran pueblo argentino salud.

Calcula Esteban Buch que en su forma original, con las nueve estrofas, el canto del himno dura unos veinte minutos. La práctica puesta en vigencia desde el siglo pasado reduce esta duración a dos minutos y medio. Pero nadie pensó en aprovechar el tiempo a la hora de reducir la letra: la del himno es también la historia de una insólita censura, resultado de la presión de los españoles, "ofendidos" por una letra que consideraron lesiva.

La historia oficial describió a Parera "primer director de orquesta del primer teatro existente en Buenos Aires", "un hombre sencillo y afable, único compositor culto, apreciado de todos".

Cuenta Buch que Parera fue, ante todo, un profesor de música, empleado en las casas ricas de Buenos Aires para dar lecciones de piano, cello o canto; fue también organista de dos parroquias de Montevideo (aún se conservan los recibos) y autor de música por encargo.

"El autor del himno —dijo el compositor Alberto Williams— no era un compositor avezado en los secretos técnicos del arte, sino más bien un autor ocasional, que se sobrepasó a sí mismo a impulsos de la inspiración patriótica y de la sublimidad del momento".

Carlos Vega sostiene que Parera "tuvo que irse de Buenos Aires. Meses antes de su partida el gobierno argentino —recuérdese que el país estaba en guerra— exigió a todos los españoles residentes juramento de fidelidad a la patria naciente y morir por su independencia total, legalizando su adhesión mediante una carta de ciudadanía. Podría ser que la adopción de la nacionalidad argentina hubiera sido una imposición demasiado dura para el catalán, y acaso la causa de su extrañamiento súbito".

La figura de Parera reapareció en España recién en 1830, cuando ya era un músico de edad avanzada y estaba sumido en la pobreza, en una iglesia perdida de Barcelona. Nadie conoce ni las causas ni la fecha de su muerte. La partitura original del himno, escrita por sus manos, se ha perdido. Lo mismo ocurrió con las cuartillas que contenían el texto original.

La versión del himno que se conoce actualmente es la que en 1860 escribió el maestro Juan Pedro Esnaola, nacido cinco años después de la aprobación del himno por parte de la Asamblea. El sino español del himno, sin embargo, no pudo alejarse con los arreglos: Esnaola provenía de una familia contrarrevolucionaria. Su tío, José Antonio

Picasarri, cura y maestro de la Catedral de Buenos Aires, fue expulsado en 1818 por el gobierno de Pueyrredón, y volvió a España junto a su sobrino. Ambos regresaron amparados por una amnistía en 1822. Esnaola reacomodó rápidamente su figura en la escena política local: se convirtió en el músico "oficial" de Rosas, compuso himnos en honor del Restaurador de las Leyes, fue —según sus propias palabras— "humilde y apasionado servidor" además de profesor de música de Manuelita. Fue también, Esnaola, versátil: después de la batalla de Caseros escribió al nuevo gobierno de Vicente López que "hoy más que nunca debemos los ciudadanos toda nuestra cooperación en su patriótica marcha". Fue nombrado Juez de Paz, presidente de un cuerpo de vigilancia nocturna, Presidente del Banco de la Provincia de Buenos Aires y Presidente del Club del Progreso.

Señala Buch que "entre 1847 y 1849 Esnaola había anotado un primer arreglo del himno de López y Parera en el cuaderno de su ilustre alumna Manuelita, entre danzas a la moda, arias de ópera y otras composiciones fáciles". Este arreglo es la base del que realizará en 1860 por encargo del director de Bandas Militares y que desde 1928 es la versión oficial del Himno Nacional Argentino.

Desde 1865 todos los diplomáticos españoles residentes en la Argentina recibieron y acataron una instrucción desde Madrid: debían retirarse de cualquier acto público donde fuera entonado el Himno argentino.

La imagen que más molestaba al poder español era aquella de la primera estrofa del himno original: "A sus plantas rendido un león".

La protesta llevó a que en la Exposición Universal de 1882, organizada por el Club Industrial, fuera tapada con un velo la maqueta de un Monumento a la Independencia que representaba al famoso León a los pies de la Nación.

A comienzos de julio de 1893 una asamblea de mil quinientos españoles, por iniciativa del diario *El Correo Español*, le pidió al gobierno una revisión del texto del himno.

El 9 de julio de 1893 el diario *La Prensa* informó que "El poder Ejecutivo ha resuelto ayer por iniciativa del ministro del Interior Lucio Vicente López, nieto como se sabe del autor del Himno Nacional, que de éste en los actos oficiales desde hoy se cante sólo la última estrofa". El

11 de julio el diputado Osvaldo Magnasco denunció en el Congreso la "mutilación" del himno, pidiendo una interpelación a López. El 14 el ministro del Interior se presentó en el Congreso; allí escuchó a Magnasco diciendo que "Los himnos nacionales son intangibles como la bandera y los emblemas de la Nación". Los argumentos de López fueron inverosímiles: se apoyó en una "tradición de familia" (su tío Vicente Fidel López, ya se había autodenominado, años atrás, como "hermano del Himno"). Dijo el nieto del Himno: "El autor del himno nacional era español, profundamente español de sentimiento, en política pensaba como pensaron todos los ministros de Carlos III. Si la familia López no es propietaria de esa obra literaria, la familia López menos que ninguna otra puede tocar a la obra del autor de sus días", explicó López, interpretando que lo que se hacía con el decreto no era modificar el himno, sino sólo "instruir verbalmente sobre su canto".

El himno salió herido pero completo de los episodios de 1893, pero los españoles volvieron a la carga y poco después el presidente Julio Argentino Roca firmó un decreto ordenando que en los actos oficiales se cantaran sólo los cuatro primeros versos, los cuatro últimos y el coro.

Los argumentos del decreto del 30 de marzo de 1900 citados por Buch dicen: "El himno nacional contiene frases que fueron escritas con propósitos transitorios, las que hace tiempo han perdido su carácter de actualidad; tales frases mortifican el patriotismo del pueblo español y no son compatibles con las relaciones internacionales de amistad, unión y concordia".

El 2 de agosto de 1924 el presidente Marcelo T. de Alvear firmó un decreto creando una Comisión que tuviera como fin "preparar una versión musical del Himno Nacional Argentino".

Se trataba de "acabar con la anarquía en materia de himnos": los niños cantaban una versión en las escuelas, las bandas militares ejecutaban una segunda y a los maestros se les enseñaba otra en las aulas de la Escuela Normal. Los antecedentes reunidos por la comisión fueron versiones del himno escritas por Juan Serpentini, Miguel Rojas, Pablo Beruti, Carlos Pedrell, Leopoldo Corretjer, Alberto Williams, Clemente Greppi y Juan Pedro Esnaola.

La partitura original escrita por Blas Parera perdida hasta entonces fue "descubierta" por la Comisión, que la calificó como "fuente genuina y completa". La supuesta partitura se encontraba desde 1916 en el Museo Histórico Nacional, había sido donada por las descendientes de Esteban de Luca quien lo habría recibido en 1813 de manos del compositor español.

El 25 de mayo de 1927, en presencia del presidente Alvear y sus ministros, se interpretó por primera vez en el teatro Colón esta nueva versión del Himno.

El diario *La Nación* elogió "una versión que produjo el mejor efecto por las modificaciones que se han introducido al texto corriente, y que el público aprobó con aplauso caluroso".

Dos días después el diario *La Prensa* mencionó una versión del himno "en general muy desfavorable", criticando la "falta de veneración" y afirmando que "se ha hecho algo que desagrada a los argentinos", cuestionando la autenticidad del "manuscrito Luca", como llamó a la supuesta partitura original, y pidiéndole al gobierno de Alvear que retire la nueva versión del himno.

Durante más de tres meses, todos los días, *La Prensa* dedicó parte de su primera plana a reclamar por el himno. Tenía en aquellos años una tirada superior a los doscientos cincuenta mil ejemplares diarios. "El himno actual, feo o lindo, es una tradición", señalaba el diario de la familia Paz. "Si mi madre fuera horrible, si mi madre estuviera llena de los mayores defectos, más aun, si mi madre fuera una mujer corrompida, reconociendo en ella su fealdad, sus errores y sus crímenes, siempre la amaría, porque ésa era mi madre."

Argentina al fin, se formaron entonces: una Comisión Provisional Pro No Modificación del Himno Nacional; una Comisión Pro Himno Tradicional, una Junta Pro Mantenimiento del Himno Tradicional y una Asociación Patriótica Vicente López y Planes.

Relata Buch: "El 9 de julio es la oportunidad ideal para expresar este espíritu patriótico en toda su latitud. Al término del desfile militar del Día de la Independencia, una multitud canta el himno viejo delante de la Casa Rosada y desafía al gobierno, exigiendo que la Policía rinda homenaje a la antigua versión. Según *La Prensa*, eran cincuenta mil. *La Nación* evitó dar una cifra. ‹No obstante esa pasividad de los manifestantes y la falta absoluta de razones que impulsaron el procedimiento, los agentes del escuadrón de seguridad, sin tener en cuenta que entre la multitud se hallaban innumerables mujeres y niños que desearon exteriorizar su patriótica protesta, cargaron contra la multitud indefensa, sembrando el pánico por doquier›, reseñó *La Prensa*.

”Según *La Nación* ‹se formaban como dos bandos adversos entre sí. Uno aplaudía la versión oficializada del himno y otro protestaba contra ella›. Según *La Prensa*, en cambio, no hay bandos, sino una única multitud agredida, que tira piedras o fierros arrancados de los bancos de la plaza contra unos policías que ‹ebrios de violencia, olvidaban hasta el respeto por la bandera argentina›.”

Esa noche, para colmo, se realizó un acto en el Colón, “rodeado de policía y de mangueras y bombas del cuerpo de Bomberos. Eso era por fuera. Por dentro se distribuyeron cerca de cuatrocientos empleados de investigaciones”. Según *La Nación*, “finalizada la canción patriótica toda la concurrencia, de pie, aplaudió con entusiasmo y prolongadamente”. Según *La Prensa*: “Los empleados policiales detuvieron a todos los que no estuvieron de acuerdo con esa versión”.

La prohibición de Alvear, a pesar de las cortinas de humo de *La Nación*, se había vuelto insostenible: el 12 de julio recibió a una delegación de la Junta Pro Himno Tradicional. El 20 de julio firmó otro decreto dejando en suspenso la nueva versión del Himno.

CAPÍTULO SEIS

GONZÁLEZ Y GARCÍA: NACEN LA DEUDA Y LA PATRIA FINANCIERA

En su estudio sobre "el primer vaciamiento argentino", el del Banco de Descuentos, Elena Bonura describe el contexto político y geográfico en el que se produjo la entrada de "aventureros extranjeros en la plaza argentina": "En el inmenso territorio del Virreynato, Buenos Aires era tan sólo la sede política del gobierno, en buena medida por la necesidad de evitar o al menos contrabalancear los avances portugueses en el Plata; su territorio más importante no estaba formado por lo que hoy es la provincia de Buenos Aires (que sólo se extendía hasta el Río Salado) sino por las actuales provincias de Entre Ríos, Santa Fe y Corrientes, por la Banda Oriental y por las Misiones. De estas zonas provenían los productos que salían al exterior para pagar las importaciones, que eran suministradas en abundancia por el Litoral y embarcaban, indistintamente, por Buenos Aires o por Montevideo. (...) Por ese motivo en Buenos Aires se hallaba el grueso del comercio de intermediación el cual actuaba en forma singular: abonaba las importaciones la mayoría de las veces con el producto de las exportaciones (cuero y salazones) o con el metal proveniente del Alto Perú, actuando en el interior por medio de representantes o consignatarios que, en el litoral, compraban cueros que pagaban con los productos importados y en el Noroeste y el Alto Perú vendían productos importados que les eran abonados con plata. (...) La apertura del puerto coincidió con el proceso de emancipación y éste trajo la guerra no en Buenos Aires pero sí en el Noroeste y el Alto Perú, y es en este último donde los errores cometidos por los enviados de Buenos Aires, unidos a la resistencia española, cortaron casi inmediatamente el tráfico comercial".

A partir de la derrota de Huaqui se interrumpió la corriente de metales desde el Alto Perú, y la guerra comenzó a asfixiar a provincias ricas como Salta y Jujuy entre 1811 y 1820. Las autoridades "nacionales" de Buenos Aires empezaron a convivir con el ahogo financiero e ingresos cada vez más disminuidos. El gobierno lanzó "empréstitos forzosos", préstamos de guerra disfrazados que nunca eran devueltos o que lo eran a cambio de papeles del mismo gobierno que sólo servían para pagar otros impuestos.

Oportunamente, un grupo de comerciantes y prestamistas ingleses comenzó a establecer sus negocios en el país: son los De Forest, Zimmerman, Robertson, G. P. Ford, Higginbotham, etc. Recuérdese que la plata no era solamente un metal buscado con avidez: también era la base de un sistema monetario bimetalista junto al oro, que lógicamente se asentaba sobre el metal de menor valor.

Las Onzas abundaban, pero con ellas sólo era posible realizar grandes operaciones comerciales; el Peso y los Reales Plata, en cambio, eran escasos y se necesitaban para las transacciones cotidianas.

Una Onza de oro equivalía a 16 o 17 Pesos Plata; cada Peso se dividía en 8 Reales Plata, los que a su vez se subdividían en Cuartos de Real.

El 6 de septiembre de 1822 abrió sus puertas el Banco de Descuentos, una iniciativa privada formada básicamente por capitales ingleses. La Sala de Representantes de la Provincia de Buenos Aires le otorgó el privilegio de ser el único banco del país por un período de veinte años. "O un tremendo error de cálculo o una bien planeada operación de vaciamiento", opina Bonura. "En una plaza comercial en la cual intereses del 3,4 y hasta del 5 por ciento mensual eran corrientes era muy difícil que un banco que sólo logró repartir 12 por ciento en su primer año de vida consiguiera entusiasmar a nadie".

De acuerdo a su Carta Orgánica el Banco no sólo se ocuparía de los Descuentos, sino también de la emisión, con un capital de un millón de Pesos Plata que serviría como "encaje" de la emisión de billetes de veinte, cincuenta o cien pesos, que podrían ser canjeados en cualquier momento por el metal que representaban.

Los bancos eran, en aquel momento, algo del todo novedoso en Sudamérica; recién empezaban a ser aceptados y conocidos en Europa y Estados Unidos. Tal vez por eso los capitales que se suscribieron fueron escasos: a fines de 1822 llegaron a los 400.000 pesos. Ello no impidió, sin embargo, que el Banco de Descuentos comenzara a funcionar y que al año siguiente, en 1823, quedara en absoluta y total libertad de acción, desembarazándose de la vigilancia que debía ejercer sobre el Banco la Sala de Representantes, para iniciar una emisión descontrolada y sin respaldo metálico.

El Banco no solucionó la escasez de moneda, y a fines de 1822 la provincia encargó monedas de cobre a Inglaterra.

El 24 de febrero de 1823 la Sala de Representantes ante "la penuria de moneda menor que ha crecido incesantemente" decidió la emisión de "vales menores", de uno, tres y cinco pesos, canjeables por onzas, billetes del Banco o monedas de cobre.

La actuación de los ministros Manuel J. García y Bernardino González Rivadavia autorizó a que fuera el Banco el que realizara la emisión, "en cuyo caso el gobierno retirará sus vales y no emitirá otros". A los pocos días el Banco encargó a Londres la impresión de un millón de pesos. Hasta ese momento la emisión de billetes no superaba los trescientos mil pesos, pero emitiendo un millón a un interés del 9 por ciento anual (tasa a la que se resolvió bajar los intereses el 4 de julio), la ganancia extra era considerable.

Señala Bonura que: "una vez conseguida la libertad de acción con el episodio de los valores menores, el Banco inicia la emisión masiva de billetes y el consiguiente préstamo de los mismos, con lo cual logra elevar apreciablemente sus dividendos. Estas ganancias, que en el primer año fueron sólo de un 12 por ciento se elevaron al 10 por ciento en el semestre siguiente, aun cuando los intereses cobrados por los préstamos fueron reducidos a la mitad, del 18 al 9 por ciento. En el balance de 1824 los préstamos excedían en 800.000 pesos a las disponibilidades".

En un año el Banco había quintuplicado su emisión. En septiembre de 1824 consiguió que el gobierno ordenara a Baring Brothers de

Londres la remisión de 500.000 pesos fuertes (98.950 libras esterlinas) para "proveer a las necesidades de moneda metálica que ya se hacía sensible ya que con previsión debía acudirse al remedio para no tocar resultados que fuesen en mengua del crédito del Banco" (Libro de Actas del Banco, 17 de septiembre de 1924).

La actitud del gobierno salía, a la vez, a defender al Banco de Descuentos ante la posibilidad de una competencia autorizada: el Banco Nacional, cuya creación comenzó a discutirse.

Los Hermanos Robertson, Braulio Costa, Félix Castro, J. P. Sáenz Valiente, Miguel de Riglos y Sebastián Lezica montaron una audaz operación de Bolsa a partir de la llegada del préstamo de Baring: las acciones del Banco que el 25 de junio se cotizaban con un "premio" máximo del 7 al 8 por ciento llegaron al 80 por ciento para rebasar en julio el 160 por ciento.

El periódico *Argos* del 10 de julio señaló que "en estos días han parecido felices cuantos han podido desembarazarse de sus onzas de oro en cambio de papel". Sólo se enriquecieron aquellos que vendieron en pleno auge y compraron oro, el que, un año más tarde, al desatarse la guerra con Brasil, multiplicó su precio. No sólo habían ganado un cien por ciento con la venta de sus papeles, sino que lograron, un año después, ganancias de hasta el trescientos por ciento con la cotización del metal.

Observa Bonura que el Banco, en sus tres años de vida, "empapeló" a la provincia. Pero no obstante ello hasta fines de 1825 no se notaron los efectos de la operación.

A comienzos de enero de 1826 los directores del Banco solicitaron al ministro García la inconversión de los billetes, es decir, la obligación, para toda la provincia, de aceptarlos como moneda. García llevó su posición ante el Congreso Constituyente, planteándolo como una consecuencia nefasta de la Guerra con Brasil, y no como el final de una serie de operaciones irregulares.

En el Congreso se enfrentó con la oposición de Julián de Agüero, que buscaba cerrar el Banco de Descuentos para erigir en su lugar el Banco Nacional. La influyente presión de García logró el colmo: se decretó la inconvertibilidad por tres meses, y el Banco de Descuentos aceptó una "indemnización" del 40 por ciento de su capital de libros, para luego entrar a formar parte del nuevo Banco Nacional.

En poco más de cinco años el nuevo Banco Nacional cubrió aquel 40 por ciento, descapitalizándose. Una muestra cabal dada por sus balances: en 1831 el capital real del Banco Nacional, que debía ser de 5.250.000 pesos, era de sólo un millón.

EL SILLÓN DE
GONZÁLEZ RIVADAVIA

El 3 de abril de 1821 la Cámara de Representantes eligió a Martín Rodríguez como gobernador de Buenos Aires. Manuel José García fue su ministro de Hacienda y Bernardino González Rivadavia su ministro de Gobierno. Rodríguez cerró el Cabildo por considerarlo anacrónico, reorganizó las milicias, creó —a instancias del presbítero Antonio Sáenz— la Universidad de Buenos Aires absorbiendo las "escuelas superiores" que entonces funcionaban en la ciudad: el Seminario Conciliar, las Escuelas de Medicina y Matemáticas y la Academia de Jurisprudencia.

Paradójicamente, mientras integraba la Iglesia a la vida académica laica, eliminó el diezmo y cerró varios conventos. Creó el Banco de Descuentos, cuya historia se menciona más arriba y hacia fines de 1822 autorizó a González Rivadavia a contratar un empréstito con la casa Baring Brothers.

Raúl Scalabrini Ortiz, en su ensayo *La Historia del Primer Empréstito*, comienza diciendo: "Los técnicos —doctores en jurisprudencia y doctores en ciencias económicas— creen, porque así se les ha enseñado, que la Casa Baring Brothers nos concedió en 1824 un empréstito de un millón de libras esterlinas y que ese cargamento de oro fue la semilla en que fructificó nuestro progreso. (...) Vamos a demostrar fehacientemente —dice Scalabrini— que el primer empréstito argentino no fue más que un empréstito de desbloqueo, un modo de transportar en forma permanente las ganancias logradas por los comerciantes ingleses en el Río de la Plata. Es decir, que ese primer empréstito representa una riqueza que se llevó de la Argentina a Inglaterra, no una riqueza inglesa que se trajo a la Argentina".

La mayor parte de los tratadistas coincide en que la Ley del 28 de noviembre de 1822, que abrió las puertas al empréstito, señala el comienzo de la historia financiera del país.

Una conocida frase de Canning en su correspondencia con Lord Granville sobrevuela esta historia como un pájaro negro: "Los hechos están ejecutados —escribió Canning— la cuña está puesta. Hispanoamérica es libre y, si sabemos dirigir bien el negocio, es inglesa".

Fitte resume los empréstitos que fueron contemporáneos entre 1822 y 1824: "El entusiasmo por los empréstitos había empezado en 1822; en marzo de ese año don Francisco Zea, agente de la República de Colombia, pudo negociar fácilmente un crédito de esta índole por valor de dos millones de libras esterlinas con la firma Herring, Graham and Powles; en el mes de mayo siguiente don Antonio José de Irisarri obtuvo a su vez un millón doscientas mil libras para Chile, por intermedio de los señores Hullet Brothers. En octubre se colocó otro de doscientas mil libras para el reino de Poyais, situado en la Costa de Mosquitos, en la región de Centroamérica; en ese tiempo don Diego Paroissien y don J. García del Río contrataron en nombre del Perú con Thomas Kinder, una emisión por un millón doscientas mil libras al 75 por ciento, a pagar en seis entregas y cuyo reembolso debería comenzar dos años después. En ese mismo año de 1824 se puso también en circulación uno nuevo auspiciado por la casa B.A. Goldschmidt y Co. con destino a México y en el mes de abril, tres meses antes de nuestro caso, se lanzó un segundo empréstito a favor de Colombia, que fue arrebatado por el público a razón de 88,5 por cada título de cien, sobrepasando la demanda de suscripción diez veces la cantidad disponible de títulos en venta. Evidentemente, Londres era una plaza sólida y bien provista".

José María Rosa agrega a la lista el préstamo de Nathan Rothschild al Brasil por dos millones de libras, y comenta: "A principios de 1822 los hábiles agentes de Mr. Planta en México, Lima, Bogotá, Guatemala, Santiago de Chile y Buenos Aires han conseguido que los seis estados votasen leyes de empréstitos curiosamente semejantes en sus montos —entre uno y dos millones— tipos de colocación —70 al 75 por ciento— y cuantía de interés —entre el 5 y 6 por ciento— aunque diferían en el objeto de sus inversiones: en Perú y Colombia para concluir la Guerra de la Independencia, en México y Chile para levantar defensas militares, en Guatemala para enjugar el déficit de presupuestos y en la pacífica y comercial Buenos Aires de Rivadavia, para construir un puerto en la capital que facilitase el acceso a los buques ingleses, fomentar puertos ribereños para servir a los productos a exportarse y proveer a Buenos Aires de un servicio de aguas corrientes como el de Londres".

Scalabrini cita al Vizconde Chateubriand en un libro casi desconocido hasta entonces, titulado *Congrés de Verone*, editado en Leipzig en 1838: "De 1822 a 1826 diez empréstitos han sido hechos en Inglaterra a nombre de las colonias españolas. Montaban esos empréstitos la suma de 20.978.000 libras. Estos empréstitos —el uno llevaba al otro— habían sido contratados al 75 por ciento. Después se descontaron dos años de intereses al 6 por ciento. En seguida se retuvieron 7 millones de libras de gastos varios inespecificados. Al fin de cuentas Inglaterra desembolsó una suma real de 7.000.000 de libras, pero las repúblicas españolas han quedado hipotecadas en una deuda de 20.798.000 libras".

El 2 de febrero de 1825 —escribe Juan Carlos Vedoya en *La Verdad sobre el empréstito Baring*— un año después de concertado el empréstito, Gran Bretaña y Buenos Aires firmaron un tratado de paz y amistad. Scalabrini se pregunta: "¿Habrá sido el empréstito de 1824 el precio pagado por el gobierno de Buenos Aires para obtener el reconocimiento de la independencia por Gran Bretaña?".

"Desde un comienzo —afirma Vedoya— el empréstito tuvo una aplicación bien determinada: iniciar los estudios relativos a la construcción de un puerto y de dos cárceles. En el año transcurrido entre las dos leyes que lo autorizaban se le agregó la colonización, la fundación de dos pueblos y la instalación de aguas corrientes en Buenos Aires. Sin embargo, y a pesar de la forma expresa de la ley de 1822, los objetivos no se cumplieron en ninguna de sus partes, no obstante estar los fondos disponibles desde mediados de 1824.

Vedoya critica el sesgo parcial del revisionismo de Scalabrini o Rosa, que adjudica mala fe al empréstito desde el comienzo de su contratación.

Basa sus argumentos en la correspondencia de González Rivadavia con Hullet pidiéndole la contratación de un técnico, la creación del cargo de ingeniero hidráulico e ingeniero arquitecto y la llegada de una serie de máquinas que servirían para la construcción del puerto.

Para Fitte, la cancelación de los proyectos del gobierno se debió a la Guerra con el Brasil, y el incierto estado de cosas de los meses precedentes.

Buenos Aires había pedido un millón de libras, equivalente a cinco millones de pesos fuertes.

Recibió setecientas mil libras reales, a las que habría que restarles los intereses de los primeros dos años de pago, que se descontaron en Londres antes de girar el dinero.

Lo de "libras reales" afirmado en el párrafo anterior es una generosa exageración hacia Baring; por comunicación del 2 de julio de 1824 la Casa Baring informó que los fondos del empréstito no serían remitidos a Buenos Aires en oro contante y sonante. La Casa Baring remitió letras, esto es, órdenes de pago a cargo de un tercero.

El gobernador Las Heras, en un mensaje de 1825 reconoció que "El producto del empréstito realizado en Londres se ha transportado a esta plaza con ventaja y sin causar alteración en el cambio. El gobierno espera que las obras del puerto, a que era destinado principalmente, podrán realizarse por sociedades particulares y con sus propios capitales, dejando en tal caso aquellos fondos para destinarlos a otros objetos; mientras tanto se entretienen productivamente y fomentan nuestra industria".

Vedoya transcribe en su ensayo, siguiendo el libro IV del Informe de Pedro Agote, un cuadro de la liquidación de empréstitos contratados hasta el fin de la presidencia del General Roca, en 1886. La suma total da 207.250.000 pesos, con una colocación promedio del 82 por ciento, lo que significa que en trece empréstitos los banqueros ganaron 35.917.000 pesos sólo por el recurso de depreciar los títulos.

Las Heras —como ya se dijo, gobernador en 1824— ofreció a González Rivadavia continuar en el cargo de ministro, pero éste declinó el ofrecimiento, pidiéndole a cambio el de Ministro Plenipotenciario de las Provincias Unidas en Francia e Inglaterra, que cuadraba más con sus planes inmediatos: la empresa Hullet lo reclamaba en Londres para encabezar sus proyectos de compañías mineras en América Latina.

El 6 de septiembre González Rivadavia se encontró en Londres con John Hullet y acordaron asociarse en la Rio Plata Mining Association, con un capital de un millón de libras. González Rivadavia fue designado presidente del directorio.

En la Bolsa de Londres circulaban entonces, profusamente, rumores sobre las riquezas del cerro Famatina, en La Rioja. En la fecha de su lanzamiento las acciones de la Mining se cotizaron 25 puntos arriba de lo esperado. Pero en Buenos Aires la historia se dio vuelta: Las Heras señaló que "por la Ley Fundamental del 23 de enero de 1825 sólo a los gobiernos de las provincias toca aprobar los contratos de minería". El jefe de los mineros de Hullet, que ya habían desembarcado en Buenos Aires, capitán Francis Bond Head, se enteró así de que González Rivadavia no tenía, en verdad, jurisdicción sobre las minas.

Bond Head hizo una recorrida por el interior con escasa fortuna: sólo Salvador María del Carril, el gobernador de San Juan, dictó un decreto poniendo las minas provinciales a disposición de la Mining.

González Rivadavia llegó a Buenos Aires el 16 de octubre, afirmando que "interpondría su prestigio a favor del negocio". Le escribió a Hullet, su socio, asegurándole que "en el transcurso de un corto plazo, con el establecimiento de un gobierno nacional, todo cuanto debe desearse se obtendrá".

El 7 de febrero de 1826 Bernardino González Rivadavia fue elegido Presidente de la República por el Congreso de las Provincias Unidas del Río de la Plata. Manuel J. García fue su ministro de Relaciones Exteriores, Carlos de Alvear de Guerra y Marina, Salvador María del Carril de Hacienda y Julián Agüero de Gobierno.

El 16 de febrero dictó la Ley de Consolidación de las deudas anteriores al 1 de febrero de 1820, afectando la tierra y demás bienes inmuebles de propiedad pública al pago de éstas. La expresión "bienes inmuebles" se refiere también al subsuelo, que desde ese momento fue administrado por el Presidente. De esta época data su famosa y paradójicamente desconocida Ley de Tierras Públicas.

"Enfiteusis" es la "cesión perpetua, o por largo tiempo del dominio útil de una finca mediante el pago anual de un cánon al que hace la cesión, el cual conserva el dominio directo". El ingeniero agrónomo Emilio A. Coni publicó en 1927, en la imprenta de la Universidad de

Buenos Aires, *La verdad sobre la enfiteusis de Rivadavia*. Coni asegura que "no se había hecho hasta hoy un estudio serio, cronológico y documentado de la enfiteusis y su aplicación. Dos hombres solamente la habían estudiado, y superficialmente, Andrés Lamas, panegirista de Rivadavia, y Nicolás Avellaneda. Los demás autores no hicieron sino repetirlos. (...) Confieso —continúa Coni— que antes de iniciar el estudio tenía ya mis dudas sobre la excelencia del sistema eufitéutico. Algunos datos aislados que había conseguido me lo hacían sospechar. Pero lo que más pesaba en mi espíritu para mantener esa duda era la opinión francamente contraria a la enfiteusis de todos los hombres de valer que actuaron después de Caseros y que habían sido testigos del sistema. Mitre, Sarmiento, Tejedor, Alberdi y Vélez Sarfield, por no citar sino a los principales, fustigaron a la enfiteusis con frases lapidarias y la calificaron de perniciosa. (...) La enfiteusis rivadaviana no es de Rivadavia, sino el producto de un proceso histórico en el que participaron muchos hombres públicos, y que empieza con la hipoteca de las tierras públicas de acuerdo con el criterio de la época, de que la mejor garantía para el crédito era la inmobiliaria. Y no pudiendo venderse la tierra hipotecada se dio en enfiteusis. Descubrí en la enfiteusis de 1826 tres gravísimos defectos, fundamentales para una ley de tierras públicas. Faltábale el máximo de extensión, lo que permitía otorgar 40 leguas cuadradas a un solo solicitante. No obligaba a poblar, de lo cual resultaba que la tierra se mantenía inculta y baldía esperando la valorización. Y la libre transmisión de la enfiteusis sólo servía, sea para acaparamientos, algunos superiores a 100 leguas cuadradas, o para el subarrendamiento expoliatorio de los infelices de la campaña por los poderosos de la ciudad".

La ley de consolidación de la deuda citada con anterioridad extendió a la tierra de toda la Nación la garantía hipotecaria que gravaba la tierra de Buenos Aires. Es así que "queda especialmente afectada al pago de la deuda nacional la tierra y demás bienes inmuebles de propiedad pública cuya enajenación se prohíbe".

En 1825 se desató la fiebre de la enfiteusis: en Tandil, Pergamino, Lobería, Dolores se denunciaron lotes que iban desde las cuatro a las cuarenta leguas cuadradas. Quienes los reclamaron no parecían pobres campesinos: figuran los nombres de Sebastián Lezica, Ambrosio Cramer, Patricio Lynch, Pedro Trápani, Facundo Quiroga (quien denunció 12

leguas al oeste de Bragado por medio de su apoderado, Braulio Costa),
Tomás Manuel de Anchorena, con unas veinte leguas en Fuerte Independencia. Otros localizaron baldíos en zonas ya pobladas y presentaron
solicitudes de enfiteusis en Luján, Cañuelas, Chascomús, Chacarita y
San Isidro.

En su seminario sobre aspectos históricos de la deuda externa argentina, dictado en la Facultad de Ciencias Económicas de la Universidad Nacional de La Plata, Alejandro Olmos Gaona relata el último capítulo de la historia del empréstito Baring Brothers: "Después de
transcurridos los años retenidos en concepto de intereses adelantados no
pudieron pagarse los intereses, y debió recurrirse a la venta de dos barcos
para afrontar el pago de las obligaciones. Rosas se enfrentó con una
deuda que ya era cuantiosa y trató de demorar los pagos, aun cuando las
presiones se hicieron cada vez más intensas. En 1842 un representante
de los banqueros trató de llegar a un acuerdo y entonces Rosas ordenó a
su ministro en Londres, el Dr. Manuel Moreno, que explorara la posibilidad de entregar las Islas Malvinas a cambio de la cancelación de la
deuda, previo reconocimiento de la soberanía argentina sobre las islas.
La negociación no prosperó y a pesar de los dos bloqueos que soportó el
Puerto de Buenos Aires y a las difíciles condiciones de la administración
sólo se pagaron alrededor de diez mil libras. Recién en 1857 el Dr.
Norberto de la Riestra firmó en Londres un acuerdo contrayendo
nuevas obligaciones y renegociando la deuda en su totalidad; a esa
fecha los intereses vencidos sumaban 1.641.000 libras y la deuda en
su totalidad era de 2.457.155 libras. Todos los gobiernos posteriore
continuaron pagando y refinanciando la deuda que se canceló definitivamente en 1903".

Scalabrini calcula que se pagaron, hasta 1881, cuatro millones
ochocientas mil libras esterlinas.

Sin embargo, el "riesgo país" de la Argentina seguía siendo demasiado alto: un interesante relato de viaje de J. A. B. Beaumont,
titulado *Viajes por Buenos Aires, Entre Ríos y la Banda Oriental* da
cuenta de ello. Beaumont salió el 19 de marzo de 1826 de Plymouth
Sound, en el Countess of Morley, Inglaterra, llevando bajo su cuidado

doscientos emigrantes con destino al Río de la Plata. "Eran —escribió— en su mayoría hombres de la clase trabajadora, con sus familias, que llevaban el propósito de instalarse en campos de la Sociedad Agrícola del Río de la Plata en la provincia de Entre Ríos. Esta sociedad había sido proyectada bajo los auspicios del gobierno de Buenos Aires...".

El capítulo quinto del libro de Beaumont es una extensa y detallada diatriba contra las autoridades porteñas. "La aritmética del gobierno de Buenos Aires —dice— es para asombrar a los estadistas de Europa como lo es este análisis de su palabra y honor. Sus tres distintas invitaciones, cada una para que mil familias se establecieran en el país, fundaban sus promesas de adelanto de dinero en el decreto del Congreso que votó un crédito de cien mil pesos para la inmigración; pero el gobierno ofrece a cada emigrante cien para el pasaje y otros cien en préstamo para establecerse; y el señor Rivadavia explica que él calcula cuatro personas por familia. Los adelantos prometidos para las tres mil familias, hubieran entonces exigido dos millones cuatrocientos mil pesos, calculando el peso a su máximo valor!! ¿No aparece entonces demasiado evidente que esas promesas se hicieron para no ser cumplidas y para faltar a la buena fe?".

Beaumont aseguraba haber tenido "un conocimiento estrecho y personal" con muchos de los integrantes del gobierno, y se refería también "a los fraudes cometidos en lo que atañe al trabajo de las minas". Recomendaba en este punto el libro del capitán Bond Head titulado *Memoria sobre el fracaso de la Asociación Minera del Río de la Plata formada bajo la iniciativa del señor B. Rivadavia,* libro —dice Beaumont— que deben leer todas las personas que se hallen dispuestas a aventurar sus capitales en aquel país. (...) La autorización para trabajar las minas —señala— está fechada en Buenos Aires el 23 de noviembre de 1823 y está firmada por Bernardino Rivadavia. Vinculadas a esta autorización están las *Descripciones de las minas certificadas por el señor Secretario Ignacio Núñez.* Este preciso documento que, entiendo formaba parte muy principal en el prospecto de la Rio de la Plata Mining Association es demasiado revelador para pasarlo por alto. He aquí, como muestra, el siguiente extracto: "Podemos afirmar, sin hipérbole, que los dos primeros curatos Rinconada y Santa Catalina, contienen las más grandes riquezas del universo. Voy a probarlo con una simple aserción que está atestiguada por miles de testigos. En sus campos el oro surge con la lluvia como en otros campos la semilla. La masa principal de este suelo está compuesta de tierras, piedra, agua y granos de oro grandes y pequeños; estos últimos aparecen a la vista cuando la lluvia lava el polvo que cubre su superficie. Después de una lluvia fuerte una mujer que, habiendo salido de su rancho caminaba a pocas yardas de su puerta, encontró una pieza de oro de peso de veinte onzas; otra, que recogía leña, al arrancar unos pastos, descubrió entre las raíces un grano de oro que pesaba de tres a cuatro onzas. Estos casos ocurren tan frecuentemente en la estación de las lluvias, que exigiría mucho tiempo detallarlos. Cuando se barren las casas o se limpian los establos de las mulas, se encuentra más o menos oro, etc...".

Por el acceso a este Eldorado y la buena voluntad, no había que pagar más de treinta mil libras esterlinas y, como dice una relación: "Habiéndose dirigido el tribunal al señor Rivadavia, este último, muy deferentemente y en forma que contribuyó a fortalecer la mayor confianza en su independencia de criterio y adhesión a los intereses de la Asociación, aceptó el cargo de Presidente de la Junta Directiva cuando ésta fue formada", con un sueldo adecuado que se entendió era de 1.200 libras al año. Una manera bastante original de probar un carácter por lo que hace a su independencia de opinión".

Dice Beaumont al final del quinto capítulo: "Parece que el entusiasmo por las compañías por acciones era todavía más fuerte en Buenos Aires que en Inglaterra, considerada la diferencia de población y riqueza entre los dos países. El señor Jones habla de una compañía de Buenos Aires que estableció una colonia en la provincia de Entre Ríos al mismo tiempo que se formaba la Río de la Plata Agricultural Association y que, después de gastar quince mil libras en el proyecto, se vio arrojada del territorio por los nativos de la provincia. Después se formó una asociación para llevar al país mujeres ordeñadoras de Escocia, pero las muchachas no tardaron en asociarse ellas mismas en perjuicio de la compañía original; después una sociedad de edificación, una sociedad de pilotos y muchos otros proyectos de compañías por acciones, para dragar ríos, para hacer canales y puertos, cada una de las cuales, según creo, dio gran pérdida a las que en ellas se aventuraron".

El libro del capitán Bond Head citado por Beaumont, publicado en Londres en 1826, no ha sido aún traducido al castellano. El capitán Bond Head resumió allí "los impedimentos de carácter moral y político que se oponen al éxito de cualquier empresa" en la Argentina. Bajo el acápite de "Impedimentos Morales", señaló: "El carácter de la población, la falta general de educación y, en consecuencia, las miras estrechas e interesadas de los nativos; la falta de hábito para los negocios entre las clases del pueblo más acomodadas, las clases más pobres desafectas al trabajo y ambas desprovistas por completo de la idea de lo que es un contrato y de lo que es la formalidad y la puntualidad, y de cuál es el valor del tiempo; la imposibilidad, entre un pueblo escaso, de tener competencia abierta, o de evitar el monopolio de todos los artículos de necesidad o las combinaciones para levantar todos los precios *ad libitum*; los hábitos de saqueo cerriles de los gauchos; la absolución impartida por los clérigos y, en todos los casos, la insuficiencia de leyes".

Su descripción de los impedimentos políticos no es menos cáustica: "La inestabilidad e incapacidad del gobierno nacional de las Provincias Unidas, los gobiernos provinciales y sus revoluciones súbitas, los celos existentes entre Buenos Aires y las provincias. A despecho de los contratos, el gobierno (de Buenos Aires) no permitiría extraer grandes ganancias de las provincias y ni siquiera pasar por esa ciudad sin exigir una contribución; los individuos, incitados por el clero, harían caer al gobernante; sus actos y contratos caerían con él; la junta podría renunciar voluntariamente; no hay entonces responsabilidad, tampoco remedio ni apelación. Se hace tan difícil recuperar —por medios legales— una suma de dinero que se nos deba, y son tan serios los gastos y dilaciones de una gestión, que pocos se arriesgan a ellos a menos de que estén seguros de un empeño, pero éste no se gana por públicos servicios al país. El almirante Brown, a cuya pericia y energía le deben todo, se ha visto obligado a ir a los Tribunales para poder cobrar su sueldo y la parte que le correspondía en las presas, las cuales, aún así no podía procurarse hasta que estuvo a punto de renunciar a su comando y abandonar el servicio. (...) Y también se da el caso de Mr. Robert Jackson; estuvo varios años en pleito con el gobierno por mercaderías que le había suministrado y al final obtuvo un decreto a su favor por la suma de sesenta mil pesos, pero, según él me dijo en Buenos Aires, le había costado más de cincuenta mil pesos obtener el decreto. (...) Ni aconsejaría a nadie llevar criados confiando en promesas de que van a reembolsar, ni en promesas de gratitud. Estas promesas podrán ser sinceras cuando los

interesados se hallan en casa y en la inopia, suspirando por la carne bara-
ta de Buenos Aires, pero es sorprendente ver con cuánta rapidez los sentimientos de gratitud se disipan apenas se pasa de un hemisferio al otro.
He sido testigo de muchos casos en que hombres que casi habían
caído de rodillas para obtener un pasaje a Buenos Aires, y habían
prometido devotamente reembolsar todos los adelantos, después de
obtenido cuanto buscaban, volvieron la espalda a su benefactor, se
burlaron de la deuda y pagaron con injurias lo que debían; por eso,
si alguien se siente dispuesto a favorecer a quien sea le aconsejo, si no
quiere tener desilusiones, que aleje de su mente cualquier esperanza
de reembolso. Esto no dice muy bien a favor de la naturaleza humana, pero por desdicha es la verdad".

LA LUZ
Y LOS CAPULLOS

La masonería reconoce su origen en el año 3875 a.C. En esa fecha Caín y sus descendientes recibieron de Adán algunos conocimientos sobre geometría y arquitectura, y fundaron una ciudad que se llamó Enoch, nombre del hijo primogénito del primero. Según la misma "versión oficial" del Cuadro Cronológico Masónico, en el 2348 a.C., Noé y sus tres hijos, Sem, Cam y Cafet, fueron masones y construyeron el Arca en la que se salvaron del Diluvio.

Pitágoras, el emperador romano Adriano, los Médicis, el Príncipe de Gales y el Duque de York, George Washington, entre otros, habrían profesado los ritos de la masonería, también llamada "francmasonería", palabra francesa cuya etimología resulta de la unión de "franc", libre, y "mason", albañil.

Los masones sostienen que una comunidad de "albañiles libres" dirigidos por Hiram de Tiro, construyó el templo de Salomón. Durante cientos —quizá miles— de años, la masonería fue la mezcla entre una sociedad cerrada y una sociedad secreta, basada en diversos principios ideológicos y morales que le dieron vida. Sus ideales, según la historia que se siga, coincidieron o dieron vida a la Revolución Francesa: libertad, igualdad, fraternidad.

De hecho, la primera Logia se constituyó en Francia en 1721. La masonería como se conoce actualmente surgió en 1717 por obra de los pastores protestantes ingleses James Anderson y J.T. Desaguliers, estructurándose a partir de 1723 con la publicación de *The Constitutions of the free-masons.*

La masonería establecida en Francia tuvo origen escocés, estuardista, y fue influida por el espíritu racionalista francés, oponiéndose desde su constitución a la masonería inglesa.

En 1804 la Gran Logia General de Francia se convirtió, con la ayuda de Napoleón, en el primer centro impulsor de la masonería en Europa. José Bonaparte fue designado Gran Maestre.

En Inglaterra y los países nórdicos la masonería aún hoy sigue vinculada a las realezas.

En la actualidad las logias masónicas más florecientes se encuentran en Estados Unidos, donde habitan cuatro de los cinco millones de masones que existen en el mundo; le sigue Inglaterra con medio millón.

Al iniciarse el siglo XIX la influencia masónica en España fue doble: hubo logias de inspiración francesa favorecidas por la presencia de José Bonaparte, y las hubo también de inspiración inglesa.

Las Cortes y la sociedad de Cádiz resultaron, en aquellos años, el lugar donde mayor presencia tuvo la masonería en el país.

La pelea entre la Masonería y la Iglesia Católica se pierde en la noche de los tiempos: desde siempre los masones se propusieron como meta "suprimir la Sagrada Potestad del Romano Pontífice y destruir por entero el Pontificado". La Iglesia, a su vez, persiguió a los masones: en 1738 el Papa Clemente XII dictó una Bula Prohibitiva; en el caso de España después lo hicieron Fernando VI y Fernando VII, y actualmente se encuentra prohibida por ley de 1940 "sobre delitos de masonería y comunismo".

La Iglesia ordenó la excomunión de los masones desde Benedicto XIV, en 1751 y condenó a las logias durante Pío VII en 1821, León XII en 1825, Pío VIII en 1829, Gregorio XVI en 1832, Pío IX en 1846 y 1869, León XIII en 1884, Pío X en 1911 y Pío XII en 1958 quien señaló como "raíces de la apostasía moderna el ateísmo científico, el materialismo dialéctico, el racionalismo, el laicismo y la masonería, madre común de todas ellas".

La francmasonería se define a sí misma como "una asociación universal, filantrópica, filosófica y progresiva, que procura inculcar en sus adeptos el amor a la verdad, el estudio de la moral universal, de las ciencias y las artes, los sentimientos de abnegación y filantropía y tolerancia religiosa; que tiende a extinguir los odios de raza, los antagonismos de nacionalidad, de opiniones, de creencias y de intereses, uniendo a todos los hombres por los lazos de la solidaridad y confundiéndolos en mutuo afecto de tierna correspondencia". Su enfrentamiento con la Iglesia es teológico: los masones proclaman como principio básico e incontrovertible la independencia absoluta de la razón humana frente a cualquier autoridad o enseñanza. Son naturalistas y racionalistas; todas las enseñanzas de la Iglesia son, en su opinión, mitos de los que el hombre moderno y culto debe librarse. Sin embargo, son deístas, llaman a Jesús Venerable Maestro y a Dios Gran Arquitecto del Universo, y sostienen una especie de camino de aprendizaje en la Tierra, cuando somos capullos, para llegar a ser Luz, situación en la que están los que "tuvieron que morir para vivir realmente".

Ya casi ningún historiador serio discute la adhesión del General San Martín a la Masonería, hecho que aún formulado como hipótesis, hasta hace no muchos años, hubiera valido la calificación de traidor a la patria. Quizá por eso el tono enojado de un brillante ensayo de Enrique de Gandía, titulado *La vida secreta de San Martín*, donde desmenuza aquel misterio silenciado por los manuales escolares.

"San Martín era masón —escribe de Gandía— de ideas constitucionales y anticlericales, respetaba al catolicismo como religión, pero detestaba la Inquisición. Era monárquico y soñaba con una América libre y unida. No creía en la eficacia del gobierno de Carlos IV o de Fernando VII. Además, era hombre de cultura y hablaba el francés a la perfección sin que se sepa, con seguridad, dónde lo aprendió tan bien".

En *San Martín, la fuerza de la misión y la soledad de la gloria*, una reciente biografía escrita por Patricia Pasquali, podemos darnos una idea sobre las aulas de francés frecuentadas por el Libertador. Pero llegaremos a ese tema más adelante.

De Gandía hace una sucinta referencia al ambiente político porteño posterior al 1810: había hombres —dice— que esperaban un triunfo y un regreso de Carlos IV, había hombres que consideraban una suerte el final de la dinastía borbónica y que empezara la de los Bonaparte, había hombres que conspiraban para entregar estas tierras a Gran Bretaña como un protectorado, había hombres que llamaban a la Infanta Carlota Joaquina, hermana de Fernando VII y mujer del Rey de Portugal para que reinase en Buenos Aires como Reina de toda la América española, había hombres, como los del partido de Álzaga, que querían convertir el Virreynato en una república independiente.

"San Martín —dice De Gandía— no tuvo oportunidad de alinearse en ninguno de estos partidos porque llegó a Buenos Aires en 1812 con ideas políticas bien definidas".

Enrique de Gandía publicó la obra autobiográfica más extensa del mundo: las memorias del General Tomás de Iriarte, donde éste habla de la masonería del tiempo de San Martín y del suyo propio como de la verdadera masonería. El masonismo de San Martín fue confesado por él mismo cuando declaró al General Miller que, por el secreto que imponía su orden, no podía hablarle de la acción de las sociedades secretas.

La Masonería de Bélgica acuñó una medalla en honor de San Martín y se la entregó personalmente; se encuentra actualmente en el Museo Mitre.

La documentación en la que San Martín habla de "la sociedad", "los amigos", etc., es enorme.

Hasta la publicación de *Mariano Moreno: su pensamiento político*, donde De Gandía replica al libro *Año X*, de Hugo Wast, los historiadores argentinos no habían hablado nunca de la Logia Número 3 de Cádiz. La historia oficial sólo había recogido la existencia de la Logia de Londres, la Gran Reunión Americana, atribuyendo su fundación a Francisco Miranda y asegurando que esa Logia era "matriz de la de Cádiz".

Mitre, en su clásica *Historia de San Martín y de la emancipación sudamericana* escribió que en esa Logia Bolívar juró en manos de Miranda y San Martín y sus compañeros fueron iniciados en ella en el quinto y último grado. Un documento dado a conocer por José Guillén y Tato, director del Museo Naval de Madrid, en 1960 reveló lo siguiente: el corsario de Puerto Rico San Narciso apresó el 3 de enero de 1812 al bergantín inglés La Rose, cuyo sobrecargo era Juan Brown, a las órdenes del capitán John Moake. Iba de Londres a Caracas y llevaba cuatro cartas del venezolano Luis López Méndez, agente de la Junta de Caracas en Londres, y dos de Carlos de Alvear. Las cartas de Alvear revelaron que la Gran Logia de Londres, que se supuso fundada por Miranda o por el mismo San Martín, lo fue, en cambio, por Carlos de Alvear.

En una de sus cartas Alvear escribe a su "Hermano" Rafael Mérida, "que me hallo aquí acompañado de los Hermanos que en oficio indico. Pienso salir el mes que entra con los Hermanos arriba expresados para Buenos Aires y desde allí le comunicaré a Usted lo que ocurra". Inmediatamente agrega: "Aquí he establecido una Logia para servir de comunicación con Cádiz, Filadelfia y ésa, como también para que encuentren abrigo los Hermanos que escapen de Cádiz". Acompaña varias listas de masones y en una se lee: "Lista de los Hermanos admitidos en la Sociedad de Caballeros Racionales Número 7: Manuel Moreno (hermano de Mariano), Luis López Méndez, Andrés Bello".

Señala De Gandía: "La Logia número 3 de Cádiz fue, por tanto, la que dio vida a la número 7 de Londres, que tantos historiadores supusieron fundada por Miranda.

"La Logia de Cádiz databa del año 1802, como hace constar Bernardo O'Higgins en sus recuerdos. Es indudable que se trataba de una Logia masónica, como confirman otros documentos, y que sus miembros, como Alvear, San Martín, Holmberg, Zapiola y otros, eran perfectos, incuestionables, masones."

El General Enrique Martínez, masón de actuación en las guerras de la Independencia, recuerda en sus memorias que "A esta sociedad se incorporaron todos los masones y toda la parte civil, militar, eclesiástica y el comercio, y se ramificó con tal velocidad que ya nada se hacía en las Provincias sin que fuese de acuerdo de ella. San Martín fue en Mendoza "el Venerable", es decir, el jefe.

La masonería hizo que se reuniera el Congreso de Tucumán y nombró Director a Pueyrredón.

El mismo San Martín le escribió al mariscal Castilla el 11 de septiembre de 1848: "En una reunión de americanos en Cádiz, sabedores de los primeros movimientos acaecidos en Caracas, Buenos Aires, etc, resolvimos regresar cada uno al país de nuestro nacimiento, a fin de prestarle nuestros servicios en la lucha, pues calculábamos se había se empeñar".

La "reunión de americanos en Cádiz" era, como ya se vio, la reunión de la Logia Número 3. Ambas Logias, la de Londres y la de Cádiz, respondían en términos políticos a los planes de Napoleón.

Carlos Villanueva, en *Napoleón y la Independencia americana*, analiza las hipótesis de expansión de Bonaparte: América podía caer en manos de Inglaterra, su enemiga, podía convertirse en un refugio de la familia real española, podía convertirse en dominio portugués, otro de sus enemigos o podía, en el más extremo de los casos, convertirse en dominación norteamericana o rusa, otro de sus enemigos que ya había tratado con Miranda la posible invasión de la América Española. Napoleón intentó, primero, que los americanos reconocieran al Rey José, pero acabó convenciéndose de que no aceptarían una monarquía ilegítima. Su única salida era el caos español y la independencia americana, para que el Nuevo Mundo no perteneciese a nadie.

Es así como envió a hacer propaganda a favor de la independencia y a luchar por ella a San Martín y los demás masones de la Logia 3 de Cádiz.

San Martín y sus "hermanos" embarcaron en Londres en enero de 1812 y llegaron a Buenos Aires el 9 de marzo: lo acompañaban Francisco Vera, Francisco Chilavert, Carlos de Alvear, Antonio Orellano, Eduardo Holmberg y José Matías Zapiola.

Robert P. Staples, representante de los comerciantes ingleses en Buenos Aires envió a Londres una carta informando sobre la llegada de la comitiva: "He sido informado por personas interesadas y que se encuentran ahora en Londres que los pasajes de esa comitiva fueron enviados y proveídos de dinero por el gobierno francés; la negociación fue iniciada por el edecán del mariscal Víctor, durante un tiempo prisionero en Cádiz, el cual fue liberado y enviado a Francia por secreta instigación de los antes mencionados caballeros".

Otra carta escrita por Mariano Castilla, porteño que vivía en Londres y trabajaba como espía para el ministro Canning, no pone en dudas que "trabajan a sueldo del gobierno de Francia... lo que me confirmó mi opinión de los intereses franceses en el gobierno de Buenos Aires es la elección del General Pueyrredón en el gobierno ejecutivo".

Cuando Napoleón cayó, la noticia causó profunda impresión en Buenos Aires. De Gandía cita una carta escrita por Gervasio Antonio de

Posadas, simpatizante de Napoleón, a San Martín: "El maldito Napoleón la embarró al mejor tiempo; expiró su imperio, cosa que los venideros no creerán en la historia, y nos ha dejado en los cuernos del toro. Yo soy de parecer que nuestra situación política ha variado mucho y que por consiguiente deben variar también nuestras futuras medidas".

La presión de Lord Strangford hizo que el gobierno argentino enviara a Londres a González Rivadavia, Belgrano y Sarratea, con la misión de ofrecer a Carlos IV y Fernando VII el gobierno y posesión de estas tierras. Los representantes así lo hicieron, pero le pidieron al Rey Fernando, como condición, que se instalara un gobierno democrático, liberal y constitucional. Fernando VII se negó y Belgrano informó de ello al Congreso de Tucumán, que declaró la Independencia de las Provincias Unidas el 9 de julio de 1816.

Uno de los testimonios más críticos hacia San Martín corresponde a Juan Bautista Alberdi, el autor de la Constitución, en su libro *Grandes y pequeños hombres del Plata* aunque el de San Martín, en verdad, es un tiro por elevación: el corpus crítico de la obra de Alberdi está dedicado a fustigar a Mitre, el autor de la historia oficial.

"El paralelo que Mitre hace entre San Martín y Belgrano es todo un tejido de invenciones nimias y pueriles", escribe Alberdi. Cita a Mitre: "San Martín había nacido para la guerra, con una constitución de fierro, una voluntad inflexible y una perseverancia en sus propósitos... Belgrano, débil de cuerpo, blando y amable por temperamento". Refuta Alberdi: "San Martín se había ocupado de la guerra toda su vida, sin haber nacido tal vez para ella, pues su constitución no era su fuerte, desde que en Tucumán vomitaba sangre. Su voluntad cedió a los obstáculos que no pudo vencer Belgrano después de cuatro batallas dadas a pesar de su cuerpo débil; y la perseverancia de San Martín es dudosa, desde que dejó a la mitad su campaña y se vino a Europa, donde perseveró veinte años en no ocuparse de su país. Belgrano, débil de cuerpo, permaneció en la brecha hasta el fin de su vida".

Mientras Mitre llama "genio" a San Martín, Alberdi dice: "San Martín no era genio sino entre mediocridades. En veinte años de servicio militar en España, en una época célebre, apenas alcanzó el grado de teniente coronel: tres años de cadete, siete de teniente, tres de capitán, llenaron casi toda su carrera militar en España. En Buenos Aires, una Logia de la que él era miembro influyente, según Mitre, lo hizo General. "¿Dónde está el genio de San Martín? —se pregunta Alberdi—. ¿A qué pasó cañones a través de los Andes? ¿Por eso sería otro Aníbal? Comparaciones pueriles. Desde la conquista, los españoles tenían dominados a los Andes como a carneros. Hacía cerca de tres siglos que Pedro de Valdivia atravesó esas cordilleras para conquistar a Chile, y que Hurtado de Mendoza las repasó en sentido contrario para fundar a Cuyo. Baste decir que por dos siglos fue Cuyo provincia de Chile, siendo los Andes su límite doméstico y municipal. ¿Dónde está la iniciativa de San Martín? Vino a América y tomó el servicio de su causa, el año 12, dos años después de iniciada la Revolución en 1810, por Belgrano. Pasó a Chile en 1817, siete años después de la revolución del 18 de septiembre de 1810 contra España. Venció en Chacabuco y Maipú cinco años después que Belgrano venció en Tucumán y en Salta. Pasó al Perú en 1821, ocho años después de la revolución del Cuzco y de Tacna contra los españoles. Llegó su tropa hasta el Ecuador, años después de la revolución de Quito. Si no fue el que inició la revolución tampoco le tocó acabarla, pues fueron Bolívar y Sucre los que, en 1825, echaron a los españoles de las provincias argentinas, y del Callao en 1826. San Martín había ocupado a Lima abandonada por Laserna. (...) Ningún hombre es necesario en este mundo cuando la Providencia ha creado la necesidad de un gran cambio".

"Por lo demás —cierra Alberdi fustigando a Mitre— la originalidad clásica de Belgrano consistía siempre en que, de simple abogado y literato, fue improvisado general y ganó a los ejércitos célebres de España, las batallas de Tucumán y Salta, que valen algo más, en la historia del Nuevo Mundo, que las de Cepeda y Pavón, quienquiera que las haya ganado, lo que hasta ahora no se sabe. Que produzca un hombre semejante todo el Colegio de Abogados de la actual Buenos Aires! Sabe Dios si lo daría la escuela militar".

Un rápido repaso de la trayectoria militar de San Martín en la biografía ya citada de Patricia Pasquali no arroja resultados muy distintos a los citados por Alberdi: el pasado militar del Libertador en España está lleno de épocas oscuras, postergaciones y acciones fallidas.

José Francisco de San Martín fue aceptado como cadete del Regimiento de Infantería de Murcia el 15 de julio de 1789. Su primera actuación de servicio en campaña, en 1790, fue un destacamento de 49 días en Melilla, al norte de Marruecos, con la compañía Cuarta de fusileros. "A pesar de que no puede calificarse como una acción de guerra, pues no hubo lucha alguna —señala Pasquali— permitió al niño cadete complementar prácticamente su instrucción militar teórica, entrenándose en el alerta constante de esas guarniciones".

El 25 de mayo de 1791, San Martín tuvo su "bautismo de fuego". Pasquali señala que "participó con su compañía de granaderos en un exitoso combate nocturno dirigido a cegar una mina colocada por el enemigo para dañar las murallas del Fuerte San Felipe, en Orán". Luego formó parte de las tropas que mantuvieron durante más de un mes el Fuerte de Rosalcázar bajo fuego de las baterías moras, hasta que los españoles se rindieron y entregaron la plaza. "La experiencia acumulada resultaba negativa —sostiene Pasquali—, la larga serie contradictoria de órdenes y contraórdenes, la sensación de desamparo en la lejana plaza, y la entrega final de la misma sin derrota militar que la justificara, tenían que crear un ambiente de profundo desasosiego en las filas del Regimiento que, lógicamente, debía contagiar al cadete."

Al tiempo, en momentos en los que se reorganizaba el ejército español cubriendo vacantes de oficiales, San Martín "estuvo a punto de ser víctima de una arbitraria descalificación": El coronel de Murcia, Jaime Moreno, lo excluyó junto a otros cinco jóvenes de su clase debido a sus "escandalosas conductas, total inaplicación y vicios indecorosos". Afirma Pasquali que "esta maniobra de exclusión, al parecer, habría intentado favorecer a otro cadete. A requerimiento de la Inspección de Infantería el comandante del regimiento debió informar, y dijo sobre el caso de San Martín: "De Don José de San Martín sólo puedo decir he oído a diferentes oficiales que le han visto en Orán portarse con mucha serenidad y valor frente a los moros, solicitando los mayores riesgos". Así recibió San Martín en 1792 su cuestionado ascenso a oficial, siendo promovido a segundo subteniente de la cuarta compañía del segundo batallón.

En 1794 San Martín se hallaba en la guarnición de Port Vendres y debió combatir el ataque de tropas francesas el 3 de mayo, luego pasó con su regimiento a reforzar el punto inmediato de Colliure hasta que el 27 éste se rindió, quedando el regimiento en calidad de prisionero. No obstante, sus componentes fueron repatriados a Barcelona bajo juramento de no volver a empuñar las armas durante el resto de la guerra.

El 28 de julio de 1794 San Martín fue ascendido a primer subteniente. A pesar de su obligada inacción, el 8 de mayo del año siguiente fue ascendido a segundo teniente. Agrega Pasquali que: "En mayo de 1798, navegando en conserva con toda la división comandada por el capitán de navío Félix de O'Neylle, San Martín llegó a Tolón, donde la escuadra francesa del almirante Brueys estaba a punto de zarpar con destino a Egipto. Controlando los preparativos de la expedición se hallaba el mismísimo Napoleón Bonaparte, ya célebre por su campaña de Italia. La oficialidad española pasó a cumplimentar al general francés, quien se mostró muy obsequioso (...) Durante el mes transcurrido en Tolón San Martín volvió a estar en contacto con la cultura francesa, a la que admiraba y cuyo idioma llegó a dominar. No por casualidad las cuatro quintas partes de su biblioteca estaba compuesta por obras en francés. No faltaría tampoco a los copiosos banquetes de confraternización a los que las logias masónicas convidaban a los españoles".

El 15 de julio se toparon con el Lion, un potente navío inglés de setenta cañones, que abordó la nave española.

La Dorotea perdió la mitad de su dotación, "hasta que se rindió con honor". San Martín y el resto de los oficiales quedaron comprometidos a no volver a pelear contra Inglaterra hasta que no fueran canjeados por prisioneros ingleses. Permanecieron esperando el canje entre 1798 y 1801.

Pasquali afirma que "constituye en la trayectoria de San Martín un tramo oscuro y difícil de reconstruir".

Al terminar 1801 San Martín pasó a engrosar el regimiento de Valladolid. A los pocos días la falta de cabalgaduras en un pueblo de tránsito hizo que quedara rezagado del resto del pelotón. Ya debidamente montado, corrió al encuentro del resto de los hombres llevando en la caja militar una cantidad de dinero remanente de su comisión. Fue asaltado por cuatro bandoleros. Dijo el propio San Martín, "habiendo recibido dos heridas de bastante gravedad, una en el pecho y otra en una mano, tuve que abandonar los referidos efectos".

San Martín permaneció como segundo teniente siete años, siete meses y diecinueve días. Años después, en 1808, luego de diversas promociones menores, fue ascendido al grado de Teniente Coronel por su actuación en la batalla de Bailén, donde fue condecorado.

EL DESENCUENTRO DE GUAYAQUIL

El único abrazo que existió entre San Martín y Bolívar fue breve, seco y molesto: Guayaquil sólo sirvió para enfrentarlos, hecho que vuelve todavía más inexplicable el intento conciliador de la historia oficial por transformar en un abrazo lo que fue un desencuentro.

A fines del siglo XIX, editado por C. Casavalle, Vicente Fidel López publicó *El conflicto y la entrevista de Guayaquil,* expuesta al tenor de los documentos que la explican. El libro es, en verdad, un folleto de cuarenta páginas, profusamente documentado de la entrevista que "sólo por una ironía histórica —dice López— ha podido llamarse el Abrazo de Guayaquil".

López señala que las relaciones políticas de San Martín y Bolívar estaban de tal modo comprometidas en 1822, que era inminente una guerra entre Perú y Colombia; y "si esa guerra no estalló fue porque el general San Martín, deteniéndose en el justo desagravio de sus derechos, prefirió sacrificar su dignidad y su carrera antes que dar un escándalo que habría sido la ruina y la vergüenza de todos".

La provincia de Guayaquil había sido hasta 1739 una parte integrante del Virreynato del Perú. Al llegar allí las tropas del Libertador, Guayaquil se pronunció contra España y se puso bajo la autoridad y protección del gobierno independiente. San Martín envió a los coroneles Luzuriaga y Guido para que se hicieran cargo de la administración de la ciudad. Al llegar se encontraron con una sorpresa: las fuerzas colombianas al mando del general Sucre acababan de ser derrotadas en Ambasto el 12 de septiembre, y Sucre había tenido que asilarse en Guayaquil.

Paz Soldán, historiador del Perú Independiente citado por López, señala que "el General Sucre, además de las operaciones militares, traía a la vez una comisión muy diplomática, pues se trataba de nada menos que de agregar a Colombia la provincia de Guayaquil". Sucre ocultó este propósito a San Martín: necesitaba pedirle auxilios militares para evitar una ocupación realista posterior a su derrota de Ambato.

El comandante de la División Sud de Colombia le escribió a San Martín, Protector del Perú: "El enemigo, después de haber marchado a Quito y reposado sus tropas, ha concentrado sus fuerzas en Río Bamba y, según avisos fidedignos, iba a moverse sobre esta provincia el 17 del actual con un cuerpo de dos mil hombres; de manera que el 24 deberá ocupar este punto que no es susceptible de la menor defensa con las fuerzas que tengo. Aunque restablecida en cierto modo la moral, no se han aumentado los cuerpos de línea, sino tan miserablemente que, de una población de 70.000 habitantes apenas ha dado 200 reclutas (...) Las tropas de Colombia no aparecen, y acercándose ya el enemigo a tiempo que hemos sabido la casi disolución del ejército del General La Serna, que quita hasta las sombras de temores por la suerte del Perú he creído un deber reiterar mis reclamos a V. E. por algún batallón que ponga a cubierto la Provincia".

San Martín envió en auxilio de Sucre una división formada por dos batallones, los números 2 y 4, los Escuadrones Cazadores del Perú y los Granaderos de los Andes, con una fuerza de 1622 soldados. Agrega López: "San Martín estaba muy lejos de presumir que el Dictador militar de Colombia prohijaba ya la mira secreta de despojarlo violentamente de la provincia de Guayaquil y de ajar su dignidad así que se le franqueara el camino del Sur y que se le facilitaran sus operaciones con el auxilio mismo de la división peruano-argentina que le dio los triunfos de Río Bamba y de Pichincha". Cuenta Paz Soldán: "El estado de inmoralidad o casi abierta sublevación del batallón Numancia y la negociación de auxilios pedida por Sucre no era sólo lo que ocupaba la atención del gobierno del Perú en sus relaciones con Colombia, porque al fin de estos no eran de carácter perdurable; había que determinar la suerte futura de la rica provincia de Guayaquil. Cuando ésta proclamó su independencia se declaró provincia libre, pero no era posible que subsistiera aisladamente un departamento tan pequeño en medio de Repúblicas distintas, sin ocasionar futuras y graves cuestiones".

La ciudad de Guayaquil tenía estrechos vínculos con Lima, toda su juventud se educaba en estos colegios, la mayor parte de sus productos se consumían en el Perú. Finalmente Guayaquil, durante el tiempo del coloniaje, pertenecía en lo político al Virreynato del Perú y no había duda que los intereses materiales, políticos y las afecciones del corazón estaban a favor del Perú; el mismo bello sexo, que ostentaba su hermosura en la ciudad de los Reyes, tenía en menos pertenecer a Colombia, subordinándose a una capital como Bogotá, tan distante y pobre."

"La Junta de Gobierno compuesta por tres ilustres ciudadanos —Olmedo, Jimena y Roca— pertenecía de corazón al Perú y en todos sus actos privados u oficiales lo hacía conocer con toda franqueza. (...) De estos intereses encontrados se formaron tres partidos: uno quería pertenecer al Perú, otro incorporarse a Colombia y un tercero mantener la independencia de la provincia, contando con la protección de los otros dos países."

Desde que Sucre llegó a la ciudad en 1821 había procurado la incorporación de Guayaquil a Colombia por todos los medios posibles, sin conseguirlo. La Junta, que "temía más a la inmoralidad de las fuerzas colombianas que a los soldados del Rey" envió un mensaje a San Martín diciéndole que si no aceleraba los refuerzos, la provincia se perdería irremediablemente. Sobre fines de diciembre de 1821 se produjo un movimiento popular que fue rápidamente sofocado.

El 18 de enero de 1822, desde el Cuartel General de Cali, Bolívar le escribió a la Junta de Guayaquil: "Llamar tunantes a los oficiales que propenden a la incorporación de Guayaquil a Colombia, es mostrar que desconoce la verdadera debilidad de su país, o los derechos contestables de Colombia o más bien es mostrar que cree que los esfuerzos de ese pueblo por recobrar su libertad se han hecho para vuestro engrandecimiento personal, y para proporcionar un teatro a su ambición. (...) Ese gobierno sabe que en América no hay un poder humano que pueda hacer perder a Colombia un palmo de la integridad de su territorio".

El 23 de marzo de 1822 el gobierno peruano le escribió al general La Mar: "Siempre que el gobierno de Guayaquil, de acuerdo con la mayoría de los habitantes de la provincia, solicite la protección de las armas del Perú, por ser su voluntad conservar su independencia de Colombia, emplee en tal caso todas las fuerzas que están puestas a sus órdenes en apoyo de la espontánea deliberación del pueblo".

Restrepo, el historiador clásico de la guerra de la independencia de Colombia, al hablar de la entrevista de Guayaquil, menciona las malas relaciones en que se hallaban San Martín y Bolívar. Dice Restrepo: "Túvose en aquel tiempo como cierto que el principal motivo que trajera a San Martín a Guayaquil había sido activar su incorporación al Perú. (...) Empero, el Libertador Bolívar, que tuvo noticia bien segura del proyecto, lo frustró haciendo marchar sus batallones y trasladándose él mismo a Guayaquil para conseguir su más pronta incorporación a Colombia. (...) No pudiendo ya oponerse a él sin una guerra abierta que hubiera sido en extremo funesta a la causa de la independencia americana, y que no se hallaba en estado de emprender, San Martín hizo de la necesidad virtud; y a pesar de cuantos pasos había dado anteriormente para frustrarla, convino en la unión de Guayaquil a Colombia".

El 25 de julio de 1822, desde Guayaquil, Bolívar le escribió a San Martín: "Es con suma satisfacción, dignísimo amigo y señor, que doy a Ud. por la primera vez el título que mucho tiempo ha mi corazón le ha consagrado (...) Tan sensible me será ello que Ud. no venga hasta esta ciudad como si fuéramos vencidos en muchas batallas; pero no, Ud. no dejará burlada la ansia que tengo de estrechar en el suelo de Colombia al primer amigo de mi corazón y de mi patria". La elección de las palabras por parte de Bolívar no fue casual: llamaba a Guayaquil "suelo de Colombia", lo que ofendía a San Martín y hacía que el encuentro fuese inútil antes de haberse realizado.

Luego del "desencuentro" de Guayaquil y vuelto al Perú, San Martín le escribió a Simón Bolívar: "Los resultados de nuestra entrevista no han sido los que me prometía para la pronta terminación de la guerra; desgraciadamente yo estoy firmemente convencido, o que Ud. no ha creído sincero mi ofrecimiento de servir bajo sus órdenes con las fuerzas de mi mando, o que mi persona le es embarazosa. (...) En fin, general, mi partido está irrevocablemente tomado: para el 20 del mes entrante he convocado al Primer Congreso del Perú y al día siguiente de su instalación me embarcaré para Chile, convencido de que sólo mi presencia es el sólo obstáculo que le impide a Ud. venir al Perú con el ejército de su mando: para mí hubiera sido el colmo de la felicidad terminar la guerra de la independencia bajo las órdenes de un General a quien la América del Sud debe su libertad: el destino lo dispone de otro modo y es preciso conformarse. (...) Nada diré a Ud. sobre la reunión de Guayaquil a la República de Colombia; permítame Ud. General, le diga que creo que no era a nosotros a quienes pertenecía decidir este importante asunto: concluida la guerra los gobiernos respectivos lo hubieran tranzado, sin los inconvenientes que en el día pueden resultar a los intereses de los nuevos Estados de Sudamérica. He hablado a Ud. con franqueza, General, pero los sentimientos que exprime esta carta quedarán sepultados en el más profundo silencio; si se trasluciere, los enemigos de nuestra libertad podrían prevalerse para perjudicarla, y los intrigantes y ambiciosos, para soplar la discordia".

"De hoy en más —confía al final de su folleto Vicente Fidel López— será indispensable que los que hablen de la Conferencia de Guayaquil le llamen Conflicto." Sus deseos nunca se cumplieron. El libro fue publicado en 1884.

CAPÍTULO SIETE

MEMORIAS DEL FUEGO

Por disposición de Dios voy a morir dentro de una hora, conformate pues mi conciencia nada me argulle y creo seré más feliz en la vida eterna. Aunque nada tengo que prevenirte en orden a mis hijas, mi voluntad es que si puedes las tengas en el convento donde podrán continuar sus estudios y ser buenas religiosas. No me acuerdo deber más que al Sr. Lezama tres onzas, y tres mulas y una o dos yuntas de bueyes. Te verás con él y pagarás lo que puedas. Procurarás vender las estancias para sostenerte, que Dios te ayude y que lleves con resignación los trabajitos de este mundo, hasta que nos veamos en el Cielo donde te espera tu desgraciado compañero. Cubas

CARTA DE JOSÉ CUBAS, EX GOBERNADOR DE CATAMARCA, A SU ESPOSA, GENOVEVA ORTIZ DE LA TORRE, ANTES DE SER DECAPITADO EN 1841. CUBAS FUE DETENIDO CUANDO MIL QUINIENTOS FEDERALES A LAS ÓRDENES DE MARIANO MAZA OCUPARON CATAMARCA POR PEDIDO DE ROSAS. LA CABEZA DEL GOBERNADOR FUE CLAVADA EN UNA PICA Y EXHIBIDA EN LA PLAZA PÚBLICA.

La casa estaba ordenada, y vacía, pero había algo en el aire señalando que una tormenta acababa de pasar por ese sitio. Sarmiento se bajó del caballo y quedó solo, frente a la puerta, en silencio. Le impresionó que la vivienda no tuviera un jardín al frente: había esperado encontrarse con un palacio. Era el día siguiente de la batalla de Caseros, y el teniente coronel Domingo Faustino Sarmiento, presente en la lucha como boletinero de las fuerzas del General Urquiza, ahora estaba solo, parado frente a la casa de Juan Manuel Ortiz de Rosas en Palermo. Rosas y su hija ya habían dejado la casa, y pedido asilo al embajador inglés. Sarmiento apoyó su mano derecha en el picaporte y la puerta cedió. También la sala le pareció extraña y rústica: las paredes estaban desnudas y no había cuadros, floreros, bronces ni adornos.

Sólo el vértigo y la sorpresa, que no podían despegarse del aire. Encontró una bandera federal de color azul oscuro, con motivos rojos en la guarda blanca del centro. Sintió el impulso de llevársela como trofeo. La sacó de su sitio, la plegó y la guardó en su mochila europea.

Jose Ignacio García Hamilton, quien dio los detalles del incidente entre Sarmiento y las banderas, sostiene que "mientras regresaba al trote a su campamento, pensó que la siniestra y casi negra insignia que portaba era igual a la que los franceses habían capturado al ejército rosista en la Vuelta de Obligado".

Corría febrero de 1852 y allá iba Sarmiento, con su prenda robada, al trote con su bandera arrancada de la guerra de dormitorios de una casa vacía. El país acababa de darse vuelta como un cubilete.

LA LLEGADA

El 6 de diciembre de 1829 la Legislatura de Buenos Aires, por 32 votos sobre 33 representantes eligió Gobernador por tres años a Juan Manuel Ortiz de Rosas "con las facultades extraordinarias que el nuevo gobernador juzgue indispensables". El único voto en disidencia fue el de un familiar y socio de Ortiz de Rosas, Juan Nepomuceno Terrero quien, por delicadeza, se pronunció por Viamonte.

Dice José Pablo Feinmann en *Filosofía y Nación*: "Rosas llega al gobierno liderando un amplio frente político. Lo apoyan, en efecto, los estancieros saladeristas, a los que se encontraba ligado de modo inmediato, la clase ganaderil del litoral no porteño, a cuya caudillo Estanislao López había tratado con segura habilidad política; los jefes federales del interior mediterráneo, hartos del despotismo de la burguesía mercantil rivadaviana; y también esta misma burguesía cuyos voceros más nuevos y lúcidos eran Alberdi y sus amigos. A este frente se sumaron, en forma cada vez más intensa y decidida, las peonadas, los gauchos y los negros, cuyos favores había sabido ganarse Rosas desde siempre".

Busaniche, en *Rosas visto por sus contemporáneos*, detalla las estrategias de seducción política del Restaurador: hablando de los gauchos, Ortiz de Rosas dice que "es muy importante conseguir una influencia grande sobre esa clase para contenerla o para dirigirla". "Para esto (para

dominar a las clases bajas, continúa Ortiz de Rosas) me fue preciso trabajar con mucha constancia, con muchos sacrificios de comodidades y
de dinero, hacerme gaucho como ellos y hacer cuanto ellos hacían; protegerlos, hacerme su apoderado, cuidar de sus intereses, en fin, no aho-
rrar trabajo ni medios para adquirir más su concepto."

Halperín Donghi coincide en señalar como cambio esencial de
este período la "politización de los rurales": "Donde antes sólo se veían
reducidas masas de votantes pasivamente dispuestas a apoyar las listas de
los representantes concordadas entre los hacendados y los señores del
Partido del Orden, la dimensión política de la campaña está definida
ahora por la movilización popular de 1829, la única que hasta entonces
ha conmovido al Buenos Aires rural y ha dado el golpe de gracia a la
revolución militar de diciembre de 1828".

Asi describe en 1830 Pedro De Angelis, historiador oficial del
rosismo, los orígenes de su líder: "Don Juan Manuel Ortiz de Rosas,
elevado poco ha a la primera magistratura de la provincia, nació en Buenos Aires en 1793, de una familia rica y respetable. Uno de sus antepa-
sados figura con honor en la historia de nuestro país, que gobernó a
nombre de los Reyes Católicos, recogiendo las bendiciones de todos,
hasta de las mismas tribus indígenas... (se trata de) Don Domingo Ortiz
de Rosas, mariscal de campo de los ejércitos de Felipe V, gobernador y
capitán general de Buenos Aires, que pasó luego de presidente a Chile.
Otro de sus mayores continuó su obra, sin poderla consolidar. Menos
feliz que su predecesor, fue víctima de su celo por la prosperidad de un
país que enriquecía con su industria y defendía con su espada. Don
Clemente López de Osorno, abuelo materno de Don Juan Manuel, fue
comadante general de campaña en 1765. Dueño de grandes establecimientos rurales, fue uno de los mayores hacendados de nuestra provincia. Sorprendido por los indios en una de sus estancias situada en Rincón del Salado fue inmolado junto a su hijo en diciembre de 1783. (...)
Don León Ortiz de Rosas se esforzó en imitar tan nobles ejemplos (...)
Fue administrador de las haciendas de la Corona, cargo que desempeñó
hasta 1809, en que se decidió a renunciarlo para atender a dos grandes
establecimientos heredados por su mujer".

El 8 de diciembre de 1829, "en medio de un júbilo popular
que llegó hasta el extremo de desparejar los caballos y tirar a mano la

carroza de ceremonias mediante cintas punzó"—dice Fernando Sabsay en *Rosas, el federalismo argentino*— Juan Manuel Ortiz de Rosas asumió el poder".

"¿Cómo y por qué nace la dictadura?" —se pregunta Carlos Ibarguren, ideólogo del golpe de Uriburu de 1930, citado por Feinmann—. "Ella siempre es consecuencia de la anarquía. Una colectividad desgarrada por la anarquía sólo puede volver a su quicio, y formar otra vez un todo coherente, mediante una fuerte acción que reajuste todos los elementos que se han aflojado y disgregado. Tal acción debe ser necesariamente violenta".

Al asumir, Ortiz de Rosas se propuso como una especie de medium vinculado a la causa nacional, más allá de las divisiones partidarias. Según Santiago Vázquez, el enviado uruguayo a la asunción de 1829, Ortiz de Rosas no quería que se lo considerase enrolado en un bando político; en la noche de su asunción le dijo: "Creen que soy federal; no señor, no soy de partido alguno, sino de la Patria".

Su mensaje al país, a poco de asumir, fue claro: se apresuró a rendir homenajes a hombres públicos de distintos partidos recientemente fallecidos: Cornelio Saavedra, Feliciano Chiclana, Federico Brandsen y Manuel Dorrego. Feinmann describe el homenaje de Ortiz de Rosas a Dorrego como "un espectáculo desmesurado y atemorizador. El cortejo fúnebre partió de la Plaza de la Victoria rumbo a la Recoleta. Rosas lo encabezaba". Manuel Gálvez, en *El Gaucho de los Cerrillos*, describió: "Él iba inmutable y callado. Llevaba el traje de capitán general. Ni miraba a las gentes, que le contemplaban absortas. Ni una sonrisa ni un gesto. Rígido, teatral, magnífico en sus galas y en su belleza, parecía despreciar al mundo entero. En su fuerte puño, el bastón de mando adquiría un terrible significado. Las gentes lo miraban sumisas, encandiladas, humildes. Algunos bajaban la cabeza. Otros se hubieran arrodillado a su paso. Su arrogancia espléndida y todo su aspecto tenían algo de los Césares romanos".

Ibarguren cita algunos párrafos del discurso de Ortiz de Rosas: "Dorrego!! Víctima ilustre de las disensiones civiles: descansa en paz. La patria, el honor y la religión han sido satisfechos hoy, tributando los últimos honores al primer magistrado de la República, sentenciado a morir en el silencio de las leyes. La mancha más negra de la historia de los argentinos ha sido ya lavada con las lágrimas de un pueblo justo, agradecido y sensible (...) Allá, ante el Eterno, árbitro del mundo, donde la justicia domina, vuestras acciones han sido ya juzgadas, lo serán también las de vuestros jefes y la inocencia y el crimen no serán confundidos... Descansa en paz entre los justos!".

El 23 de enero de 1830, asegurando que no estaba dispuesto a tolerar deserciones ni traiciones, Ortiz de Rosas ordenó el fusilamiento del mayor Francisco Montero, por connivencia con los unitarios. Dos días más tarde la Legislatura lo ascendió a Brigadier y lo declaró Restaurador de las Leyes e Instituciones.

Cita Sabsay que "por sucesivas reglamentaciones (Rosas) restableció las normas tendientes a asegurar la moral y las buenas costumbres; hizo vigilar la distribución de los bañistas según los usos de la época, prohibió la ocupación indebida de las calzadas y aceras, estableció penalidades para quienes negociaran con artículos del Ejército, arbitró medidas de emergencia para asegurar el normal abastecimiento de carne, aplicó sanciones severas por el ultraje a mujeres, recomendó medidas profilácticas, fiscalizó las actividades públicas de los extranjeros", etc.

También tomó nuevas medidas fiscales: fijó un impuesto de cinco pesos por tonelada de pesca a los balleneros que pescaban en el Atlántico Sur, y encomendó al comandante de las Islas Malvinas, Luis Vernet, que vigilara el cumplimiento de esta disposición. Ante la negativa de tres goletas norteamericanas a pagar el impuesto, Vernet apresó a las mismas y las mantuvo en custodia. George Slocum, cónsul estadounidense en Buenos Aires, reclamó ante Ortiz de Rosas y ordenó el rescate de las goletas a la corbeta de guerra Lexinton, que destruyó las instalaciones de Puerto Soledad. El 10 de julio de 1832 el ministro estadounidense Bayles argumentó que las Malvinas pertenecían a Gran Bretaña y Rosas expulsó al cónsul y al ministro de Buenos Aires.

El Presidente de Estados Unidos, Jackson, estuvo a punto de declarar la guerra "al insolente gobierno de Buenos Aires", pero finalmente desistió y evitó nombrar un ministro de reemplazo.

Mantener a la Argentina en un pie de igualdad con respecto a las demás naciones fue una constante de la época de Ortiz de Rosas, que se acentuó aún más con los incidentes con Francia e Inglaterra en su segundo período de gobierno. El contraste con la histórica sumisión *snob* de la dirigencia argentina hacia lo extranjero, es atroz. En Ortiz de Rosas esta actitud no es sólo ideológico-política; es también la base para el intercambio comercial con el extranjero; el cimiento económico del período rosista se construye sobre tres pilares: latifundios, saladeros y comercio exportador.

Afirma Gastiazoro que "el accionar de los terratenientes y comerciantes bonaerenses, asegurándose por la fuerza la exclusividad de su puerto y el manejo de las rentas nacionales modeló todo el desarrollo del país de acuerdo a sus intereses particulares".

Anchorena, Martínez de Hoz, Álzaga, Diaz Vélez, Unzué, Miller, Rojas Aguirre y comerciantes británicos con fuertes intereses en tierras de la provincia formaron parte de esta clase·favorecida por la instalación de latifundios y el sesgo exportador. Fue justamente en este período donde comenzó el alambrado de los campos.

Las expediciones de Ortiz de Rosas contra los indios en 1831 y 1833 garantizaron la paz en más de tres mil leguas cuadradas que se colocaron en el mercado a precios bajos. John Lynch afirma que "la tierra se convirtió casi en moneda, o en fondo de salarios y pensiones". En 1836 Ortiz de Rosas dictó una ley permitiendo vender las tierras que hasta entonces estaban cedidas por la enfiteusis de González Rivadavia, y que obviamente fueron compradas por los grandes terratenientes porteños.

La campaña que comenzó en 1831 logrando acuerdos de convivencia con los indios introdujo también, por primera vez, la vacuna antivariólica. El 16 de mayo de 1832, con motivo de haber introducido la vacuna antivariólica en el mundo indígena, la Sociedad Jennesiana de Londres nombró al Restaurador como miembro honorario.

Entre 1830 y 1852 se incorporó la máquina de vapor a la actividad industrial, fueron instaladas las primeras prensas hidráulicas, se introdujo el ganado lanar merino y los primeros toros "Durham" y se proyectó el primer ferrocarril.

Recuerda Sabsay que "por dos veces consecutivas rechazó Rosas su reelección como gobernador de su provincia natal". La Sala de Representantes decidió finalmente nombrar al General Juan Ramón Balcarce, que debió afrontar la ocupación británica de las Malvinas, producida por la goleta Clío al mando del comandante John James Oslow el 2 de enero de 1833.

Balcarce debió enfrentar los ataques constantes de un enemigo impensado: Encarnación Ezcurra, la mujer de Ortiz de Rosas. Doña Encarnación luchaba encarnizadamente contra una "logia" que, en su visión, querían desprestigiar a Rosas y a los buenos federales. En sucesivas cartas a Rosas —que se encontraba en la frontera— Doña Encarnación le declaraba su desconfianza respecto del recién nombrado ministro de Gobierno Gregorio Tagle, y acusaba a la esposa del gobernador: "Doña Trinidad Balcarce está como una descomulgada y como es loca se anda metiendo en casas que nunca ha visitado; sólo a desacreditarme; lo mejor que dice es que siempre he vivido en la prostitución como todas mis hermanas". Al mismo tiempo, señala Sabsay, le hacía saber a Rosas que el paisanaje estaba cada día mejor dispuesto para derrocar al gobierno, y pedía instrucciones sobre el particular. "Las masas están cada día más bien dispuestas —le dice Encarnación— y lo estaría mejor si tu círculo no fuera tan cagado pues no hay quienes tienen más miedo que vergüenza, pero yo les hago frente a todos y lo mismo me peleo con los cismáticos que con los apostólicos débiles, pues los que me gustan son los de hacha y tiza".

Los periódicos antirrosistas, entretanto, echaban leña al fuego: uno de ellos, bajo el título "Escándalo notable" denunció a uno de los más conspicuos "apostólicos", el sacerdote Juan Antonio Argerich, de "haber pretendido violar una negra esclava suya". En octubre se anunció la pronta aparición de un periódico titulado *Los trapitos al sol*. Sabsay cita el pedido de los editores anterior al lanzamiento: "Los señores que gusten favorecernos con algunos materiales (aunque tenemos de sobra) respecto de la vida privada de los Anchorena, Zúñiga, Maza, Guido, Mansilla, Arana, Doña Encarnación Ezcurra, Doña Pilar Espano, Doña Agustina Rosas, Doña Mercedes de Maza y cualquier otra persona del círculo indecente de los apóstoles, todo, todo será publicado sin más garantía que la de los Editores. Tiemblen, malvados, y os enseñaremos cómo se habla de los hombres de bien!".

El juez Oliden, accediendo a un pedido fiscal, decidió procesar a los editores de *El Restaurador de las Leyes*. Doña Encarnación se encargó de tapizar la ciudad con carteles anunciando que se procesaría al "Restaurador". La gente, que estaba del todo alejada de las internas políticas o judiciales, entendió que sería procesado Ortiz de Rosas. El día 11 de octubre a la mañana, más de trescientos gauchos se concentraron frente al tribunal. Balcarce ordenó despejar a los "grupos subversivos" pero varios de los jefes se plegaron a los paisanos y comenzó una especie de revuelta popular que finalmente fue sofocada.

Una carta de Doña Encarnación a Justo Villegas, fechada el 17 de octubre, da cuenta de aquella Revolución de los Restauradores: "Vuelvo a escribirle para decirle a Ud. que todo va bien. Que esos hombres malvados, en medio de su despecho, temen. La pronunciación del pueblo es unísona. Toda la población detesta a su opresor y no piensa sino irse a incorporar a los restauradores. Don Juan Ramón (Balcarce) está furioso y me ha mandado decir que sólo los respetos a Juan Manuel no le hacen tomar medidas contra mí; mi contestación ha sido que de miedo lo voy a hacer compadre".

A comienzos de noviembre, con su poder en franco deterioro, Balcarce renunció a la Gobernación. El día 4 la Legislatura, en poder de los cismáticos, nombró en su reemplazo a Viamonte. La lucha de Encarnación siguió: su candidato era el apostólico Manuel Guillermo Pinto, que había sido desplazado. Encarnación advirtió que "no era suficiente quitar a una porción de malvados para poner en su lugar a otros menos malos". Respecto del gabinete de Viamonte no estaba muy lejos de la verdad: su ministro clave era Manuel José García, lobbysta inglés de quien hablamos en el capítulo referido a González Rivadavia. Encarnación Ezcurra organizó entonces la Sociedad Popular Restauradora, cuyo símbolo legó el nombre con el que pasó a la historia: La Mazorca, identificada con una mazorca de maíz. Los mazorqueros, apoyados por algunos jefes militares y policiales balearon las casas de Olazábal, Iriarte y Martínez.

Rosas, terminada ya su campaña en la frontera, se replegó en la estancia San Genaro, cerca de Azul, sin prestar su apoyo al nuevo gobernador. Trece meses después, Viamonte presentó su renuncia y una vez más Ortiz de Rosas rechazó la candidatura al no contar con "facultades extraordinarias" para gobernar.

El Dr. Manuel Vicente Maza asumió en carácter de Gobernador interino, y fue durante su breve gestión cuando se produjo el asesinato de Facundo Quiroga en Barranca Yaco: una partida comandada por el capitán Santos Pérez y compuesta por cuatro oficiales y veintiocho soldados asesinó a Quiroga, a su secretario, a un niño que viajaba con ellos, al cochero y a los postillones. Un correo y un ordenanza que viajaban rezagados de la caravana atestiguaron sobre el hecho reconociendo a los agresores: fueron condenados a muerte los hermanos Reynafé, el capitán Santos Pérez, los cuatro oficiales y tres soldados, sorteados entre toda la partida.

La noticia del asesinato de Quiroga llegó a Buenos Aires un lunes de Carnaval. Ortiz de Rosas le escribió el 3 de marzo a uno de sus capataces: "El señor Dorrego fue fusilado en Navarro por los unitarios. El General Villafañe lo fue en su tránsito de Chile para Mendoza por los mismos. El General Latorre lo ha sido a lanza después de rendido y preso en la cárcel de Salta, lo mismo que el General Aguilera, que corrió igual suerte. El General Quiroga fue degollado en su tránsito de regreso para ésta... Qué tal! ¿He conocido o no el verdadero estado de la tierra? Pero ni esto ha de ser bastante para los hombres de las luces y los principios! (...) Ya lo verán ahora. El sacudimiento será espantoso y la sangre argentina correrá en porciones".

LOS AÑOS ROJOS

Cierto! Facundo no ha muerto; está vivo en las tradiciones po-
pulares, en la política y revoluciones argentinas: en Rosas, su
heredero, su complemento; su alma ha pasado a este otro mol-
de, más acabado más perfecto, y lo que en él era sólo instinto,
iniciación, tendencia, convirtióse en Rosas en sistema, afecto y
fin. (...) Rosas falso, corazón helado, espíritu calculador, que
hace el mal sin pasión y organiza lentamente el despotismo con
toda la inteligencia de un Maquiavelo.

DOMINGO FAUSTINO SARMIENTO,
FACUNDO, CIVILIZACIÓN Y BARBARIE

La unidad del país estaba en peligro. Ahora bien, como dice
Hegel en su folleto sobre la Constitución alemana de 1802, los
hechos necesarios para procurar una unificación no son jamás
hijos de la reflexión, sino de la violencia. Los alemanes de prin-
cipios de siglo, como los argentinos de la época de Rosas, sólo
conocían el aislamiento. Y el filósofo dice con tal motivo: sería
preciso unir sus pueblos con la fuerza de un conquistador y

obligarlos a sentirse parte de Alemania. Ese nuevo Teseo deberá tener bastante carácter para soportar el odio que soportaron Richelieu y otros grandes hombres que destruyeron los particularismos y los intereses egoístas de los hombres... aquí no puede tratarse de elegir los medios; miembros gangrenados no pueden curarse con agua de lavanda.

JULIO IRAZUSTA
ENSAYO SOBRE ROSAS Y LA SUMA DEL PODER

La literatura inglesa describió, más que interpretó, a Rosas. Para encontrar una explicación, el estudioso debe recurrir a un filósofo político que escribió un siglo y medio antes de que naciera Rosas. La condición natural del hombre, tal como fue caracterizada por Thomas Hobbes en 1651, era una casi perfecta descripción de la Argentina después del colapso del poder español en 1810 y antes del advenimiento de Rosas en 1829: "durante el tiempo en que los hombres viven sin un poder común que mantenga a todos ellos bajo el temor, se encuentran en aquella condición llamada guerra; y qué guerra, ya que es de cada hombre contra cada hombre. La afirmación de los derechos individuales se convirtió en anarquía, interrumpida solamente durante breves intervalos de gobierno efectivo, y la anarquía alcanzó un punto en el que ningún hombre ni su propiedad se encontraban a salvo de los ataques enemigos. La única forma de defenderse a sí mismos de los daños provocados por otros y de la invasión de extraños fue ceder sus derechos de gobierno y conferir todo el poder a un solo hombre. Porque mediante esta autoridad, otorgada por cada individuo particular en el Commonwealth es tanta la fuerza y el poder conferidos de que dispone que, por el terror que ello produce, es capaz de controlar las voluntades de todos ellos, de lograr la paz interior y la mutua ayuda contra los enemigos exteriores". (John Lynch, en *Juan Manuel de Rosas*.)

Los días 26, 27 y 28 de marzo de 1835 la Junta de Representantes convocó a un plebiscito para que los habitantes de Buenos Aires se pronunciaran a favor o en contra de delegar la suma de poderes al Restaurador. Nueve mil setecientos trece votos fueron positivos y sólo siete se expresaron en contra.

El 13 de abril Juan Manuel Ortiz de Rosas comenzó su segundo gobierno: "Habitantes todos de la ciudad y campaña —dijo— la Divina Providencia nos ha puesto en esta terrible situación para probar nuestra virtud y constancia; resolvámonos, pues, a combatir con denuedo a esos malvados que han puesto en confusión a nuestra tierra; persigamos de muerte al impío, al sacrílego, al ladrón, al homicida y, sobre todo, al pérfido traidor que tenga la osadía de burlarse de nuestra buena fe. Que de esta raza de monstruos no quede uno entre nosotros, y que su persecusión sea tan tenaz y vigorosa que sirva de terror y espanto a los demás que puedan venir en adelante. No os arredre ninguna clase de peligros, ni el temor de errar en los medios que adoptemos para perseguirlos".

El 22 de mayo se reimplantó la obligatoriedad de uso del cintillo punzó, y fueron restablecidos los juramentos de fidelidad a la Federación y al gobernante. Señala Sabsay que los funcionarios públicos, los militares, los universitarios debían prestar juramento de fidelidad a "la causa", y hasta la Orden de los Predicadores (suprimida en 1822) y la Compañía de Jesus (restablecida en 1814) fueron rehabilitadas con la condición de que los frailes fueran "adictos fieles y pronunciados decididamente por la causa nacional de la Federación Argentina".

Los documentos públicos y los papeles oficiales debían encabezarse con vivas a la federación y pasó a ser hasta un lugar común la inclusión de "vivas" en monedas, billetes, carteles, frontispicios, altares cívicos y también en las iglesias de todos los cultos.

La idea de desplazar a Rosas y al comercio inglés del Río de la Plata era largamente acariciada por los franceses.

Escribió en la época Monsieur Leblanc, quien luego ordenó el bloqueo de Buenos Aires y todo el Litoral: "Mientras nosotros enviamos al Plata nuestros productos de lujo, nuestras telas de Lyon, nuestras joyas, nuestros relojes, nuestros artículos de París y mercadería sobrante, como los vinos de Burdeos y otros, productos todos extraños a la industria y producción inglesa, Inglaterra por su parte exporta productos manufacturados de buena clase, cuchillos, tejidos de Manchester y Birmingham y carbón. (...) Es probable que con los aliados que los agentes franceses se han procurado y los recursos puestos a su disposición, triunfaremos sobre Rosas; pero sería más seguro, más digno de la Francia, enviar fuerzas a esas tierras que, unidas a las de Rivera y Lavalle concluirían pronto con el monstruo y establecerían en el Río de la Plata de una manera permanente la influencia de la Francia".

El conflicto comenzó por una cuestión menor: Francia pidió la liberación de Hippolyte Bacle, un detenido francés acusado de complicidad con los unitarios. El gobierno de París pidió que se lo equiparara con la situación de los ingleses, que habían firmado un tratado de comercio y navegación en la época de González Rivadavia.

Otros tres franceses, además de Bacle, estaban detenidos en Buenos Aires: Pierre Lavie acusado de complicidad en robo y dos residentes, Martín Larre y Jourdan Pons habían sido incorporados por la fuerza a las milicias en virtud de una ley provincial que exceptuaba a los ingleses gracias al tratado de 1825.

La negativa de Ortiz de Rosas tuvo como respuesta el bloqueo del puerto de Buenos Aires por la escuadra francesa, desde 1838 hasta 1840.

La presencia francesa motivó a los unitarios de la Banda Oriental y a las fuerzas del interior comandadas por Lavalle a aliarse con el enemigo contra Ortiz de Rosas. Con Buenos Aires bloqueada, el gobierno debió luchar contra el desabastecimiento y la carestía del costo de vida, que motivaron un aumento del desempleo, rebajas de sueldos e importantes recortes en el presupuesto.

En 1840, a partir de conflictos en Medio Oriente, Francia decidió levantar el bloqueo en Buenos Aires y envió al Barón Mackau a negociar en pie de igualdad con un país supuestamente débil. Finalmente, se acordó levantar el bloqueo y proyectar un tratado bilateral en el que se otorgaría a Francia la cláusula de nación favorecida.

El 22 de enero de 1841 Ortiz de Rosas dictó un decreto cerrando la navegación de los ríos Paraná y Uruguay a todo buque que no estuviera patentado por el gobierno de la Federación Argentina bajo pabellón nacional. Su decisión aislaba a Montevideo del Litoral. Inglaterra se colocó, junto a Francia, del lado uruguayo y enviaron una delegación conjunta para "arreglar el asunto".

Según el Comisionado brasileño ante las Cortes de Londres y París los verdaderos propósitos de las potencias eran: convertir a Montevideo en una factoría comercial, obligar a la libre navegación del Plata y sus afluentes, independizar Entre Ríos y Corrientes y crear el nuevo Estado de la Mesopotamia.

El 16 de febrero, bajo órdenes del gobierno de Buenos Aires, Oribe puso sitio a Montevideo. El General O'Brien, cónsul de la Banda Oriental en Londres, comenzó una campaña de repudio a la política de Ortiz de Rosas, incitando también a sectores religiosos por la intolerancia del gobierno de Buenos Aires.

La idea de liberar los ríos y doblegar a Ortiz de Rosas unió a las dos grandes potencias decididas a librarse de las restricciones comerciales. Brasil y Paraguay, por diversos motivos, apoyaron a la alianza anglofrancesa.

En 1845 el gobierno inglés y el francés enviaron una nueva misión (Ouseley-Deffaudis) que también fue ignorada por Ortiz de Rosas. Relatan fuentes inglesas de la época: "Los representantes europeos recurrieron por último con gran desgano a la medida extrema de bloquear Buenos Aires. Los numerosos súbditos británicos y franceses que vivían en la capital argentina se oponían a ello en forma unánime".

El episodio más heroico de la defensa contra la intervención fue el combate de la Vuelta de Obligado, que terminó en una derrota para las tropas de la Federación y permitió que la escuadra conjunta comerciara con el Paraguay. La resistencia de los patriotas, sin embargo, fue dificultando cada vez más los viajes y la confianza de Francia e Inglaterra en ganar la guerra fue disminuyendo con el tiempo.

Luego de cinco años, las presiones de las casas comerciales europeas y la intransigencia del gobierno argentino llevaron a Inglaterra a negociar en 1849 (Tratado Arana-Southern) y a Francia en 1850 (Tratado Arana-Lepredour).

La resistencia patriótica contra los buques invasores conmovió a los más encarnizados adversarios del régimen: Martiniano Chilavert le escribió a Oribe desde Río Grande para tomar su puesto en el ejército de la patria: "el estruendo del cañón de Obligado resonó en mi corazón; desde este instante un solo deseo me anima: el de servir a mi patria en esa lucha de justicia y de gloria".

El encargado de negocios de los Estados Unidos en Buenos Aires, Guillermo Brent observó: "Estoy absolutamente convencido de que en ningún otro momento de la historia de estos países se ha enardecido más el patriotismo y se han mitigado y suprimido las diferencias internas".

Juan Bautista Alberdi, eterno y lúcido adversario de Ortiz de Rosas expresó: "En el suelo extranjero en el que resido, no como proscripto, pues he salido de mi patria según sus leyes, en el lindo país que me hospeda y tantos goces brinda al que es de fuera, sin hacer agravio a su bandera, beso con amor los colores argentinos y me siento vano al verlos más ufanos y dignos que nunca (...) Guarden, pues, sus lágrimas los generosos llorones de nuestras desgracias; a pesar de ellas ningún pueblo de esta parte del continente tiene derecho a tributarnos piedad; aunque opuesto a Rosas como hombre de partido, he dicho que escribo esto con colores argentinos: Rosas no es un simple tirano a mis ojos; si en su mano hay una vara sangrienta de hierro, también veo en su cabeza la escarapela de Belgrano. No me ciega tanto el amor de partido para no conocer lo que es Rosas bajo ciertos aspectos. Sé, por ejemplo, que Simón Bolívar no ocupó tanto el mundo con su nombre como el actual gobernador de Buenos Aires; sé que el nombre de Washington es adorado en el mundo, pero no más conocido que el de Rosas; sería necesario no ser argentino para desconocer la verdad de estos hechos y no envanecerse de ellos".

En 1830 Ortiz de Rosas había respondido a una propuesta de librecambio con las siguientes palabras: "No se pondrán nuestros paisanos ponchos ingleses, no llevarán bolas y lazos hechos en Inglaterra; no vestiremos ropa hecha en extranjería, y demás renglones que podemos proporcionar; pero, en cambio, empezará a ser menos desgraciada la condición de pueblos enteros de argentinos, y no nos perseguirá la idea de la espantosa miseria a que hoy son condenados". Sin embargo, como bien anota Sabsay, "al cabo de cuatro años, nada se había hecho sobre el particular".

Durante el segundo gobierno, los representantes Nicolás de Anchorena y Baldomero García propusieron la realización de un estudio sobre las rentas aduaneras, las producciones locales y las posibilidades de elasticidad fiscal para declarar medidas proteccionistas. Ortiz de Rosas encargó el caso a su ministro de Hacienda, Roxas y Patrón, que elaboró la Ley de Aduanas para 1836. En *Historia económica y social argentina*, Cortese resume los ítems de dicha ley: "Se dio libre introducción a los frutos del país que procedían de las provincias, a saber: cuero, cerdas, crin, lana, sebo, astas, tasajo, oro y plata sellados, etc. Las máquinas importadas, mercurio, instrumentos de agricultura, libros, pinturas, estatuas, telas de seda, relojes, bordados de oro y plata, carbón, salitre, ladrillos, bronce, hierro, acero y estaño en bruto pagarían un impuesto del 5 por ciento ad valorem; armas, pólvora, brea, seda y arroz, del 10 por ciento; azúcar, café, yerba mate, comestibles, lana y algodón, del 24 por ciento; muebles, espejos, coches, ropa hecha, calzado, licores, vinos, aguardiente, vinagres, sidras, tabacos, estribos y espuelas de plata, látigos, frazadas, guitarras y pasas de uva, del 35 por ciento; cerveza, fideos, pastas, papas, sillas de montar, del 50 por ciento".

"El capítulo II de la Ley se refería a los efectos prohibidos, que no podían ser introducidos en la provincia: herrajes para puertas y ventanas, almidón de trigo, velas, manufacturas de hojalata o latón, argollas de hierro o bronce, asadores de hierro, arcos para calderos, baldes, espuelas de hierro, cabezales, riendas, lomillos, cinchas, cojinillos, lazos, botones, cebada, cencerros, escobas de paja, cartillas y cartones, ejes de hierro, manteca, maíz, mostaza y ruedas para carruajes. El trigo y las harinas se encontraban en una posición semejante cuando su precio en plaza no excediese de los cincuenta pesos el quintal. El capítulo III trataba de la salida marítima; gravó con ocho reales (un peso) la exportación de cada cuero de toro, novillo, becerro, caballo y mula, con uno por ciento la de oro y plata sellada; declaró libre la exportación de granos, harinas, carne salada y manufacturas nacionales exportadas en barcos del país... El capítulo IV se refería a la entrada terrestre, gravaba con 10 por ciento la introducción de yerba y tabaco procedente del Paraguay, y con 20 por ciento la de cigarros. Los productos chilenos fueron declarados exentos de todo impuesto. El capítulo VI trataba sobre la manera de calcular y recaudar los derechos y establece que el arancel sería revisado anualmente."

En *Argentina: su desarrollo capitalista*, Jaime Fuchs señala que hacia 1853 había en la Confederación 1075 fábricas y 743 talleres; en comparación con 1830 se contaban en aquellos años 590 establecimientos en total, entre talleres y fabriles.

Desde el punto de vista social, Carretero afirma sobre el segundo gobierno de Ortiz de Rosas que éste: "concebía un ordenamiento social dividido por estamentos, con mucho de raíz feudal, donde estaban los muy ricos, los menos ricos y los pobres; los poseedores y los desposeídos; los que mandaban y los que obedecían; los nacidos para progresar y los que estaban destinados a vegetar. No era un orden cerrado o arbitrario, pero sí muy difícil de violar". En el marco de estas relaciones era común la aplicación sistemática de penas y torturas como el cepo, la estaqueada o los castigos corporales a los gauchos que, a juicio del patrón, cometieran faltas. Se exigían "papeles de conchabo" a todo gaucho, y se controló rigurosamente la mano de obra rural. Ejerciendo una especie de "derecho de pernada" bastante similar al medieval, el patrón o sus representantes podían cohabitar con las hijas o incluso con la mujer de alguno de sus "protegidos". Era habitual que muchos se "encomendaran" a un vecino poderoso. Dice sobre el punto John Lynch: "Por lo tanto, el estanciero era un protector, dueño de suficiente poder como para defender a sus dependientes de las bandas merodeadoras, sargentos reclutadores y hordas rivales. Era también un proveedor, que desarrollaba y defendía los recursos locales y podía dar empleo, comida y abrigo. De esta manera, el patrón reclutaba una peonada. Y estas alianzas individuales se extendían para formar una pirámide social ya que, a su vez, los patrones se convertían en clientes de hombres más poderosos, hasta que alcanzaba la cumbre del poder, y todos pasaban a ser clientes de un superpatrón, el caudillo". El afianzamiento de esta pirámide social alejaba a Ortiz de Rosas de cualquier preocupación constitucional. Ibarguren afirma que "reunir un Congreso Constituyente significaba crear autoridades superiores a las de Buenos Aires. Manteniendo a los estados sólo en uniones de hecho o vinculados por pactos y alianzas, la influencia del gobierno porteño gravitaría siempre sobre ellos en forma decisiva".

Ortiz de Rosas afirma en su Carta de la Hacienda de Figueroa, de 1834: "Si en la actualidad apenas se encuentran hombres para el gobierno particular de cada provincia, ¿de dónde se sacarán los que hayan de dirigir toda la República? ¿Habremos de entregar la administración general a ignorantes, aspirantes, unitarios y a toda clase de bichos?".

CUARTELES DE INVIERNO

Dice Antonio Dellepiane, en *Rosas*, acerca de la caída: "Rosas comenzaba a crear una generación de serviles, cuando sobrevino felizmente Caseros". Ramos Mejía da otra explicación: "Rosas se aísla, pierde contacto con la realidad; la ausencia de lucha lo enerva, cae en la inacción, engrosa; se destempla; su resolución está tomada de antemano y va al campo de batalla dispuesto, mas que al combate, al simulacro que oculta su verdadero estado de ánimo y que precederá a la eterna partida de la patria". Para Dellepiane: "Su egolatría lo perdió. Gran lección de prudencia y modestia para los ambiciosos sin control. ¿Cómo no vio que sus días de gobernante despótico estaban contados? ¿Cómo no se le ocurrió una retirada a tiempo o, mejor dicho, oportuna, decorosa, hasta gloriosa, como habría sido declinar voluntariamente el poder luego de haber conseguido sus triunfos?".

El 29 de mayo de 1851 el General Urquiza firmó una alianza secreta con Brasil y Uruguay, acordando desalojar a Oribe y luego expulsar del poder a Ortiz de Rosas, a quien había sostenido y secundado. Urquiza llegó frente a Uruguay con una fuerza de cuatro mil hombres, mientras en la frontera norte del país se estacionaba el General Caxias con doce mil soldados brasileros; el General Virasoro, gobernador de Corrientes cubría el Paraná contra eventuales ataques de la Federación y la escuadra brasileña al mando del almirante Graenfell dominaba el río. Urquiza tomó Paysandú sin entrar en combate, y allí se le unió el General Servando Gomez, con una división de Oribe. El aliado del rosismo no presentó combate y se quedó encerrado en su campamento del Cerrito.

A mediados de noviembre de 1851 Pacheco, jefe de la fuerza de vanguardia del norte y centro de Buenos Aires, organizó su ejército, mientras se desarrollaban sublevaciones en Santa Fe, pronunciándose a favor de Urquiza.

El 31 de enero de 1852 Victorica, enviado por Pacheco, visitó a Ortiz de Rosas, que le habló sobre otros temas, sin escucharlo. En la tarde del 1 de febrero Pacheco conferenció personalmente con el Restaurador, durante cinco minutos y luego se retiró definitivamente del comando.

El poderoso, ilimitado, temible, heroico Juan Manuel Ortiz de Rosas no estuvo presente en la batalla de Caseros. Sobre su retirada existen dos versiones: la de Saldías, tomada del testimonio de doña Manuela Rosas de Terrrero y la de Mansilla, sobrino de Juan Manuel, tomada de su padre, el General, y su madre, hermana del Gobernador. Ambas versiones concuerdan en lo fundamental: antes de separarse de sus tropas Ortiz de Rosas quiso dejarles una impresión de sus méritos y aptitud para el comando. Mientras un escuadrón de lanceros huía a la desbandada Ortiz de Rosas desenvolvió unas boleadoras que se había hecho alcanzar y derribó a uno de los desertores con una pericia consumada. Tenía 58 años pero todavía boleaba como un excelente gaucho. Luego se alejó del camino de Caseros con rumbo a San José de Flores.

A su lado galopaba Máximo Terrero, el novio de su hija. Afirma Dellepiane: "Que Rosas no estuvo a la altura de su situación después de su caída, lo reconoce su propio sobrino, el General Mansilla, cuya imparcialidad para juzgarlo hace gran honor a su probidad intelectual".

En Flores Ortiz de Rosas se alejó de Terrero, desviándose hacia el sur para evitar las calles menos seguras de Buenos Aires, y llegó hasta el Hueco de los Sauces (actual Plaza Garay). Allí se detuvo por más de una hora; escribió y envió su renuncia a la Legislatura y cambió su uniforme por el de su asistente Lorenzo López.

Llegó oculto y disfrazado al centro de la ciudad, hasta tres cuadras de su casa, y se detuvo en el domicilio del capitán Robert Gore, encargado

británico de negocios, en la calle Bolívar entre las actuales Venezuela y
México. Ortiz de Rosas ordenó al criado que le prepararan un baño
y luego se tendió en la cama de Gore, quien llegó poco tiempo después. El cónsul intentó convencerlo de que no podría tener refugio
allí por mucho tiempo; Dellepiane cita palabras de Rosas al inglés:
"Amigo, no tenga cuidado. Mire, aquí está la bandera inglesa que yo
he enseñado a respetar; aquí no vendrán: a este pueblo yo lo he montado, le he apretado la cincha, le he clavado las espuelas, ha
corcoveado; no es él el que me ha volteado... son los brasileros". Gore
insistió: a las nueve de la noche Ortiz de Rosas, el ministro, Manuelita,
dos oficiales y seis marineros se dirigieron, disfrazados y a pie hasta
la Aduana vieja y se embarcaron en una chalupa que los condujo a la
fragata de guerra Centaur, anclada en la rada exterior de la ciudad.
La Centaur levó anclas el día 9 de febrero y trasbordó a los refugiados en Punta del Indio al vapor de guerra inglés Conflict, que zarpó
al día siguiente con destino a Inglaterra. A los setenta y tres días de
su partida llegaron al puerto de Queenstown. A los ochenta y dos
días de su viaje, el 25 de abril, la odisea de Ortiz de Rosas llegaba a
su fin en Plymouth, donde fue recibido con una salva de cañón, hecho que produjo días después una intensa polémica en el Parlamento. Los refugiados permanecieron allí hasta el 16 de mayo, período
en el cual Manuela y su padre se dedicaron a estudiar una gramática
de lengua inglesa y comenzaron, con un profesor, el aprendizaje del
idioma. Luego se instalaron en el Windsor Hotel de Southampton.

López, gobernador provisorio, había embargado todos sus bienes, medida que finalmente revisó Urquiza. En los días inmediatos a
su salida, a pesar del embargo vigente, Ortiz de Rosas pudo vender
los muebles como pertenencia de Manuelita, y fueron puestos a remate: la plata labrada fue vendida a Juan Lanata, y produjo 15.728
pesos con seis reales; el viejo carruaje del ex ministro inglés Mandeville
se remató a 8.355 reales.

Un texto de Alberdi y otro de Salustio Cobo, director del diario *El
Comercio de Lima*, ilustran en detalle sobre el exilio del Restaurador: a
mediados del año 1860 Cobo, de paso por Southampton, se presentó
varias veces en Rockstone House solicitando ver al dueño de casa. Finalmente, Ortiz de Rosas accedió al encuentro:

"—Son unos ingratos todos los gobiernos de América —le dijo—. Después que yo la he elevado tanto en el concepto de las naciones europeas! Esos gobiernos han permitido que se me confisquen todos mis bienes, cuando yo no he confiscado los de nadie. Represalias!, dicen. Yo lo único que decreté fueron embargos temporales, para los emigrados que se mantenían en estado de rebelión contra el gobierno. ¿Que yo he robado? Falso, paisano! Ahí tengo los documentos de todo lo que se ha gastado en mi tiempo: casi todos ellos han sido otorgados por los mismos que están gritando contra mí en Buenos Aires. Día llegará en que yo les pruebe que me acusan a mí por las sumas que ellos, y sólo ellos, han recibido. Mío propio y no de nadie es lo que confiscan. Con la amistad que el Lord Parlmeston me dispensa bien podría yo, haciéndome súbdito inglés, imponer el respeto a mis derechos. No lo hago, por consideraciones que creo deber al pabellón y al gobierno de mi patria, como quiera que se titule.

"—¿Y qué es de la vida de la señorita Manuelita?

"—Me ha faltado, me ha dado un pesar: se ha casado!

"—Siento entonces haber traído el hecho a la memoria de V.E. Se servirá excusarme!

"—No, nada de eso. Estamos en la mejor armonía.

"Máximo, le dije yo, dos condiciones pongo: la primera, que yo no asistiré a los desposorios; la segunda, que Manuelita no seguirá viviendo aquí en mi casa." Y así es que están en Londres, de donde me escriben todas las semanas. No sé que le dio a Manuelita con irse a casar a los treinta y seis años, después que me había prometido no hacerlo, y hasta ahora lo había estado cumpliendo tan bien, por encima de mil dificultades... Me ha dejado abandonado, solo mi alma! Y lo peor es que a ella también le han confiscado sus bienes propios. Semejante rigor con una niña que no ha hecho otra cosa que labrarse el aprecio de todos y ser el encanto de los extranjeros! Muy mal estoy con los gabinetes de América. Ahora las potencias extranjeras están haciendo con ellas lo que se les antoja. No era así en mi época. Ah! Todo podrán decir de mí, pero nunca dirán: "A Juan Manuel de Rosas le faltó la energía!" Hasta el último la tuve, paisano! Gobernar treinta años! ¿Quién, quién hace esto? ¿Por qué gritan contra mí? ¿Qué he hecho yo? Todo el bien que le he podido hacer a mi patria. ¿Qué hago? Estar resignado en mi desgracia, nada más. Yo no fumo, yo no bebo, yo no almuerzo, yo no como. Todo lo que tomo es una cenita a las diez de la noche, y para eso me la cocino yo por mis manos. ¿Puede darse mayor retiro y mayor prescindencia de todo?"

Alberdi se encontró con Ortiz de Rosas el 17 de octubre de 1857, en Londres: "Lo hallé más viejo de lo que creía y se lo dije. Me observó que no era para menos, pues tenía 64 años. La cabeza es chica y la frente, echada atrás, es bien formada más bien que alta. Los ojos son chicos. Está cano. No tenía bigotes, ni patillas. No estaba bien vestido: no tenía ropa en Londres. Su fisonomía no es mala, aunque se parece poco a sus retratos. (...) Está bien en sociedad; tiene la fácil y suelta expresión de un hombre acostumbrado a ver desde alto al mundo. Y sin embargo, no es fanfarrón, ni arrogante, tal vez por eso mismo, como sucede con los Lores de Inglaterra, las más suaves y amables gentes de este país. Habla con moderación y respeto de todos sus adversarios, incluso de Alsina. Habló mucho de caballos, de perros, de su simpatía por la vida inglesa, de su pobreza actual, de sus economías, de su caballo y de los caballos ingleses, me dijo que no había sacado plata de Buenos Aires pero sí todos sus papeles históricos, en cuya autoridad descansaba. Él dice que guarda sus opiniones, sin perjuicio de su respeto por la autoridad de su nación. (...) Se quejó de Anchorena: le calificó de ingrato; recordó que toda su fortuna la había hecho bajo su influencia. Recordó que al acercarse Urquiza a Buenos Aires, Anchorena le dijo a él (a Rosas) que si triunfaba Urquiza ‹no le quedaba más medio que agarrarse de los faldones de la casaca de Urquiza y correr su suerte aunque fuese al Infierno; y que enseguida le abandonó›." Completa Alberdi: "Al ver su figura toda, le hallé menos culpable a él que a Buenos Aires por su dominación porque es la de uno de esos locos y medianos hombres en que abunda Buenos Aires, deliberados, audaces para la acción y poco juiciosos. Buenos Aires es el que pierde de concepto a los ojos del que ve a Rosas de cerca. ¿Cómo ha podido este hombre dominar ese pueblo a tanto extremo? Es lo que uno se repite dentro de sí al conocerle".

CAPÍTULO OCHO

LA ADUANA PARALELA

Sancionada la Constitución Nacional y designadas las autoridades de la República, Buenos Aires se negó a reconocerlas y en 1854 se constituyó en Estado independiente, dictándose su propia Ley Fundamental.

Algo similar ya había ocurrido en 1830 al separarse la Banda Oriental; en aquel momento Rosas, para perjudicar al nuevo Estado que no había podido doblegar por las armas, lo atacó en su parte vital: en los derechos de aduana, que representaban el mayor aporte de las rentas públicas. Aquella "guerra aduanera" lo condujo a Caseros. Esta vez se declaró puerto nacional al de Rosario, y comenzó la guerra con Buenos Aires.

La Federación aplicó un recargo del 30 por ciento a las mercaderías que llegaban vía Buenos Aires y bajó los aranceles para las que fueran enviadas directamente a Santa Fe. El 19 de junio de 1856 el Congreso Nacional aprobó la llamada Ley de Derechos Diferenciales.

Las relaciones entre Buenos Aires y la Confederación entraron en un deterioro de crecimiento geométrico hasta que el 23 de septiembre de 1859 las fuerzas de Mitre y Urquiza se enfrentaron cerca de San Nicolás, sobre el arroyo del Medio, en la batalla de Cepeda.

Mitre salió derrotado y, mediante la intervención y garantía del Presidente de Paraguay, se puso fin a la guerra firmándose el 11 de noviembre de 1860 el Pacto de San José de Flores, en el que se acordó que Buenos Aires se integraría a la Confederación, aceptaba y juraba la Constitución Nacional, se desligaba de toda relación diplomática con el exterior y entregaba su Aduana en tanto la Confederación le garantizaba durante cinco años el presupuesto provincial.

Las relaciones volvieron a romperse en breve: Buenos Aires envió al Congreso un número de diputados mayor al que le correspondía de acuerdo a la Constitución. Por otro lado, el 16 de noviembre, una partida de gente armada al mando del chileno Pedro Nolasco Cobo, asaltó a las ocho de la mañana la casa del gobernador sanjuanino Virasoro asesinándolo junto a sus cinco acompañantes. El crimen fue precedido por una intensa campaña del diario mitrista *El Nacional*, y por un escrito de Sarmiento titulado "El tirano José Antonio Virasoro".

Poco tiempo más tarde, después de la batalla de Pavón, Sarmiento le escribió a Mitre: "Urquiza debe desaparecer de la escena, cueste lo que cueste. Southampton o la horca... Ahora, que estoy justificado por la victoria, quiero descender a justificarme del cargo muy válido de haber preparado los sucesos de San Juan".

El asesinato de Virasoro, como el del Chacho Peñaloza o, más tarde, el del propio Urquiza y sus hijos, forman parte de otra historia silenciada desde la versión oficial: una política selectiva de eliminación de los caudillos que utilizó como mano de obra mercenarios locales o extranjeros y fue más allá de las "gloriosas" batallas que enfrentaron a los ejércitos de Buenos Aires y la Confederación.

José Hernandez, autor del *Martín Fierro*, que formó parte del ejército federal que peleó en Pavón y ejerció el periodismo durante aquellos años de guerras civiles, escribió después del asesinato de Peñaloza, en el diario *El Argentino*, un artículo titulado "La Política del Puñal": "Los salvajes unitarios están de fiesta. Celebran en estos momentos la muerte de uno de los caudillos más prestigiosos, más generosos y valientes que ha tenido la República Argentina. El Partido Federal tiene un nuevo mártir. El Partido Unitario tiene un crimen más que escribir en la página de sus horrendos crímenes. El General Peñaloza ha sido degollado... acaba de ser cosido a puñaladas en su propio lecho, degollado, y su cabeza ha sido conducida como prueba del buen desempeño del asesino, al bárbaro Sarmiento. (...) No se haga ilusiones el General Urquiza con las amorosas palabras del General Mitre: represéntese el cadáver del General Peñaloza degollado, revolcado en su propia sangre, en medio de su familia después de haber perdonado la vida a sus enemigos más encarnizados... En guardia, General Urquiza! El puñal está levantado, el plan de asesinatos, preconcebido; la mano que descargue el golpe la comprará el Partido Unitario con el oro que arrebata el sudor de los pueblos que esclaviza".

EL AGUA
Y EL ACEITE

Por la callejuela
por el callejón
que a Urquiza compraron
por un patacón.

COPLA POPULAR
DE LA ÉPOCA

Nosotros, en la infancia aún, contentémonos con
la humilde tarea de enviar a aquellos bazares europeos nuestros productos y materias primas, para
que nos los devuelvan transformados por medio
de los poderosos agentes de que disponen.

DISCURSO DE GERVASIO A. DE POSADAS, AL
INAUGURAR EN 1858 LA EXPOSICIÓN RURAL

Hasta la batalla de Caseros, que derribó a Rosas en
1852, navegaban por los ríos las goletas y los barcos

construidos en los astilleros de Corrientes y Santa Fe,
había en Buenos Aires más de cien fábricas prósperas
y todos los viajeros coincidían en señalar la excelen-
cia de los tejidos y los zapatos elaborados en Córdoba
y en Tucumán, los cigarrillos y las artesanías de
Salta, los vinos y aguardientes de Mendoza y de
San Juan. La ebanistería tucumana exportaba a
Chile, Bolivia y Perú.

EDUARDO GALEANO
LAS VENAS ABIERTAS DE AMÉRICA LATINA

En la batalla que dio origen al Estado Argentino, los rivales no pelea-ron. Pavón fue una batalla de mampostería, con resultado arreglado, en la que las tropas de Urquiza retrocedieron en el triunfo dejando a Mitre libre el "teatro" de operaciones.

"¿Que pasó en Pavón? —se pregunta Jose María Rosa—. Es un mis-terio no aclarado. Solamente pueden hacerse conjeturas: que intervino la Masonería fallando el pleito a favor de los liberales, y sin que Urquiza pagara las costas, (...) que Urquiza desconfiaba de Derqui y prefirió arreglarse con Mitre dejando a salvo su persona, su fortuna y su gobierno en Entre Ríos."

"Pavón no es sólo una victoria militar —escribió Mitre a su ministro de Guerra, Juan Andrés Gelly y Obes el 22 de diciembre de 1861— es el triunfo de la civilización sobre los elementos de guerra de la barbarie."

El historiador británico Pelham Horton Box coincide en señalar la existencia de un pacto implícito gestado en Pavón entre Urquiza y Mitre, que se renovó luego en el apoyo mutuo al pelear la Guerra de la Triple Alianza contra Francisco Solano López. "Al reemplazar la actitud caudillista y facciosa por una política de negociación —dice Horton Box— permitie-ron la gestación de un orden de alcance nacional. (...) El servicio culminante de Urquiza —agrega— fue perder la batalla de Pavón y, mediante una de-rrota que es todavía un misterio, entregar la dirección de la Confederación Argentina a Buenos Aires".

Tanto los revisionistas como José María Rosa u otros historiadores como Miguel Ángel Scenna y Tulio Halperín Donghi plantean, junto a

Horton Box, la idea de un orden post Pavón a partir de una alianza implícita entre Mitre y Urquiza.

Dice Halperín Donghi: "Vencedora (Buenos Aires) en 1861... su victoria provoca el derrumbe del gobierno de la Confederación, presidido por Derqui y sólo tibiamente sostenido por Urquiza, que ha desarrollado una viva desconfianza hacia su sucesor en la presidencia. Mitre, gobernador de Buenos Aires, advierte muy bien los límites de su victoria, que pone a su cargo la reconstrucción del Estado Federal pero no lo exime de reconocer a Urquiza un lugar en la constelación política que surge".

A su vez, Isidoro Ruiz Moreno aporta una serie de elementos para comprender "la batalla más extraña de la historia argentina": el distanciamiento ya mencionado por Halperín entre el presidente Derqui y el gobernador entrerriano y ex presidente Urquiza, las negociaciones celebradas entre Derqui y Mitre durante la visita del primero y de Urquiza a Buenos Aires el 9 de julio de 1860, apuntando a fortalecer el Partido Liberal no sólo en el puerto sino en toda la Confederación, el escaso interés de Urquiza en abandonar la tranquilidad de su residencia en Paraná, y algunas cartas del Dr. Mateo Luque dirigidas al presidente Derqui que mostraban que el Congreso de la Federación trabajaba para robustecer a Derqui y denostar a Urquiza.

El 6 de septiembre de 1861 Mitre, con un ejército de quince mil hombres, llegó a los alrededores de Pergamino. El ejército de Urquiza estaba compuesto por diecisiete mil soldados que avanzaron hacia el arroyo Pavón.

Para evitar la batalla, Francia, Inglaterra y Perú se ofrecieron como mediadoras. La mediación se hizo en el buque inglés Oberon, anclado en Las Piedras, y concurrieron a ella Urquiza, Mitre y Derqui. La versión oficial supone que no se pusieron de acuerdo y que el manejo de la Aduana fue uno de los puntos insalvables. A Urquiza no le quedó más que ir a la lucha, y por lo tanto se replegó en su posición original: cerca del curso inferior del arroyo Pavón, junto a Cañada Rica. Las fuerzas federales del General Juan Saá se habían unido junto a las del caudillo entrerriano Ricardo López Jordán en Cañada Cabral.

La artillería comenzó una infernal descarga de fuego a las dos y media de la tarde del 17 de septiembre. La caballería porteña atacó primero, pero pronto se desbandó al enfrentarse con la puntana dirigida por Saá. Hubo luego una serie de choques en el ala derecha del ejército confederado, y en todos los casos la caballería entrerriana resultó favorecida.

La carga de la infantería porteña tuvo mejor resultado, pero a pesar de eso el ejército de Buenos Aires se terminó retirando porque los federales estaban arrasando con todo.

Mitre se refugió en una estancia y fue cercado por las tropas de Saá y López Jordán, que lo intimaron a rendirse.

Urquiza había "dirigido" la batalla desde una hondonada y sólo le restaba mover su reserva para aplastar a la infantería porteña. Sin embargo, se retiró a trote lento del campo de batalla.

Mitre había "triunfado": le quedaban poco más de trescientos hombres y los federales habían arrasado los costados derecho e izquierdo de su Ejército. Su derrota triunfal había sido mucho más costosa que la de Cepeda. Pascual Rosas, Gobernador de Santa Fe, opinó que Saá y compañía eran los dueños del terreno.

El puntano Julián Ávila dijo: "Dejamos los puntanos en los campos de Pavón bien puesto el nombre de valientes". El mismo Alberdi presentó al poco tiempo en Europa a Juan Saá como "el verdadero vencedor de Pavón".

Al llegar al cuartel general de Río Cuarto el General Saá emitió una proclama a los cuerpos que formaban el Ejército del Centro: "Deshecho el ejército enemigo en el arroyo de Pavón fue obligado a refugiarse en la ciudad de San Nicolás con los restos de su infantería y desde ahí hace esfuerzos supremos por rehacerse nuevamente e invadir otra vez nuestro territorio a sangre y fuego. Las armas Nacionales, triunfantes una vez más en la jornada de Pavón".

El 22 de octubre el presidente Derqui escribió a Saá: "Ya se me había dado aviso por personas muy caracterizadas que el General Urquiza estaba en relaciones con el enemigo, pero ya se ha quitado la máscara y se comunica por medio de vapores de guerra del enemigo". Al día de hoy no se conocen las causas reales de la renuncia de Derqui a la presidencia, ocurrida el 5 de noviembre de 1861.

El historiador Horacio W. Bauer vuelve a la eterna pregunta: "¿Qué pasó en Pavón? Con la victoria en sus manos, con su segundo —Ricardo Lopez Jordán— esperando la orden para ponerle la rúbrica a la batalla ganada, con Mitre volviendo rápido a Buenos Aires ante la suerte adversa de las armas, Urquiza ordena —insólita e imprevistamente— el retiro, enfilando al tranco hacia Rosario. Nadie, ni los suyos y menos los adversarios, entienden lo que sucede. ¿Qué habrá pasado para una claudicación tan extraña? Se ha dicho que el General no era el mismo que guerreaba en sus años mozos, que sus sesenta años le pesaban, que no le quedaban fuerzas para gobernar a los díscolos e intrigantes porteños, que su actitud fue producto de otra venalidad, en la línea de la diplomacia del patacón, que la decisión fue obra de la masonería, a la que Urquiza y Mitre pertenecían en grado 33, conforme al solemne juramento del 27 de julio de 1860, en el Templo Unión del Plata... claro que estas causas no tienen por qué excluirse entre sí".

GAJES DEL OFICIO

Convocados por la Revista *Todo es Historia*, a requisitoria de María Sáenz Quesada, historiadores del más diverso cuño respondieron preguntas sobre la figura de Mitre. León Rebollo Paz, bisnieto del General Paz no oculta su admiración por Mitre, al que define como "el argentino que, sin disputa, tuvo actuación más prolongada en la vida pública de este país". Rebollo lo califica como "el artífice de la unidad política argentina" y el "fundador de la historia científica en nuestro país, apoyada en los documentos y en los archivos".

La opinión de Jose María Rosa sobre Mitre es lapidaria: su único aporte a la Argentina habría sido el diario *La Nación*. "Uno lo trata de analizar —dice Rosa— como militar y como político y encuentra un hombre que no tiene visión, que no tiene ningún alcance. Como militar es algo peor que un mal militar, es un desastre... Todas sus campañas son objetables. En la batalla de Pavón, donde no diré que triunfa, es la única en la que se cree derrotado y se retira". Rosa conviene, sin embargo, en reconocerle calidad de liderazgo: "Honestidad, optimismo, una vida austera, pero por sobre todo el optimismo: en sus derrotas, Mitre siempre cree que ha triunfado. Después de Cepeda, en 1859, sale tocando victoria y manda tocar el himno". Para Rosa, Mitre es el responsable oculto de la Guerra del Paraguay: "La responsabilidad absoluta de su comienzo la tiene Mitre y la conducción fue desastrosa. Nos lleva y nos arrastra a la guerra por palabras, nada más. Es un orador, un hombre de frases que se embriaga con ellas. No le gusta el Paraguay porque es una dictadura, en cambio Brasil es una democracia coronada... y esclavista... Después de la guerra Brasil saca todo el provecho posible y Mitre se convierte en defensor del Paraguay, de lo que resta de ese país, por supuesto con el tácito visto bueno de Inglaterra a quien no le interesa que ese país sea destruido".

Para Isidoro Ruiz Moreno, director de la *Revista de Historia Entrerriana,* "Liberales eran los hombres de la Confederación, los Constituyentes, Alberdi, Urquiza; hicieron un gobierno liberal. La Constitución del 53 sin duda es liberal. Es decir: así como Rosas no era Federal, no creo que Mitre políticamente haya sido liberal. En vez de la cabeza de Avellaneda en Tucumán, Mitre se preocupa en exhibir la de Peñaloza en La Rioja. Y esto en nombre de los principios!... Con Mitre ocurre que es un hombre en constante contradicción entre lo que proclama y lo que hace, claro que esas manifestaciones las formula de un modo tan grandilocuente que ha engañado a mucha gente... Cuando gana la campaña militar, nadie le discutirá el poder y así es como es elegido, mediante la fuerza —como se lo dijo Adolfo Alsina en carta del año 1867— sin surgir de elecciones libres".

Para Fermín Chávez, Mitre "tenía talento político, pero era mediocre como escritor. Sus ensayos históricos jamás alcanzan el nivel literario de un Vicente Fidel López. Creó una escuela histórica documental, pero con la suficiente dosis de ocultamiento para que sólo brillaran los ángeles del Olimpo liberal... Ese partido escribió la historia oficial argentina".

"THE PARAGUAYAN WAR IS OVER. ¿WHAT NEXT?"

Estamos por dudar de que exista el Paraguay, descendientes de razas guaraníes, indios salvajes y esclavos que obran por instinto a falta de razón. En ellos se perpetúa la barbarie primitiva y colonial. Son unos perros ignorantes de los cuales ya han muerto ciento cincuenta mil. Su avance, capitaneados por descendientes degenerados de españoles, traería la detención de todo progreso y un retroceso a la barbarie... Al frenético, idiota, bruto y feroz borracho Solano López lo acompañan miles de animales que le obedecen y mueren de miedo. Es providencial que un tirano haya hecho morir a todo ese pueblo guaraní. Era preciso purgar la tierra de toda esa excrecencia humana: raza perdida de cuyo contacto hay que librarse.

CARTA DE SARMIENTO A MITRE DE 1872

George G. Petre, ministro británico en la Argentina, escribió que la población del Paraguay fue "reducida de cerca de un millón de personas bajo el gobierno de Solano López a no más de trescientas mil, de las cuales más de las tres cuartas parte eran mujeres".

Según Harris Gaylord Warren en *Paraguay and the Triple Alliance, the post war decade, 1869-1878*, lo más cercano a una cifra correcta ronda los doscientos cincuenta mil muertos.

No existe acuerdo historiográfico respecto a sus causas: los revisionistas sostienen como factor causal de la guerra la presión de la diplomacia británica para que Solano López abriera su economía, que llevó al ministro británico en Buenos Aires y Asunción, Edward Thornton a dar luz verde a la política mitrista contra López.

Para la escuela liberal el régimen paraguayo representaba la violación de la libre navegación de los ríos, y presentan a Solano López como un tirano expansionista. Otros liberales culpan del comienzo del enfrentamiento al expansionismo brasileño.

José María Rosa subraya el interés del ministro Thornton en los siguientes términos: "Si Thornton empujó a la guerra, no quisieron los ingleses que ésta llegase al extremo de la hecatombe. Una expedición bélica que destruyese las fortificaciones de Humaitá, los Altos Hornos de Ibicuy, la fundición de Asunción, estableciese un gobierno democrático y abriese Paraguay a las mercaderías de Manchester y al capitalismo británico, bastaba a su propósito."

"Cuando las cosas se extremaron en 1867, los diplomáticos ingleses quisieron llegar a una paz honrosa con el exilio de Francisco Solano y los correspondientes tratados de amistad, comercio y navegación con Inglaterra. Solano López se negó a salvarse a ese precio... El Paraguay de López era un escándalo en América: un país bastándose a sí mismo, que nada traía de Inglaterra y se permitía detener a los hijos de ingleses con el pretexto de infligir las leyes del país, debía necesaria y urgentemente ponerse a la altura de la Argentina de Mitre."

El embajador británico Edgard Thornton transmitía a su cancillería el 6 de septiembre de 1864: "Paraguay cierra los ríos a nuestra navegación, no quiere nuestros empréstitos, no se interesa por nuestros tejidos y, lo que es peor aún, la mayoría de los paraguayos ignoran el poderío inglés y están convencidos de que el país más poderoso del mundo, y el más feliz, es el de ellos".

Tulio Halperín Donghi señala la íntima vinculación entre la necesidad mitrista de estabilidad y concordia interior y su rol en la guerra de la Triple Alianza: "La victoria liberal de 1861 —dice— como la rosista de veinte años antes, sólo puede consolidarse a través de conflictos externos... Los autonomistas urgen a Mitre a que lleve a la Argentina a la guerra, al lado del Brasil, confiando en que, al lanzar a la Nación a una empresa inequívocamente facciosa, obligarán a Urquiza a salir de esa pasiva lealtad que lo ha caracterizado luego de Pavón". Pelham Horton Box, en el libro ya citado, asegura la existencia de un "plan ideado por el General Mitre de reconstruir el antiguo Virreynato de Buenos Aires bajo la denominación de Estados Unidos del Río de la Plata".

El 12 de noviembre de 1864, quizá con el acuerdo verbal de Urquiza prestándole su apoyo, Solano López empezó las hostilidades, apresando un vapor brasileño, el Marqués de Olinda, que llevaba al Presidente del Mato Grosso y materiales de guerra para reforzar las defensas del Alto Paraguay. El Vizconde de Río Branco, José María Paranhos, llegó a Buenos Aires el 2 de diciembre y tentó a Mitre ofreciéndole el mando supremo de la Guerra contra el Paraguay. Obtuvo del presidente que la Isla Martín Garcia sirviese de base de operaciones navales brasileñas, pero Mitre en esa instancia optó por mantener una curiosa política de "neutralidad".

Con Urquiza el Imperio del Brasil utilizó la luego famosa "diplomacia del patacón": mientras se generaban diversas presiones desde Asunción y Paraná para forzar su intervención a favor del Paraguay, Urquiza estaba demasiado atareado en un negocio de venta de treinta mil caballos de su propiedad a Manuel de Osorio, jefe de la caballería imperial quien, por expresa orden de Paranhos, los adquiría al altísimo precio de trece patacones cada uno.

Pandía Calógeras comenta el olvido de Urquiza del ataque a Paysandú y las viejas promesas a Solano López a cambio de sus caballos: Nao existía em Urquiza o estofo de um homem de Estado:nao passava de um condottiere, permaneceu inativo por tanto. De fato, assimm éle traía a todos. Cuida ao Brasil o tornar inofensivo. Urquiza, embora inmensamente rico tinha pela fortuna amor inmoderado: o General Osorio, o futuro Marques de Erval conhecia-lhe o fraco e deliberou servir déle".

Urquiza solicitó a Mitre el 29 de diciembre de 1864 la autorización para que el ejército paraguayo pudiese cruzar el territorio de Misiones dirigiéndose a la Banda Oriental, según había convenido con Solano López. Mitre le negó el permiso el 9 de enero, argumentando su posición de neutralidad.

Extraña neutralidad: permitían el tránsito fluvial a las tropas brasileñas pero le negaban el terrestre a las paraguayas.

La neutralidad mitrista aparece reflejada en las instrucciones del canciller Elizalde al gobernador de Corrientes, Manuel Lagraña, el 20 de diciembre de 1864: "La cuestión ha de concluir trágicamente para el gobierno de Montevideo y el de Paraguay, y antes de poco tiempo... Los agentes del Brasil en ésa pueden necesiten enviar algunos oficios a sus superiores en ésta. Les ruego los dirija a mi nombre por expreso, sin pérdida de momento. Si hay algo urgente disponga Ud. al Espigador (buque argentino). Los agentes quedan prevenidos de acudir a Ud.".

En las instrucciones del propio Mitre al gobernador Lagraña se le sugiere censurar a la prensa: "Han llegado —escribió Mitre— hasta mí noticias que en esa ciudad se ha establecido un periódico (*El Independiente*, de Juan José Soto) cuya tendencia es la de justificar y ganarle prosélitos al Presidente López del Paraguay en la lucha que parece va a empeñarse con el Brasil en defensa del Partido Blanco de Montevideo... Creo que esta prédica opuesta a nuestros intereses, a nuestra actualidad, ha de despertar el celo de nuestros enemigos en Corrientes. Para que no logren aquellos extraviar la opinión conviene mucho que V. por su parte haga todo lo posible en ese sentido, pues no es justo ni político que en nuestro propio país se alcen alabanzas y se trate de bonificar una administración como la del Paraguay".

Los sesgados motivos de la guerra contra el Paraguay hicieron que fuera difícil reclutar soldados voluntarios. En el caso del interior, esto fue aún peor: se dieron numerosos casos de deserciones, tales como la sublevación, en noviembre de 1866, de un contingente completo acantonado en Mendoza con el objetivo de reponer las bajas causadas en Curupaity; un episodio similar ocurrió en Entre Ríos, con el desbande de ocho mil soldados de caballería reunidos por Urquiza.

Emilio Mitre, encargado de un contingente en Córdoba, escribió el 12 de julio de 1865 que enviaba a "los voluntarios atados codo con codo". A su vez el gobernador riojano Campos, impuesto luego del asesinato de Peñaloza, le decía el 12 de mayo al Presidente Mitre: "Es muy difícil sacar hombres de la provincia en contingentes para el Litoral, porque es tal el pánico que les inspira el contingente que a la sola noticia de que iba a sacarse se han ganado a las sierras y no será chica la hazaña si consigo que salgan". Voluntarios de Córdoba y Salta se sublevaban al llegar a Rosario ni bien les quitaban las maneas que los tenían controlados.

El gobernador Maubecin, de Catamarca, encargó doscientos pares de grillos para el contingente de su provincia.

López Jordán escribió a Urquiza contándole las causas de la rebeldía: "Usted nos llama para combatir al Paraguay. Nunca, General; ése es nuestro amigo. Llámenos para pelear a porteños y brasileros. Estamos prontos. Ésos son nuestros enemigos. Oímos todavía los cañones de Paysandú. Estoy seguro del verdadero sentimiento entrerriano".

El 13 de abril tuvo lugar la captura de dos buques argentinos por parte de cinco navíos de guerra paraguayos. El episodio no generó resistencias en la ciudad de Corrientes, que fue ocupada con tranquilidad por las fuerzas de Solano López.

Los correntinos no consideraban a los paraguayos como invasores. Con el consentimiento conjunto del consejo municipal correntino y del jefe de las fuerzas invasoras, se nombró a tres vecinos de Corrientes para administrar la zona ocupada.

El 1 de mayo de 1865 Mitre firmó con el Brasil el Tratado Secreto de la Triple Alianza. Los objetivos de guerra eran los siguientes: quitarle a Paraguay la soberanía de sus ríos, repartir el territorio en litigio o exclusivamente paraguayo entre Argentina y Brasil, no detener la guerra hasta la caída de López. Se firmó un protocolo, también secreto, que establecía: demoler las fortificaciones de Humaitá, desarmar al Paraguay y repartir las armas y elementos de guerra entre los aliados, y repartir los trofeos y botines que se obtuvieran en territorio paraguayo.

El 16 de abril de 1866, en el segundo año de la guerra, Mitre al mando de un ejército de 60.000 hombres cruzó el Paraná por el Paso de la Patria y se dirigió al fuerte de Humaitá.

El 2 de mayo los paraguayos simularon una defensa de Estero Bellaco, seguida de un repliegue estratégico. Mitre ordenó la persecución y ocupó la loma de Tuyutí, donde quedó rodeado por el enemigo. El 24 de mayo los paraguayos lanzaron su ataque: el combate dejó 14.000 muertos paraguayos y 4.000 bajas aliadas.

Ante el curso desfavorable de la guerra, López se decidió a capitular y entrevistó a Mitre en Yataití-Corá el 12 de septiembre, sin llegar a ningún acuerdo. Mitre resolvió entonces el asalto a la fortaleza de Curupaytí para el día 22. Quedaron en el campo de batalla más de diez mil soldados aliados, mientras los paraguayos sufrieron menos de cien bajas.

Hasta noviembre de 1867 hubo un extenso período de inmovilidad en la guerra. El 3 de noviembre Mitre sufrió otra gran derrota en Tuyú- Cué, donde 8.000 paraguayos derrotaron a 50.000 aliados.

Los brasileños instaron a Mitre a volver a Buenos Aires. Sin Mitre, las fuerzas imperiales forzaron el paso de Humaitá, lograron entrar en Asunción y derrotaron a López en Cerro Corá, el 1 de marzo de 1870.

Para Alberdi, la Guerra contra el Paraguay fue una continuación de las guerras civiles argentinas. El autor de la Constitución lanzó duras críticas al Tratado de la Triple Alianza: "Dice el artículo 7 —escribió Alberdi— que la guerra es hecha contra el gobierno actual y no contra el pueblo del Paraguay; pero no es el General Solano López, sino el Paraguay, quien deberá pagar los cien millones de pesos fuertes que los aliados harán sufragar a ese país por los gastos y perjuicios de la guerra. (...) La guerra es hecha en nombre de la civilización, y tiene por mira la redención del Paraguay, según dicen los aliados, pero el artículo 3 del protocolo admite que el Paraguay, por vía de redención sin duda, puede ser saqueado y devastado, a cuyo fin da la regla en que debe ser distribuido el botín, es decir, la propiedad privada pillada al enemigo. Y éste es un tratado que pretende organizar una cruzada de civilización, el que consagra este principio!!".

En un estudio sobre la cobertura de la Guerra de la Triple Alianza por el *Times* de Londres, Juan Carlos Herken Krauer señala que "hubo más de ciento cincuenta artículos, editoriales y reproducciones de documentos entre 1864 y 1870".

En su edición del 3 de septiembre de 1864, a pesar de las "intranquilizantes noticias" acerca de la intervención de tropas brasileñas en el conflicto paraguayo, y de los preparativos del General Mitre, *The Times* mantenía aún su visión de entusiasmo con respecto a la región: "La República del Paraguay —publicó— bajo la influencia de la paz y la administración del presidente López, continúa progresando con una rapidez maravillosa... las industrias de todo tipo están yendo hacia adelante... Estamos en condiciones de asegurar que la situación del país (Argentina) está mejorando rápidamente y que desde un punto de vista político, social e industrial, la República está efectuando considerables avances de progreso... Los ciudadanos ingleses ya no están limitados a la provincia de Buenos Aires, sino que se están estableciendo en Santa Fe y Entre Ríos...".

El 16 de junio, cita Herken Krauer, se publicó el primer despacho de un corresponsal propio "desde el teatro de operaciones en el Río Paraná": "Explicar la rationale de la política sudamericana está más allá de mis propias fuerzas como lo ha estado de todas las personas con las que he conversado durante mis años de residencia en esta parte del mundo.

"Especulaciones y profecías son aquí costumbre como lo son con ustedes en Inglaterra, sino más... Algunos predicen que las fuerzas conjuntas brasileñas y argentinas liquidarán muy pronto a López y los paraguayos, como fue pronosticado en la proclama de Mitre... Por razones que por el momento considero imposibles de ser anotadas —rechazando no obstante todo *status* entre los adivinos sobre los que acabo de escribir— lamento tener que decir que esta guerra no terminará rápida o satisfactoriamente."

A la hora de analizar las perspectivas de Brasil, publicó el *Times*: "El sentimiento en Río es, sin embargo, que este país es tan intrínsecamente rico que una deuda externa tres veces mayor a la presente puede ser soportada sin presiones. (...) Es suficiente decir que los territorios afectados por esta guerra están entre los mejores del mundo y que el éxito del Brasil daría a los mismos paz y prosperidad, y los abriría completamente a las empresas de otras naciones".

Un extenso artículo publicado el 4 de junio de 1867 en *The Times* comenzó a señalar la creciente preocupación británica por el despilfarro financiero: "Desde entonces (invasión aliada al Paraguay) ha transcurrido ya un año y en el mes de abril los aliados estaban en posesión de solamente treinta millas cuadradas de suelo paraguayo, por los que, se dice, el Imperio del Brasil está pagando unas doscientas mil libras por día".

El 30 de abril de 1868 *The Times* volvió a editorializar sobre el asunto: "Las pérdidas del Brasil y sus aliados, tanto en hombres como en dinero, exceden todos los recursos de este vasto pero desorganizado y mas que medio quebrado Imperio... Nosotros no sabemos cuánto más bajo deben caer los fondos del Imperio, cuánto más alto debe subir el precio del oro antes de que el partido de la guerra en Río de Janeiro sea convencido de que ya ha tenido suficiente".

Según la investigación de Herken Krauer, *La Gazette de France*, en su edición del 25 de marzo del mismo año, publicó un extenso artículo que comenzaba en la primera plana acusando directamente a *The Times* de informar de acuerdo a los intereses financieros ingleses.

El 6 de octubre de 1868 *The Times* informó: "Se ha anunciado que la guerra costó a los aliados 66.888.000 libras y 189.840 hombres, siendo la parte brasileña la mayor, con 56 millones de libras y 168.000 hombres. En Montevideo, mientras tanto, la situación permanece tensa debido a las dificultades financieras y a la ruptura entre el gobierno y el Banco Mauá".

Al terminar la guerra, *The Times* publicó: "La guerra ha significado un costo de 35.000 libras esterlinas por día, y cien hombres por día. Ha costado a la Argentina cerca de seis mil libras y doce hombres por día, y a Montevideo cerca de ochocientas libras y dos hombres por día. Brasil, en 56 meses, ha perdido 56.280.000 libras y 168.000 hombres. Argentina, en 52 meses, ha perdido 9.326.000 libras y 18.720 hombres. Montevideo perdió 248.000 libras y 3.120 personas. Las heridas conferidas al Brasil serán difícilmente recuperadas en el presente siglo, mientras que las causadas a Buenos Aires y Montevideo podrían ser recuperadas en el presente siglo, pero el golpe al Paraguay ha sido final y destructivo... Los aliados le han dado libertad pero el país, que alguna vez floreció como el Happy Valley of Rasselas, es ahora un lugar de increíble desolación. Las prospectivas del Río de la Plata son enigmáticas. Bonos en Buenos Aires han declinado sostenidamente, en lugar de haber ido para arriba en un 5 o un 10 por ciento, como podía haberse esperado luego de la terminación de la guerra. En Montevideo los asuntos lucen aún menos promisorios y el papel moneda ha caído hoy en un uno por ciento.

Al mismo tiempo, escuchamos el retumbar de un trueno a la distancia, anunciando una tormenta, porque nuestro comercio se desenvuelve en condiciones insatisfactorias y cargadas con desastrosas predicciones. *The paraguayan war is over. ¿What next?"*

CAPÍTULO NUEVE

EL HOMBRE DE BRONCE

En Paraguay, en el dormitorio principal de una casa sofocada por la selva, en la madrugada del 11 de septiembre de 1888, Sarmiento le pidió a su nieto Julio Belín:

—Poneme allá, en el sillón, que quiero ver amanecer...

Y murió antes de la salida del sol.

Unos días antes le escribió a su amigo Madero: "Soy de bronce, soy un tacho de bronce; pero como ha estado tanto tiempo al fuego, ya está un poco gastado y muy abollado también".

Sarmiento se crió casi en la indigencia, en un hogar sostenido económicamente por su madre, y fue uno de los seis hermanos que sobrevivieron en una familia con quince niños. Su padre, sin oficio ni profesión, fue peón, arriero y soldado en las guerras por la Independencia. Sarmiento intentó calificar para una beca de estudios secundarios en el Colegio de Ciencias Morales, actual Nacional de Buenos Aires, pero no la obtuvo. Tampoco logró seguir estudios superiores. Finalmente, se incorporó como teniente a las fuerzas del General Paz, y recibió su bautismo de fuego en Niquivil, peleando contra los federales de Quiroga. Cuando Facundo se impuso en Cuyo, Sarmiento se exilió en Chile. En Pocura, el 18 de julio de 1832 nació su hija Ana Faustina, fruto de sus amores con una alumna, Jesús del Canto. Faustina llevará el apellido

Sarmiento y luego se unirá en matrimonio con el imprentero francés Julio Belín, dando origen a la familia Belín Sarmiento.

Vuelto a la Argentina creó una Sociedad Literaria en San Juan y en 1839 fundó un periódico de gran trascendencia para la historia oficial y mínima repercusión: según Natalio Botana sólo se editaron seis números de *El Zonda*, en poco más de un mes, dirigidos a no más de cincuenta lectores, ya que contaban con 39 suscripciones. El periódico cerró a los treinta días de su salida.

En 1840, luego de participar de una fracasada conspiración unitaria contra el gobernador Benavídez, volvió al exilio chileno. Dos años después organizó la Escuela Normal para maestros de Chile, en la que asumió como director. Al año siguiente abrió una escuela privada para los hijos de la aristocracia de Santiago.

En 1845 el presidente Montt lo envió a estudiar los sistemas educativos de Europa y Estados Unidos. En Boston trabó relación con los esposos Mann; desde entonces y hasta su muerte mantuvo relaciones personales y epistolares con quien luego fue viuda del pedagogo Horace Mann, María, que tradujo parte de la obra de Sarmiento al inglés. Refiriéndose a ella, a quien llama "mi ángel viejo" escribió desde Boston: "Vive para mí, para ayudarme, para hacerme valer. El corazón le arrastra. Mi biografía le absorbe todo el tiempo que le dejan otros deberes. Será un hecho histórico de grande influencia en la América del Sur que la mujer que ayudó a Horacio Mann en su grande obra en el Norte, preste colaboración simpática a sus continuadores en el sur de América".

En 1848, de vuelta en Chile, Sarmiento se casó con Benita Augusta Martínez Pastoriza, viuda de Domingo Castro y Calvo. Adoptó y le dio su apellido al hijo de su esposa, Domingo Fidel (Dominguito). Según Farina Núñez, Botana y otros, la tradición oral le atribuye a Sarmiento la paternidad de Dominguito, de tres años en la fecha de su casamiento. Para Núñez esa paternidad está delatada por "la voz de la sangre" y confirmada por la "confesión literaria". En efecto, Sarmiento repite en sus trabajos "mi madre y Dominguito", y en una carta a Mansilla citada por Silvia Drei en su ensayo *Las Mujeres de Sarmiento*, llegó a jurar por ambos.

Sarmiento fue iniciado en la Masonería el 31 de julio de 1854, a los 43 años, en la Logia Fraternal de Valparaíso de Chile. Jorge Perrone en su libro *Sarmiento y la Masonería* asegura que también fue, en Buenos Aires, uno de los fundadores de la Augusta y Respetable Logia Unión del Plata Número 1, y se convirtió en su primer orador o representante de la ley masónica. El 18 de abril de 1882 se aplicó a la Logia Obediencia de la Ley Número 13. Ese mismo año asumió como Gran Maestre o Presidente de la Gran Logia Argentina de Libres y Aceptados Masones para el período 1882-1885, pero renunció en 1883.

En ese puesto se convirtió en la máxima autoridad del simbolismo masónico que trabajó en los tres grados de la Logia: aprendiz, compañero y maestro. En el filosofismo masónico —considerado desde el cuarto grado en adelante— Sarmiento recibió el grado 33, el máximo escalafón del rito escocés antiguo. Fue aceptado el 18 de julio de 1860, y el más alto cargo le fue entregado por el Consejo Grado 33 para la República Argentina. También distinguieron a los ex presidentes Justo José de Urquiza, Bartolomé Mitre y al General Juan Andrés Gelly y Obes. Tres días después le tocó el turno al presidente Santiago Derqui.

Cuando el presidente Mitre envió a Sarmiento a Estados Unidos en misión diplomática, viajó a la vez como representante de la Gran Logia y el Supremo Consejo Grado 33 de la Argentina. En ese carácter se contactó con el presidente de la Unión, Andrew Johnson, que le regaló un distintivo masónico.

La Masonería paraguaya le rindió honores a su muerte en Asunción y, después del traslado de sus restos a la Argentina, el ex Gran Maestre Agustín Pedro Justo, padre del futuro presidente argentino, le rindió honores en nombre de la Masonería local.

A fines de 1850 publicó *Recuerdos de Provincia*. En 1851, apenas conocido el pronunciamiento de Urquiza, Sarmiento volvió a la Argentina junto a Mitre y Paunero. Urquiza le ofreció a un desilusionado Sarmiento el cargo de "boletinero del Ejército Grande".

Su mujer y sus hijos quedaron en Yungay, Chile, y Sarmiento comenzó una relación apasionada y clandestina con Aurelia Vélez, hija de Dalmacio Vélez Sarsfield, autor del Código Civil.

Cuando Mitre "venció" a Urquiza en Pavón, Sarmiento partió con el ejército unitario hacia San Juan, donde la Legislatura lo eligió gobernador. Desde allí le escribió a su amante Aurelia, pero la carta fue interceptada por su hijo Dominguito y su esposa.

"Mi vida futura está basada exclusivamente sobre tu solemne promesa de amarme y pertenecerme a despecho de todo, y yo te agrego, a pesar de mi ausencia, aunque se prolongue; a pesar de la falta de cartas cuando no las recibas. Esos años que invocas velan por ti y te reclaman como la única esperanza y alegría en un piélago de dolores secretos que tú no conoces, y de estragos causados por nuestro amor mismo", le decía Sarmiento a Aurelia.

Aquella carta en manos de Benita —"la prenda tomada", señala Silvia Drei— determinó el inmediato viaje del hijo a la gobernación de San Juan. Dominguito llegó con un mensaje conciliador: Benita Pastoriza estaba dispuesta a perdonar a Sarmiento y comenzar de nuevo.

—Desde hoy soy viejo —le dijo, llorando, Sarmiento a su hijo.

—No llore... un viejo como usted... —lo consoló el mediador.

Dominguito volvió a Buenos Aires con la noticia de que la separación era inevitable. Dominguito murió un tiempo después, combatiendo en la Guerra contra el Paraguay.

Sarmiento se embarcó a Nueva York como ministro plenipotenciario. Tenía 55 años. En Chicago conoció a Ida Wickershamm, una maestra de 25 años de la que se enamoró. Enrique Anderson Imbert, autor de *Una aventura amorosa de Sarmiento en Chicago*, transcribió algunas de las cartas de Ida a Sarmiento: "Quiero ser gitana, rebelarme, tratar de vivir intensamente!! Tú dirás que ésas son palabras, nada más que palabras, pero estoy segura que ninguna mujer podrá ocupar mi lugar! Estudiaré español con un buen profesor como tú y si me regañas porque no aprendo, te daré un beso...". Tiempo más tarde Sarmiento le compró un vestido de seda rojo en París, e Ida le comentó en una carta posterior: "El vestido me quedó justo al cuerpo. ¿Quién sino tú puede haber calculado tan bien mis medidas?". Durante la presidencia, en el auge de la guerra con el Paraguay, Ida le sugirió: "¿Por qué no reúnes suficiente pólvora y terminas con ese López y sus indios, o al Congreso le das un purgante para que puedas volver aquí, a mi lado? Cuando termines la presidencia ¿podrás escribirme cartas más largas, verdad?". Y en otra: "¿No puedes dejar la presidencia para venir a pasear conmigo por el Lago Michigan?".

Estando en los Estados Unidos, y sin tener partido propio o representar a alguno, Sarmiento fue elegido presidente y asumió el 12 de octubre de 1868. El Colegio Electoral le dio 79 votos contra 26 a Urquiza, 22 a Elizalde, 3 a Rawson y 1 a Vélez Sarsfield.

Ricardo Rojas sostuvo que Sarmiento "tuvo una presidencia tempestuosa": la guerra inconclusa con el Paraguay, revoluciones locales, el asesinato de Urquiza, el levantamiento de López Jordán, la epidemia de fiebre amarilla y cólera, etc.

Retirado de la vida política viajó a Paraguay por razones de salud. A los 77 años le pidió a Aurelia que fuera a visitarlo: "Venga al Paraguay y juntemos nuestros desencantos para ver sonriendo pasar la vida". Pero Aurelia no alcanzó a llegar.

HISTORIA DE
DOS PAÍSES

La división argentina no es política, es geográfica.
No son dos partidos; son dos países.

JUAN BAUTISTA ALBERDI
GRANDES Y PEQUEÑOS HOMBRES DEL PLATA

Para Miguel de Unamuno, Sarmiento fue el mejor escritor español del siglo XIX. "En cierta ocasión —escribió Unamuno— me preguntó un sujeto cuál era el escritor español del siglo XIX que prefería yo entre todos, y aunque la pregunta es demasiado española, quiero decir simplista, porque casi nunca es posible contestar a cuestiones de primero y último, le contesté, sin embargo, diciendo: Sarmiento. Y al ver su gesto interrogativo, hube de añadir: Domingo Faustino Sarmiento, un argentino que murió, ya de edad, el 11 de septiembre de 1888. ¿Argentino? —exclamó mi interlocutor— entonces no era español. Y hube de responderle: Más español que ninguno de los españoles, a pesar de lo mucho que habló mal de España. Pero habló mal de España muy bien. Y tuve que informarle de quién era don Domingo Faustino Sarmiento.(...) ¿Y no habla más que de cosas de allá? —me preguntó—. Y le respondí: No habla más que de cosas de allá, no habla más que de las luchas que enardecían los ánimos de aquellos entre quienes vivía; pero habla de tal modo, con tal pasión y tan soberana elocuencia, con tan candente parcialidad, que son libros que pueden leerse en cualquier país y en cualquier época. Es como en la *Divina Comedia*, en que todo el calor y la soberana inspiración viene de que el Dante habla de sus contemporáneos, de sujetos que, a no ser por el inmortal poeta, se habrían anegado en la Historia".

Alberdi fustigó al *Facundo* comenzando por la foto del autor: "El retrato aparece en traje de presidente —escribió— para denotar, sin duda, que la edición es oficial, es decir, costeada con el dinero del Estado en cuenta corriente con la librería de Hachette y Cía. ¿Por qué lleva el nombre de *El Facundo* el volumen que contiene varias obras? Porque el *Facundo* es la mejor de las obras firmadas por Sarmiento. Basta compararla con las otras, para reconocer que la pluma no es la misma. El *Facundo*, en efecto, fue un álbum en el que todos los amigos literarios del autor, emigrados en Chile, dictaron una o varias páginas por vía de conversación". "Es —dice Alberdi— el primer libro de historia que no tiene ni fecha ni datos para los acontecimientos que refiere. (...) ¿Y cómo se explica la revolución de la Independencia argentina? —se pregunta el autor de la Constitución—. Como un movimiento de las ideas europeas, no de los intereses. Movimiento que, según él, sólo fue inteligible para las ciudades argentinas, porque en las ciudades, dice, había libros, ideas, espíritu nacional, juzgados, derechos, leyes, educación... ¿Qué idea tiene de la civlización este autor de *Civilización y Barbarie*? La civilización, para él, está sólo en las ciudades, porque, según él, consiste en el traje, en las maneras, en el tono, en los modales, en los libros...". Sigue Alberdi: "Sarmiento ignora que la suma del poder público con que Rosas gobernó no procedía de la ley ni del plebiscito que la confirmó, sino de la suma del tesoro argentino concentrado en Buenos Aires. No conocía la naturaleza económica del poder. Cree, asimismo, que Quiroga gobernaba por el terror. No. Por el apoyo de Buenos Aires, es decir, del poder real que Buenos Aires retiene con los recursos de la Nación. Cree que Rosas dominaba por el terror y por el caballo. Puerilidades. Dominaba por la riqueza, en que reside el poder". Sin embargo, todo dependía del "tipo de terror" de que se tratase: "El asesinato de Dorrego por Lavalle, para Sarmiento, es un crimen que tiene su explicación y excusa en las necesidades fatales de la historia —escribe Alberdi—. Otro tanto es a sus ojos el asesinato de Quiroga por Rosas: la solución fatal de un conflicto, el desenlace doloroso de una situación difícil que estaba en la naturaleza de las cosas... Para Sarmiento, el terror es un medio de gobierno, no sólo en Quiroga o en Rosas, sino en todo gobierno".

Escribió Sarmiento: "El gaucho malo no es un bandido, no es un salteador... roba, es cierto, pero ésta es su profesión, su tráfico, su ciencia. Roba caballos".

Dijo Sarmiento sobre los indios: "Quisiéramos apartar de toda cuestión social americana a los salvajes por quienes sentimos, sin poderlo remediar, una invencible repugnancia, y para nosotros, ColoColo, Lautaro y Caupolicán, no obstante los ropajes civilizados y nobles de que los revistiera Ercilla, no son más que unos indios asquerosos, a quienes habríamos hecho colgar y colgaríamos ahora, si reaparecieran en una guerra de los araucanos contra Chile, que nada tiene que ver con esa canalla".

Escribió Sarmiento en una carta a Mitre: "Hay que desalojar al criollo como éste desalojara al indio. En cien años del mejor sistema de instrucción no haréis de él un obrero inglés... No debe ahorrarse sangre de gauchos, es lo único que tienen de humano y es preciso abonar con ella la tierra".

Escribió Sarmiento el 1 de abril de 1868: "Con emigrados de California se formará en el Chaco una colonia norteamericana; puede ser el origen de un territorio y un día de un estado yanqui. Si conservan su tipo cuidaré de que conserven también su lengua".

Se cuenta de Sarmiento que un día se enteró de la existencia, en Córdoba, de un pueblito llamado "Frayle muerto". Se sintió avergonzado y ordenó de inmediato que le cambiaran el nombre. Preguntó si no había allí ningún residente inglés o norteamericano: Le dijeron que sí, el Señor Bell. "Entonces pónganle *Bell Ville*", ordenó.

En un brillante ensayo titulado *El complejo de barbarie*, publicado en el número 83 de la revista *Todo es Historia*, Salvador Ferla recorre el sentimiento de inferioridad argentino frente a Europa y los Estados Unidos. Sarmiento y Alberdi forman su referencia constante; el autor de *Las Bases...* escribió: "La Constitución es el instrumento de la felicidad de un país. El pueblo de este país es incapaz de regirse por una Constitución. Por lo tanto, si este país quiere ser feliz debe cambiar de pueblo". Alberdi puntualiza: "No son las leyes lo que precisamos cambiar,son los hombres. Necesitamos cambiar nuestras gentes incapaces de libertad por otras hábiles para ella". Señala Pérez Amuchástegui que San Martín, desde el Norte, mandaba partes anunciando victorias de los gauchos en su guerra de guerrillas, y entonces Posadas, avergonzado, tachaba la palabra "gaucho" y ponía "paisanos campesinos".

"Tampoco San Martín —dice Ferla— estaba exento de esta enfermedad que consideraba peyorativamente todo lo español y americano. El Libertador le escribe al General Francisco Antonio Pinto, presidente de Chile: "Tenía Ud. razón. Yo me equivoqué. Se puede hacer una gran república hablando lengua española. Ud. lo ha logrado en Chile".

Ernesto Palacio, citado por Ferla, observa con agudeza que esas apreciaciones despreciativas sobre el criollo son contemporáneas a las de distinguidos visitantes extranjeros como Darwin, Parish o Campbell que elogian la laboriosidad del criollo. Luis Alberto Murray, en su libro *Pro y contra de Sarmiento*, reproduce una frase del dirigente porteño Carlos Tejedor alrededor de 1870: "No nos dejaremos gobernar por chinos, ni por japoneses ni por turcos. Tampoco por provincianos".

Algunos ejemplos de Ferla ilustran sobre la aplicación práctica del "complejo de barbarie": "En 1890 Rafael Hernández presentó un proyecto patra la instalación de una fábrica de arpilleras. Después presentó un invento para elaborar cemento para caños y pavimentación. En otra oportunidad estructuró un sistema de transmisión telegráfica. El hermano del autor del *Martín Fierro* tenía singulares aptitudes de inventor. Pudo haber sido nuestro Franklin, nuestro Edison. No lo fue porque ni el Estado ni los particulares lo respaldaron y lo condenaron a marchitar la esterilidad de su genio inventor. Para que se cumplieran las sagradas profecías de Sarmiento y Alberdi sobre la incapacidad industrial del criollo! Cuando se habló de construir lo que finalmente sería el Ferrocarril Central Argentino, una asociación de comerciantes rosarinos se ofreció a tomar a su cargo la empresa. Se desestimó la oferta aduciendo que esos comerciantes no tenían solvencia técnica para asegurar la realización de la obra. En realidad, porque no eran más que comerciantes rosarinos. La concesión se le dio a un comisionista inglés que lo único que podía hacer con ella era negociarla, y cuando asi lo hizo pasó a manos de un grupo financiero londinense que para cumplir con la obra debía hacer lo mismo que hubieran hecho los comerciantes rosarinos: contratar técnicos. Las prebendas y franquicias que se le dieron para estimularlos fueron tales que con ellas hasta la comisión directiva de un club de barrio pudo haber tomado a su cargo el negocio ferroviario".

Domingo Faustino Sarmiento, el mejor escritor español del siglo XIX, fue portador y difusor del complejo de barbarie, con el que —sin advertirlo— se negó a sí mismo durante toda su vida. Es curioso que una figura tan soberbia jamás se mirara al espejo: ¿qué era él, después de todo, sino la demostración cabal de un campesino sobreviviendo a su educación? Sarmiento era Facundo: hijo del interior, un padre peón y una madre consagrada al telar para pagar las deudas, un portazo en la cara del Colegio Nacional, el sueño de una beca que nunca llegó, un "montonero intelectual", como alguna vez lo definieron sus adversarios políticos. La historia oficial lo exonera de todo, basándose en su cotidiano ejercicio de la pasión. Argentina le permite equivocarse, pero hacer. Cuando se equivoca, Sarmiento es cruel de una crueldad animal; la misma que debe haber visto, alguna vez, en los ojos de los civilizados que pasaron por San Juan. Los que le decían que su mejor porvenir era alistarse en el ejército y ser carne de cañón. Una broma del destino lo llevó a morir en Paraguay, país que despreciaba y al que sometió a la guerra más injusta del siglo XIX. Pero en Paraguay hacía calor. Como en San Juan, donde nació. Como en la campaña, de la que abominaba. Murió mirándose al espejo, sin saber qué era aquella lejana mancha de bronce.

BELGRANO, UN PAÍS

El primer censo de la República Argentina data de 1869: el país tenía 1.877.490 habitantes, distribuidos de la siguiente manera:

PROVINCIA	HABITANTES
Buenos Aires	495.107
Santa Fe	89.117
Entre Ríos	134.271
Corrientes	129.023
Córdoba	210.508
San Luis	53.294
Santiago	132.898
Mendoza	65.413
San Juan	60.319
La Rioja	48.746
Catamarca	79.962
Tucumán	108.953
Salta	88.933
Jujuy	49.379
Chaco	45.291
Misiones	3.000

PROVINCIA	HABITANTES
La Pampa	21.000
Patagonia	24.000
Ejército en Paraguay	6.276
Argentinos en el extranjero	41.000
Total	1.877.490

La población de Buenos Aires era poco más de un cuarto que la población del resto del país; su influencia, en cambio era definitoria. En 1874 Bartolomé Mitre y Adolfo Alsina se disputaban la presidencia, pero ambos eran objeto de diversas resistencias por parte del resto del país. Nicolás Avellaneda, ministro de Justicia, Culto e Instrucción Pública de Sarmiento, atendiendo a ese estado de tensión, había fundado el Partido Nacional con los grupos provinciales contrarios al predominio porteño, a los que luego se sumaron los federales que habían perdido, asesinado, a su líder Urquiza. Las elecciones parlamentarias mostraron esta tendencia a favor de Avellaneda y decidieron a Alsina a resignar su candidatura y formalizar una alianza con el Partido Nacional. Mariano Acosta, del Partido Autonomista de Alsina, se incorporó a la fórmula de Avellaneda como vicepresidente. El 14 de abril de 1874 se realizaron las elecciones: triunfó Avellaneda y Mitre sólo se impuso en Buenos Aires, Santiago del Estero y San Juan. El General Mitre consideró que los resultados habían sido fraudulentos, y se decidió a reclamar por las armas. La "revolución" (¿el golpe de estado?) mitrista estalló el 24 de septiembre.

Avellaneda logró asumir el cargo el 12 de octubre, y la lucha contra los rebeldes se prolongó hasta diciembre, bajo el mando de los coroneles Julio A. Roca e Inocencio Arias. Sofocada la rebelión mitrista el Consejo de Guerra, a petición de Sarmiento, aconsejó fusilamientos pero Avellaneda decidió perdonar a los vencidos. Mitre aconsejó a su partido la "abstención cívica" hasta que Avellaneda, de acuerdo con Alsina, decidió amnistiar a los cabecillas de la revuelta de 1874. Avellaneda invitó a los mitristas a formar parte de su gabinete, lo que provocó otra escisión en el autonomismo, encabezada por Aristóbulo del Valle y Leandro Nicéforo Alem.

La división porteños *versus* resto del país se siguió acentuando: en 1877 se creó la Liga de Gobernadores, que sería el principal sostén de la candidatura de Roca a la presidencia. Avellaneda era acusado por la oposición de distribuir armas en las provincias y haber enviado al ejército a aquellas donde no tenía la seguridad de triunfar. Roca también cosechó adhesiones en Buenos Aires, como Carlos Pellegrini y Dardo Rocha (del autonomismo alsinista) y de importantes terratenientes como Diego de Alvear o Antonino Cambaceres. Las tierras ganadas durante la conquista al desierto —tema que se desarrollará enseguida— fueron objeto de todo tipo de manipulación: Avellaneda y Roca garantizaron su reparto a los veteranos de la campaña y excluyeron a muchos ganaderos mitristas de Buenos Aires. A finales de agosto de 1879 mercenarios pagados por Carlos Tejedor, el mitrista gobernador de Buenos Aires, intentaron asesinar a Roca, sin éxito. Tejedor, a la vez, echó más leña al fuego y comenzó a equipar con nuevos armamentos a la milicia provincial. El presidente Avellaneda respondió movilizando al ejército el 1 de diciembre de 1879. Tejedor reunió una numerosa fuerza parapolicial en el Tiro Nacional. Las elecciones legislativas (que se realizaban poco antes de las presidenciales) marcaron el 1 de febrero de 1880 que Tejedor ganaba Buenos Aires y Corrientes, pero el resto del país apoyaba a Roca. El 1 de mayo, en su discurso a la Legislatura, Tejedor anunció que estaba dispuesto a desconocer el resultado de las urnas. Los diputados bonaerenses aprobaron una partida de cinco millones de pesos para armar la provincia. Al día siguiente, Avellaneda fue hasta la Chacarita, donde estaban acantonadas las tropas nacionales: allí dirigió un mensaje por el que declaró en rebeldía a Tejedor, dispuso que Belgrano fuera la sede del gobierno nacional y anunció que no volvería a Buenos Aires hasta que la insurrección armada hubiera sido eliminada. La mitad de la Cámara de Diputados, el Senado en pleno y la Corte Suprema de Justicia siguieron al presidente en su traslado a Belgrano.

Tejedor tomó la Aduana, y Avellaneda le respondió bloqueando el puerto. El gobierno cortó cualquier comunicación telegráfica, ferroviaria o terrestre hacia el puerto. El 12 de junio un escuadrón norteamericano llegó a Buenos Aires e intercambió saludos con la

escuadra argentina, en lo que se interpretó como una inequívoca señal de respaldo al gobierno nacional. El mismo día el Colegio Electoral reunido en Belgrano proclamaba la fórmula presidencial de Roca.
La guerra civil empezó el 17 de junio; el 20 y 21 tuvieron lugar los
sangrientos combates de Puente Alsina y Corrales, y las fuerzas de
Tejedor quedaron encerradas en la Capital, sitiada por las tropas de
Levalle. El día 22 Mitre asumió el mando de las fuerzas rebeldes para
iniciar negociaciones. El mismo día un comité porteño presentó a Osborn,
embajador de los Estados Unidos, "en nombre de la comunidad mercantil
porteña", para que mediara entre las partes. Osborn acordó la rendición de Tejedor, su renuncia al gobierno provincial, la asunción del
vicegobernador José María Moreno y la permanencia de la legislatura bonaerense. Pero la Liga de Gobernadores presionó a Avellaneda,
quien finalmente disolvió la legislatura y designó un interventor federal en reemplazo de Moreno. El proceso concluyó el 20 de septiembre, cuando el Congreso sancionó la Ley de Federalización de la
Ciudad de Buenos Aires.

Nuestros amigos de la Banca

La primera fase de las inversiones británicas en Argentina se extendió desde 1862 a 1875. A mediados del siglo XIX comenzó el auge de la demanda de lana en Europa, y se renegoció el empréstito Baring de 1824.

A partir de la unificación del Estado durante el gobierno de Mitre se otorgaron garantías para la instalación de ferrocarriles y el país se comprometió formalmente a pagar todos los intereses de los compromisos contraidos con el exterior.

Ferns señala que la llegada de Mitre al gobierno constituyó un punto de inflexión en las relaciones entre Argentina y Gran Bretaña. En 1875 los préstamos ingleses representaban la mitad de la inversión de ese origen en la Argentina: sumaron 12.970.000 libras esterlinas, el 56,2 por ciento del total. Ferns analiza que: "una proporción que se acercaba al 80 por ciento de las inversiones hechas por capitalistas británicos, o a través del mercado financiero de Londres dependía, directa o indirectamente, en esta fase primera, de la capacidad y voluntad que tuvieran las autoridades argentinas de recaudar impuestos con una mano y transferir con la otra una proporción apropiada de las rentas públicas a los inversores privados".

Según Mulhall, el propietario del periódico *Buenos Aires Standard*, los intereses británicos en Argentina en 1875 controlaban un capital distribuido de la siguiente forma:

Préstamos gubernamentales en Londres	12.970.100
Compañías de capital compartido	10.219.750
Bancos de Londres y Mercantil	1.600.000
Ferrocarriles	6.609.750
Cía. de Tranvías de Buenos Aires	800.000
Cía. de Telégrafo del Río de la Plata	150.000
Gas Mutual de Buenos Aires	200.000
Fábrica de carne Liebig y Bolicua	560.000
Minas de San Juan	200.000
Inversiones directas	4.000.000
Mil granjas de ovejas irlandesas	2.000.000
Cien granjas de ovejas escocesas	500.000
Cien firmas comerciales	1.500.000

La ley del 5 de septiembre de 1862 fue el colmo del capital de riesgo: garantizó a todos aquellos que invirtieran dinero en la construcción del ferrocarril de Rosario a Córdoba un dividendo del 7 por ciento sobre un capital de 6.400 libras esterlinas por milla.

Además, la ley de Mitre contempló que se suministrara la tierra necesaria para la construcción de las líneas, estaciones, depósitos, etc.; acordó exenciones de impuestos y garantizó el no congelamiento de precios.

Las autoridades tuvieron un criterio similar respecto de la construcción de una línea de ferrocarril a Chascomús, ofreciendo beneficios tales como tierras y exención impositiva.

El mayor endeudamiento del Estado se produjo para cubrir un voluminoso déficit fiscal provocado por los "gastos extraordinarios": la guerra del Paraguay, los levantamientos de López Jordán en Entre Ríos y las rebeliones de 1874 y 1880 en Buenos Aires.

El crecimiento de la deuda llevó a la crisis y posterior ajuste de 1870.

A partir del 1880 los préstamos estuvieron relacionados con fines económicos: la prolongación de los ferrocarriles Central Norte y Andino con un empréstito de 42 millones de pesos oro en 1885.

Las casas prestadoras fueron la eterna Baring, Murrieta y Morgan.

La deuda con Baring contraída por González Rivadavia en 1824 tenía suspendidos sus pagos desde 1829, pero a partir de 1857 fue renegociada y los pagos se hicieron normalmente hasta 1903.

El "restablecimiento del crédito argentino" fue obra del consejero de Mitre Norberto de la Riestra, que había sido educado en Inglaterra y trabajado como empleado de una casa comercial británica que lo envió a Buenos Aires como su representante comercial. Comenzó a asesorar a Mitre siendo éste gobernador de Buenos Aires, y gestionó la renegociación del empréstito con Baring Brothers. De la Riestra consiguió luego que la Legislatura provincial aprobase la concesión para el Ferrocarril del Sur y luego fue designado director residente del Banco de Londres y Río de la Plata.

Volvió a Inglaterra en 1866 y consiguió un empréstito para financiar la guerra del Paraguay. Baring introdujo el empréstito al público británico, que fue de 550.000 libras con un interés del 6 por ciento.

Un nuevo empréstito se presentó en 1868 por 1.950.000 libras esterlinas al 7,25 por ciento; otro préstamo fue aprobado en 1872 por un monto de 1.200.000 libras por parte de Wanklyn and Company.

También varias provincias se endeudaron durante el período que va de1868 a 1874, en la presidencia de Sarmiento: Buenos Aires tomó un crédito de un millón de libras al 6 por ciento de interés en 1870, y otro de dos millones en 1873, el primero librado por Murrieta y el segundo por Baring. Entre Ríos se endeudó con Murrieta en 1872 por 200.000 libras, al 7 por ciento de interés.

Después del vaciamiento del Banco de Descuentos y el cierre del Banco Nacional en 1836 los servicios bancarios dejaron de existir en Argentina, a excepción de los ofrecidos en forma privada por las casas mercantiles que, luego de la protección ofrecida por la ley británica en 1862 regulando las compañías por acciones, decidieron convertirse en bancos.

El Banco de Londres y Río de la Plata fue uno de los mas importantes de la época, presidido por G. W. Drabble, también miembro del directorio de varias compañías de ferrocarril y pionero en el negocio de carne congelada. Su director, como ya se dijo, fue Norberto de la Riestra, ex ministro de Hacienda de Buenos Aires y accionista. Fue fundado en 1862, y en 1865 sus dividendos alcanzaron un 15 por ciento; abrió sucursales en Montevideo, Rosario y Córdoba. Los accionistas originales del Banco de Londres, a excepción del importador-exportador John Rivolta, fueron todos hombres de Londres.

Ferns señala que la crisis económica de 1870 generó tensiones políticas entre la comunidad argentina y la extranjera. Desde 1874 hasta 1881 las empresas ferroviarias y los bancos ingleses sufrieron ataques en la prensa y el Congreso. Había un fuerte resentimiento por la falta de competencia extranjera con las empresas del país, por los altos precios de los ferrocarriles y porque el gobierno pagaba garantías a servicios deficientes.

En 1876 el gobierno de Santa Fe suspendió algunos de los derechos de la sucursal Rosario del Banco de Londres y por último, al cerrar esa sucursal, encarceló al gerente.

En 1863 una compañía inglesa propuso suministrar un sistema de abastecimiento de agua a Buenos Aires a un costo de cien mil libras, pero la Municipalidad no aprobó el proyecto. En enero de 1868 el estallido del cólera apuró la necesidad de abastecer a la ciudad de agua potable, y se contrataron ingenieros y equipo británicos que llegaron en septiembre de 1869. El mercado financiero de Londres proveyó un préstamo para financiarlo.

Mulhall, en su libro de 1878, escribió lo siguiente sobre las inversiones en gas: "Las obras de gas de Buenos Aires, establecidas por Mr. Bragg en 1853, fueron las primeras de esta clase en el Río de la Plata... Su capital actual de 140.000 libras da altos dividendos. Una segunda compañía de gas se habilitó en 1869, con Mr. Woodgate como gerente... y una tercera construida por Ch. Smith para George Bowers & Co. de Londres en 1873. Esta última se llama ahora la Mutual Consumers Co. y tiene las instalaciones más grandes de Sudamérica... Mr. Bowers es el mismo que erigió las obras de gas de Río Grande, Porto Alegre y otras ciudades del Brasil".

En el caso de las empresas de ferrocarriles, el poder financiero de éstas era comparable con la capacidad económica total del Estado.

Raúl Scalabrini Ortiz realizó esta comparación en el prólogo de su clásica *Historia de los Ferrocarriles Argentinos*:

AÑO 1890
Entradas brutas de los FF.CC. en pesos 26.049.042
Rentas Generales de la Nación 29.143.767

AÑO 1920
Entradas de Ferrocarriles 218.485.374
Rentas de la Nación 228.402.483

AÑO 1925
Entradas de Ferrocarriles 250.680.363
Rentas de la Nación 291.510.498

"La experiencia demuestra que no es posible dejar a los ferrocarriles sin ningún contralor. La falta de contralor es fértil en abusos de toda especie y sirve de estímulo a astucias y fraudes sin piedad y sin escrúpulos en su administración"—dijo Teodoro Roosevelt, presidente de los Estados Unidos, en 1905.

Scalabrini analiza el mapa global de los trenes: "La República Argentina tiene casi cuatro mil kilómetros de costa fluvial y marítima pero, por imperio de la conveniencia ferroviaria, la República, desde el punto de vista del comercio internacional, era un país mediterráneo. Los posibles puertos habían sido soslayados por las vías férreas y la materia exportable había de ser embarcada en los diques de Buenos Aires. La Nación gastó más de 30 millones en construir un puerto de aguas profundas en Mar del Plata, pero ese puerto quedó aislado porque jamás las empresas le dieron acceso ferroviario. Los cereales y las carnes que se producen en esa próspera zona han de recorrer 450 kilómetros para ser embarcados en Buenos Aires. La voluntad del Ferrocarril Sur pudo más que la voluntad de la Nación".

Scalabrini relata la historia del Ferrocarril Oeste: "El primer ferrocarril argentino nace oficialmente el 12 de enero de 1854, fecha de la ley provincial que acuerda a un grupo de ciudadanos porteños concesión para construir una línea ferroviaria desde la ciudad de Buenos Aires al Oeste, indefinidamente.

Casi todos los integrantes de la "Sociedad del Camino-Ferrocarril al Oeste" eran comerciantes de la ciudad: Felipe Llavallol, Francisco Balbín, B. Larroudé, Mariano Miró, Daniel Gowland, Manuel J. de Guerrico, Norberto de la Riestra, Adolfo van Praet, Esteban Ramos y Vicente Basavilbaso...

Durante los 27 años en que perteneció al gobierno de la provincia de Buenos Aires, el Ferrocarril Oeste fue la línea más lujosa, la menos dispendiosa en sus erogaciones burocrático administrativas, la que ofrecía al productor fletes y pasajes más económicos... La primera estación se estableció en el Parque, donde hoy se levanta el Teatro Colón. Para evitar expropiaciones, las vías tomaban la calle Lavalle y seguían por Callao, Corrientes, Centroamérica hasta empalmar en la actual plaza del Once con el trazado que se mantiene hoy, rumbo a Flores".

En 1860 el Ferrocarril Oeste medía 39 kilómetros de longitud: en ese momento los comerciantes ingleses empezaron a invadir las antesalas oficiales. Luego de otorgarle una serie de créditos para su funcionamiento, el gobierno decidió tomar la línea a su cargo, y lo hizo en 1862, tomando a la vez la decisión de prolongarla hasta Mercedes.

El ferrocarril no era sólo un negocio en sí; además de reactivar el circuito económico, valorizaba las tierras circundantes.

Thomas Hutchinson, cónsul británico en Rosario, publicó en Londres en 1865 *Buenos Aires and Argentine Gleanings*: "El señor Alcorta —escribió— compró a pequeña distancia de la estación Moreno una fracción de tierra de dos leguas y media que pagó de cinco a seis libras por cuadra. Después que la estación fue erigida en su propiedad dividió la tierra en lotes, realizándola de 275 a 315 libras por cuadra. (...) En Morón, un molinero progresista, M. de la Roche compró, en 1855, treinta cuadras de tierra por 16.000 pesos papel. Donó a la Compañía del Oeste tres cuadras para el edificio de la estación y toda la zona ocupada por la vía, para que la línea pasara por su campo. Después de la inauguración dividió la superficie en lotes y vendió en facilidades. Muchas cuadras fueron liquidadas a 100.000 pesos y algunos lotes a 2.000 pesos por yarda".

En noviembre de 1864, dos años después de haberlo adquirido, el gobierno trataba de deshacerse del Ferrocarril Oeste.

La empresa tenía un activo de 21.707.983 pesos, y la ofreció en venta a 2.500.000, garantizando la provincia al comprador una ganancia mínima del 7 por ciento durante veinte años.

El capital inglés —escribe Scalabrini— no se deja atraer: comprar el Oeste exige una inversión mínima de medio millón de libras que no están dispuestos a poner.

En 1867 la empresa empezó a generar ganancias: ese año dejó una ganancia neta de 5.823.230 pesos, y al año siguiente 5.351.425.

Las ganancias entre 1880 y 1883 promediaron los veinte millones de pesos papel por año, con un rendimiento entre 7,93 por ciento y 9,32 por ciento.

Un estudio de 1884 respecto del costo por kilómetro del Ferrocarril Oeste resultó notoriamente más bajo que el de los ferrocarriles ingleses. El costo del Oeste resultaba de 19.823 pesos oro sellado por kilómetro, el del Sud a 25.940, el del Central Argentino a 28.000 y el de Buenos Aires y Rosario a 30.489.

El presidente Juárez Celman asumió el poder en octubre de 1886. Tres meses después vendió a una compañía inglesa la vía troncal del Ferrocarril Andino que iba desde Villa María, en Córdoba, a San Luis, Mendoza y San Juan.

"Al dar cuenta de esta enajenación —escribe Scalabrini— en su mensaje a las Cámaras de mayo de 1887, para justificar su actitud precipitada, sienta la tesis de que el Estado debe desprenderse de todos sus ferrocarriles y entregarlos a la explotación del capital privado. (...) En 1887 el Ferrocarril Oeste es ya un condenado a muerte... El abultamiento innecesario de gastos, en gran parte debido al aumento desproporcionado de personal, el crecimiento de los capitales invertidos en construcción no imprescindible, la merma consiguiente de los rendimientos y el encarecimiento de las tarifas configuran un decidido propósito de sabotaje: el ferrocarril Oeste iba a ser rápidamente desacreditado ante la opinión pública. Las tarifas son aumentadas en un 25 por ciento y aún son más bajas que las de los ferrocarriles ingleses".

En 1889 el Gobernador de Buenos Aires, Máximo Paz, envió un mensaje a la Legislatura en el que propuso la venta del ferrocarril Oeste en subasta pública, fijando un precio mínimo de 34 millones de pesos. Finalmente se cerró trato con H. G. Anderson de la Western Railway, en la suma de 41 millones. Quien recibió el ferrocarril en nombre de la empresa inglesa fue el ingeniero Santiago Brian, durante muchísimos años gerente del Ferrocarril Oeste.

CAPÍTULO DIEZ

GENTE DE LA TIERRA

En el siglo XVI el ejército inca de Tupac fijó su límite sur en el río Maule, del país de Chili (en quichua, "tierra del frío"). El Maule nace en la laguna del mismo nombre y tiene 240 kilómetros de longitud hasta su desembocadura en el Pacífico. Está ubicado en la actual Región VII de Chile, en el centro-sur del país. Hasta allí llegaba el Tahuantisuyo incaico; desde el río Maule hasta el fin del mundo la Tierra era de los mapuches ("mapu" significa tierra y "che", gentes) a quienes los conquistadores españoles rebautizaron "araucanos". Los mapuches y los pehuenches ("pehuen" significa pino) fueron corriéndose de aquella frontera sur entre los siglos XVII y XVIII, y volvieron a movilizarse durante la guerra por la independencia en Chile. Eran cazadores, pastores y agricultores que habitaban en los montes del sur de las provincias de Córdoba y San Luis hasta el centro-sur de La Pampa y Buenos Aires. Habían encontrado el secreto para extraer agua del medio de la llanura: cavaban un pozo en los médanos, al que llamaban jagüel, del que fluía agua dulce. Las familias mapuches eran numerosas: padre, madre, hermanos y hermanas, abuelos y nietos. Pagaban una dote a la familia de la mujer que tomaban por esposa, y se les permitía la poligamia. Creían en la existencia de "nguenechén", creador del cielo y de la tierra, señor de la fecundidad y de las cosas buenas. Oraban y pedían a nguenechén durante el nguillatún, su fiesta religiosa mas antigua.

Al igual que los pampas, sus malones tomaban prisioneros, en general mujeres y niños, que eran usados como sirvientes o canjeados luego por otros bienes.

Cuando una federación de tribus lanzó varios ataques de envergadura, Adolfo Alsina, ministro de Guerra de Avellaneda, respondió con una ofensiva en 1876 que, aunque exitosa, fue vista en el Ejército como parcial. Alsina había defendido hasta entonces posiciones defensivas frente a los indios, y volvió a hacer lo mismo a la hora de consolidar su última expedición: levantó fortines intercomunicados por telégrafo y excavó una zanja de 374 kilómetros para evitar el arreo del ganado robado, que comenzaba en Fuerte Argentina (Bahía Blanca) y llegaba hasta Ita-Ló, en la provincia de Córdoba, pasando por las comandancias de Carhué, Guaminí y Trenque Lauquen. La zanja de Alsina tenía tres metros de ancho por dos de profundidad.

El coronel Álvaro Barros, en *La Guerra contra los Indios*, publicado en 1875, expresó la posición más dura de los uniformados: "¿Cuál es el fin que se trata de alcanzar con el sistema defensivo de nuestras fronteras interiores? —se preguntaba Barros—. Impedir, no la entrada de los indios a nuestras poblaciones (lo que hoy como antes se reconoce imposible) sino su salida con el botín que hubiesen hecho, después de causar todo género de estragos. Hace doscientos años que venimos persiguiendo el mismo fin (...) La guerra defensiva sólo es aceptable para resistir a fuerzas superiores (...) Rosas tuvo como propósito hacer la paz general con los indios. Las ventajas fácilmente alcanzadas en la guerra demuestran que si se hubiera buscado el fin resolutivo (el sometimiento y la dispersión de los indios) se habría llegado a él sin grandes sacrificios".

"Poblar el desierto existiendo en él los indios —asegura el coronel Barros— que pueden invadir a la población cuando se les cuadre, es lo mismo que poblar un terreno que puede ser inundado por las aguas del mar el día que suba la marea. (...) La guerra ofensiva no se habrá hecho a los indios mientras que no hayan penetrado nuestra tropas en el centro capital de aquellos, persiguiéndoles hasta obligarles a combatir en defensa de sus familias y de sus elementos de subsistencia (...) Reducir a 2.400 leguas la superficie de 14.000 poseída hoy por los indios sería el efecto inmediato del cambio de sistema, pasando de la defensiva a la ofensiva."

Cuando Alsina avanzó sobre la línea fronteriza sur de Buenos Aires, ésta se extendía unas 130 leguas desde el sur de Santa Fe hasta Nueva Roma, en las cercanías de Bahía Blanca. Su plan consistió en ir ganando zonas por medio de líneas sucesivas, radicando en esas zonas núcleos de población estable. En 1876 una de las divisiones, al mando del Coronel Freyre, fundó Santa María de Guaminí, donde luego sería creado el partido de Carlos Pellegrini. Aún no se había firmado un acuerdo limítrofe definitivo con Chile, y los rumores de que los chilenos infiltraban oficiales de su ejército como "lenguaraces" de las tribus indígenas, y que los preparaban para combatir en el caso de una invasión, comenzaron a difundirse en Buenos Aires. En 1878 Chile solicitó a la Argentina "que se sometiera al arbitraje la Patagonia, el Estrecho de Magallanes y Tierra del Fuego"; el lema "por la razón o por la fuerza", inscrito en el escudo nacional chileno, daba cierta verosimilitud a los rumores circulantes. El presidente Avellaneda rechazó la proposición y ratificó que la Cordillera era el límite natural y acordado entre ambos países. Pero en la política interna el reclamo chileno tuvo un efecto devastador: fue la gota que rebalsó el vaso del Ejército para exterminar al indio.

A la inquietud militar se sumó una nueva quimera del oro; en 1878 Francisco P. Moreno escribió una frase que despertó la fiebre: "El territorio del río Limay, que conozco, formará algún día la provincia más rica de la República Argentina".

En verdad, el Ejército ya había tenido su plan "ofensivo" con Ortiz de Rosas, que firmó la paz con los indios después de atacarlos en la ofensiva de 1833, cuando cerca de tres mil soldados avanzaron desde Cuyo y Buenos Aires bajo las órdenes de Ortiz de Rosas, Aldao y Ruiz Huidobro. La división comandada por Ortiz de Rosas, que contaba entre sus filas con los caciques Catriel y Cachul (techuelches) y Cañuquir, Rondeau, Mellín y Cayupan (voroganos), fue la única exitosa, y logró la desbandada de casi todas las comunidades de la región. *La Gazeta Mercantil* publicó el balance en su edición del 24 de diciembre de 1833: "Tres mil doscientos indios muertos, mil doscientos individuos de ambos sexos prisioneros, y se rescataron en total unos mil cristianos cautivos". Habían ganado 2.900 leguas cuadradas de tierras en Tierra Adentro, el nombre que los blancos le daban al territorio indígena de la Pampa y el norte de la Patagonia.

Los pehuenches controlaban los pasos cordilleranos de Neuquén, e intermediaban en el comercio de ganado. Al oeste de las Salinas Grandes estaban los voroganos, luego dominados por los mapuches. La Confederación de las Salinas Grandes, que reunía a todas las tribus organizadas de la época estaba manejada por Calfucurá (Piedra Azul), el más grande "toqui" de Argentina. En 1870 el coronel Francisco de Elías, comandante de la Frontera Sur, firmó con Calfucurá un acuerdo de paz que el mismo de Elías violó unos meses más tarde atacando a tres caciques tehuelches. Calfucurá reunió a todos los araucanos, tehuelches y ranqueles y en marzo de 1872 atacó con un impresionante malón Alvear, 25 de Mayo y 9 de julio. El ejército tomó venganza en la batalla de San Carlos, tres días después, ganando la jornada.

Un año más tarde Namuncurá, en un último esfuerzo por defender sus territorios, organizó la "Invasión Grande", y arrasó con las poblaciones del centro de Buenos Aires con una fuerza de 3.500 araucanos y ranqueles.

El plan de Alsina se resumió en la siguiente frase del ministro de Guerra de Avellaneda: "El plan del Poder Ejecutivo es contra el desierto para poblarlo, y no contra los indios para destruirlo". Dos cosas bastaron para que aquellos planes se cayeran como un castillo de naipes: la entrada al país de los fusiles automáticos Remington y el cambio de ministro de Guerra: Julio Argentino Roca quería ser presidente y había encontrado el mejor atajo para lograrlo.

La Cacería
del Zorro

La personalidad de Roca se define y se explica por su condición de militar: así comienza Leopoldo Lugones la biografía de Roca. Muerto Alsina en 1877, el General Roca asumió el Ministerio de Guerra. Sus planes eran distintos: "A mi juicio —había escrito el propio Roca a Alsina— el mejor sistema de concluir con los indios, ya sea extinguiéndolos o arrojándolos al otro lado del Río Negro, es el de la guerra ofensiva, que es el mismo seguido por Rosas, que casi concluyó con ellos (...) Es necesario ir a buscar al indio directamente en su guarida, para someterlo o expulsarlo, oponiendo enseguida, no una zanja abierta en la tierra por la mano del hombre, sino la grande e insuperable barrera del Río Negro, profundo y navegable en toda su extensión, desde el Océano hasta los Andes". Así lo repitió en su mensaje al Congreso el 14 de agosto de 1878.

Aquel año el Coronel Levalle primero y luego el Teniente Coronel Freyre atacaron a Namuncurá en sus toldos provocándole más de doscientos muertos. Al poco tiempo, el cacique Catriel y su par Pincen fueron capturados y confinados en la isla Martín García.

El 11 de octubre de 1878 se creó por ley la Gobernación de los Territorios de la Patagonia, y se designó titular al coronel Álvaro Barros, citado en el capítulo anterior.

Entre abril y mayo de 1879 se realizó la acción relámpago: seis mil soldados en cinco divisiones. En su mensaje a la tropa, Roca les recomendó "esta Cruzada inspirada en el más puro patriotismo, contra la barbarie". En dos meses lograron ocupar la llanura hasta pasar los ríos Negro y Neuquén, recuperar quinientos cautivos y diezmar a las comunidades indígenas. Según la Memoria del Departamento de Marina y de Guerra de 1879, la Campaña tuvo estos resultados: cinco caciques principales prisioneros y uno muerto (Baigorrita); 1.271 indios de lanza prisioneros, 1.313 indios de lanza muertos, 10.513 indios de chusma prisioneros y 1.049 indios reducidos. Se ganaron más de quince mil leguas de tierras, y se crearon luego pueblos y colonias en las márgenes de los ríos Colorado, Negro, Neuquén y Santa Cruz.

A principios de 1881 se inició la etapa final de la campaña, con mil setecientos hombres al mando del Coronel Conrado Villegas. Llegaron al Nahuel Huapi a principios de abril. A fines de 1882 el entonces General Villegas había asesinado a más de mil quinientos indígenas y tomado más de mil setecientos nuevos prisioneros. El 5 de mayo de 1883 el General Villegas informó: "En el territorio comprendido entre los ríos Neuquén, Limay, Cordillera de los Andes y lago Nahuel Huapi no ha quedado un solo indio; todos han sido arrojados a Occidente. Al sur del río Limay quedan los restos de la tribu del cacique Sayhueque huyendo pobre, miserable y sin prestigio". Sayhueque se entregó el 1 de enero de 1885 con más de tres mil hombres.

Los caciques Inacayal y Foyel junto a sus hermanos, mujeres e hijos fueron tomados prisioneros y llevados, en 1886, a vivir al Museo de La Plata. El perito Moreno, fundador de la institución había querido retribuirles su hospitalidad. Cuenta Clemente Onelli que: "Un día, cuando el sol poniente teñía de púrpura el majestuoso propíleo de aquel edificio, sostenido por dos indios, apareció Inacayal allá arriba, en la escalera monumental; se arrancó la ropa, la del invasor de su patria, desnudó su torso dorado como metal corintio, hizo un ademán al sol, otro larguísimo hacia el sur; habló palabras desconocidas y, en el crepúsculo, la sombra agobiada de ese viejo señor de la tierra se desvaneció como la rápida evocación de un mundo. Esa misma noche, Inacayal moría, quizás contento de que el vencedor le hubiese permitido saludar al sol de su patria".

La Cautiva, de Esteban Echeverría; Una excursión a los indios ranqueles,de Lucio V. Mansilla e incluso parte del Martín Fierro han dejado testimonio literario de la pelea contra el indio. Otro de esos textos, tal vez menos conocido, es La guerra al malón, del Comandante Manuel Prado, publicado en 1907. Relata Prado: "Era la primera fuerza militar que veía yo en el servicio de frontera, y confieso que aquello me aterró: la impresión del fortín, grosero montículo de tierra rodeado por un enorme foso, me dio frío. Al aproximarnos vi salir de unos ranchos, que más parecían cuevas de zorro que vivienda humana, a cuatro o cinco milicos desgreñados, vestidos de chiripá todos ellos, con alpargatas unos, con botas de potro los demás, con el pelo largo, las barbas crecidas, la miseria en todo el cuerpo y la bravura en los ojos. El comandante del puesto —el teniente Arturo Turdera— un distinguido oficial y un cumplido caballero, estaba allí, en medio de su tropa, como ella harapiento, como ella destruido y agobiado por aquella vida de hambre, de fatigas y de peligros. Hacía ocho meses que se encontraba destacado y durante ese tiempo no había recibido una libra de carne ni una onza de galleta. El comisario les había pagado dos meses de sueldo, a cuenta de treinta y siete que les debían; pero de qué les valía la plata sin tener dónde gastarla! Las carretas del proveedor hacía la mar de tiempo que debían llegar y no llegaban, las reses vacunas no podían traerse porque era imposible custodiarlas (...) En el campamento la tropa comía yeguas y en los fortines los pocos avestruces que podían bolear los milicos en los mancarrones extenuados y flacos. En el fortín no había en aquel momento con qué dar de comer a un mosquito. Teníamos que conformarnos con lo único disponible: té, pampa y... buena voluntad".

Cuenta el comandante Prado en el capítulo IX de su libro: "Una mañana se tuvo conocimiento de que una gruesa columna de salvajes que había penetrado la frontera sur de Santa Fe se retiraba con bastante arreo en dirección a la comandancia La Madrid, extrema derecha de nuestra línea de fortines. Inmediatamente se arriaron las caballadas; y un par de horas después de llegado el chasqui, portador del anuncio, estaba en marcha el Regimiento 3 de Caballería en busca del malón. (...) Cerca de las cuatro de la tarde regresaron sin haber observado indicio alguno que les llamara la atención. (...) Al entrarse el sol, uno de los vigías creyó distinguir en el confín del horizonte algo así como un ligero celaje que bien podía ser polvareda levantada por algún jinete, o vapor desprendido de cualquier laguna o pantano. El cabo de servicio, experimentado hombre de campo, observó lo que el centinela descubriera, y apenas fijó la vista un momento en el campo exclamó:

—Eso es humo.

"(...) Al cerrar la noche recibimos la orden de trabar las anillas de los sables para que no hicieran ruido, se prohibieron las conversaciones y se nos previno que sería severamente castigado el individuo que se permitiera fumar o encender fósforos. (...) El baile iba a empezar. Una vez listo el regimiento, el mayor Sosa organizó tres partidas, que debían operar independientes, designando un cuarto grupo para el cuidado de las caballadas en marcha. En este grupo, que si no estaba llamado a ser el más glorioso, era el indicado para servir de punto de reunión a los demás, me dejaron a mí. Por lo visto, no era tenido en cuenta para las grandes empresas, y si algo pudo consolarme fue el recuerdo de una célebre frase del sargento Acevedo:

—Por haber disparado en Cepeda, lo ascendieron, y por hacer la pata ancha en Pavón, no le hicieron nada.

"Quién sabe si por quedarme yo en un puesto pasivo y de casi absoluta inutilidad no conseguía el galón de alferez sobre el campo de batalla!

"(...) Empezaba a aclarar. Los centinelas que teníamos encima de los médanos señalaron hacia la derecha una gruesa nube de polvo. ¿Era aquello señal de paso de tropas nuestras o acaso el malón que venía en marcha? De todas maneras, la nube engrosaba y se acercaba rápidamente en dirección adonde estábamos. (...)

"—¿Cuántos eran los indios?

"Se lo pregunté al sargento Duarte pero el muy bruto, rajándome con la mirada, me dijo:

—Sepa, cadete, que esa pregunta se contesta con un hachazo. Si no fuera usted lo que es, no quedaría para preguntar dos veces.

"Y agregó:

—Póngase aquí a mi lado, y mucho ojo.

"Los indios se destacaban ya claramente. Me pareció que teníamos al frente todo un bosque de lanzas: de tal manera veía multiplicadas las relucientes moharras que chispeaban al quebrarse en ellas los rayos del sol. Nos separaría de los indios una distancia no mayor de quinientos metros cuando los vimos hacer alto y desprenderse del grupo a dos jinetes que se adelantaron a descubrir el cañadón en que nos ocultábamos con nuestros caballos. Venían al galope, quizá confiados en que no hallarían novedad, cuando de pronto sujetaron los caballos cual si una mano misteriosa los hubiese transformado en estatuas de mármol. Habían visto la silueta mal ocultada de uno de nuestros soldados, y sospechado la presencia de mucha gente. Entonces se retiraron, revolearon los ponchos avisando a los compañeros y abriéndose campo afuera intentaron rodear los médanos. El sargento Duarte comprendió la maniobra y, resuelto a llevar el ataque con sus veinte individuos, gritó:

—Firmes! Apunten! Fuego!!

"Sonó una descarga, y aún no se había disipado el humo de los disparos que ya estábamos a caballo cargando al enemigo. Los indios eran pocos, por fortuna. Un grupo de cincuenta mocetones con cuatrocientas yeguas de arreo. No esperaron el choque. Dieron media vuelta y, sin ocuparse del robo, huyeron a toda brida atronando el espacio con sus alaridos."

En el capítulo XVII de su libro, Prado reseña la política del General Roca: "En noviembre de 1874 ya había dicho el General Roca: Los fuertes fijos en medio del desierto matan la disciplina, diezman las tropas y sólo protegen un radio muy limitado. En mi opinión, el mejor fuerte y la mejor muralla para guerrear con los indios de la Pampa y someterlos de un golpe, consiste en lanzar destacamentos bien montados que invadan incesantemente las tolderías, sorprendiéndolas cuando menos se esperen. Yo emprendería la guerra sin tregua durante un año, y me comprometería en dos años a ejecutar el plan trazado: emplearía uno en prepararlo y otro en ejecutarlo. Una vez libre el desierto el gobierno economizaría sumas importantes y sólo emplearía cuatro o cinco mil hombres para mantener bajo su dependencia el territorio hasta orillas del Río Negro".

Dice Prado en el capítulo XXV: "Un día el ministro de Obras Públicas, Dr. Civit, encargó al Ingeniero Cipoletti el estudio hidrográfico de un pequeño rincón de la conquista realizada por el General Roca en 1879, y el Señor Cipoletti manifestó que ese pedazo de suelo, capaz de convertirse en una huerta valenciana, era casi tan grande como el territorio

de Francia. Hace treinta años el gobierno gestionaba, mendigando de
puerta en puerta, y sin hallar comprador, la venta de esos campos de
Olavarría, Sauce Corto, Cura Malal, etc., al precio de cuatrocientos pesos la legua. Hoy valen cuatrocientos mil!".

LOS BUENOS
VIEJOS TIEMPOS

La campaña de exterminio de los indios catapultó a Roca a la presidencia argentina. Sin embargo, la "cuestión indígena" era sólo el emergente de una economía en crecimiento y vigoroso proceso de cambio. A la "generación del ochenta" le tocó construir aquel proceso sobre bases sólidas y convenientes para los intereses del país. Ésa fue la oportunidad que perdieron, y nos hicieron perder.

Un breve repaso de la obra de gobierno de Roca, durante sus dos presidencias:

LOS LÍMITES CON CHILE: como se dijo, el gobierno chileno intentó llevar la Patagonia a un arbitraje, enfrentándose a la negativa de Avellaneda. El 15 de noviembre de 1880 el ministro de los Estados Unidos en Chile dirige una carta a su colega acreditado en Buenos Aires, el General Thomas O. Osborne, proponiéndole nuevos elementos en una discusión fronteriza argentino-chilena. La cuestión limítrofe vuelve a abrirse en 1881 y siete meses después se firmó un tratado definitivo.

PROGRESO TECNOLÓGICO: se establece en Buenos Aires el primer servicio telefónico, con sólo veinte abonados. Funcionó en un local de la calle Florida 24, y fue instalado por la Societé Du Pain Telephone de Loch. La primera línea directa entre residencia y residencia fue propiedad del presidente Roca, desde su despacho presidencial a su casa de la calle San Martín 579. Se realizó, también, la primera comunicación a larga distancia: el ministro Bernardo de Irigoyen logró llamar a Chivilcoy. En 1882 se fundó La Plata, como capital de la provincia de Buenos Aires.

INMIGRACIÓN: entre 1880 y 1886 entraron al país 483.524 personas; regresaron 106.653 y el resto quedaron radicadas. Expediciones al Chaco: se repitió en el Norte una ofensiva campaña contra los indios, similar a la desarrollada hacia el Río Negro. En 1883 el coronel Obligado penetró en el Chaco Austral y deshizo las tolderías mocovíes. En mayo del mismo año el coronel Francisco B. Bosch, gobernador de la provincia, se enfrentó con las tribus tobas. A mediados de 1885 comenzaron los primeros trabajos de colonización con inmigrantes.

EDUCACIÓN: el Congreso sancionó la ley 1420 de enseñanza gratuita, laica y obligatoria, antecedida de una fuerte polémica con la Iglesia católica, al igual que la ley que creó el Registro Civil en todo el país. Hasta entonces los casamientos, nacimientos y defunciones eran registrados por el clero.

ECONOMÍA: el país se expandió y creció también su endeudamiento externo. Durante 1883 y 1884 la diferencia entre exportaciones e importaciones se acentuó considerablemente. A fines de 1884 empezaron a notarse graves signos de la crisis que se avecinaba: el Banco de la Provincia de Buenos Aires, en septiembre, suspendió los pagos en metálico. La especulación posterior depreció los billetes de banco hasta la mitad. Los poseedores de billetes de banco corrieron a convertirlos en oro; las reservas metálicas comenzaron a licuarse y el Banco Nacional se encaminó hacia la quiebra. Roca decidió suspender por dos años la convertibilidad a oro, y decretó el curso forzoso de los billetes de banco. La devaluación de la moneda generó desconfianza en los inversores británicos, que se negaron a suscribir un nuevo empréstito de la Capital. Roca designó entonces a Carlos Pellegrini para destrabar los créditos en Europa. Finalmente, Pellegrini llegó a un acuerdo con la banca europea por un préstamo de 8.400.000 libras esterlinas, entregado por un sindicato de banqueros: la Banca de París, la Banca Morgan y la Casa Baring Brothers.

Los acreedores unificaron todos los empréstitos anteriores y el gobierno garantizó la operación con las rentas de la Aduana; se comprometió, además, a no pedir nuevos préstamos si el sindicato de banqueros no lo autorizaba. El acuerdo, resistido en el Congreso, fue aprobado en 1885 por la ley 1737. Fue el primer acuerdo de crédito en el que Argentina avaló la intromisión de bancos extranjeros en su política interior: desde 1885 tres bancos de triste prestigio fueron los encargados de decidir, sobre la base de las cuentas públicas, si el país estaba o no en condiciones de endeudarse más.

MADE IN ENGLAND

Hear mortals hear! The ever sacred cry,
Wich through the air resounds,-'tis liberty!
Behold the broken chain's neath wich we've groaned;
And see equality on high enthroned!

With all a mother's anxious throes, the earth
Gives to a young and glorious nation birth;
With laurel leaves its brow is circled round,
And at its feet a lion bites the ground

CHORUS

Green may the laurels ever be
Wich we have gathered from on high!
Oh let us live but to be free!
Or, crowned with glory, let us die!

TRADUCCIÓN "APROXIMADA" DEL HIMNO NACIONAL ARGENTI-
NO AL INGLÉS, HECHA POR LOS VIAJEROS J. P Y W. P. ROBERTSON,
EN *CARTAS DE SUDAMÉRICA*.

Entre 1880 y 1890 las tasas de rentabilidad de las inversiones inglesas en Argentina estuvieron entre las más altas del mundo: entre el 10 y el 15 por ciento anual.

La importación de productos británicos como hierro, acero, materiales para ferrocarriles, trilladoras, etc., como ya se dijo, creció con mayor rapidez que las exportaciones. El Anuario del Comercio Exterior de 1881 señala que Argentina exportó al Reino Unido por valor de 3,9 millones de pesos oro, e importó por 16 millones. En 1890 las exportaciones fueron de 19,3 millones y las importaciones 57,8 millones de pesos oro. En el comienzo de la década todavía se exportaban cueros, lana y sebo y sobre el final se enviaba maíz, lino y carne de cordero congelada. En el caso de los granos, de una exportación anual promedio de menos de veinte toneladas entre 1875-1879, se pasó a más de 400 toneladas entre 1885 y 1889.

Los nuevos métodos de congelado de la carne modificaron el mercado interno y ayudaron a crear mercados en el exterior. Existían dos métodos distintos: el Carré-Julien, de congelamiento a treinta grados bajo cero y el método Tellier, de enfriado a cero grados. Los frigoríficos británicos instalados en el Río de la Plata se especializaron en la exportación de *frozen beef* o carne congelada. Los norteamericanos, que adquirieron en 1907 la gigantesca planta de La Plata Cold Storage a través de Swift & Company, se caracterizaron por usar el método de enfriado a cero grados, que sólo duraba cuarenta días pero mantenía mejor el sabor de la carne. El gobierno argentino, al igual que en el caso de los ferrocarriles, avaló todo tipo de subsidios y consintió la formación de monopolios: la ley 1308, aprobada en 1883, eliminó por diez años todos los derechos de exportación de carne.

La ley 2234, de 1887, garantizó un subsidio anual a la exportación de carne y ganado. En 1888 se decretó la exención de impuestos sobre los materiales de embalaje que fueran utilizados por los frigoríficos. La ley 2402 fijó una garantía estatal del cinco por ciento sobre el capital que fuera invertido en la industria frigorífica durante diez años.

El primer frigorífico del país, *The River Plate Fresh Meat Company*, fue fundado en Campana en 1882 por el británico George Drabble. En ese mismo año la familia argentina Terrason abrió un frigorífico en San Nicolás, y en 1885 un grupo de ganaderos locales formó una cooperativa llamada La Congeladora Argentina. La Negra Compañía Sansinena de Carnes Congeladas, creada por la conversión de la grasería de Gastón Sansinena en un frigorífico, comenzó a exportar carne congelada en 1885. Las empresas locales, por su débil capitalización, no pudieron resistir la competencia extranjera. En 1891, La Negra pasó a estar bajo la órbita de The River Plate Fresh Meat Company; La Blanca fue adquirida por The National Packing Company, un complejo de Chicago formado por Swift, Armour y Morris, y el Frigorífico Argentino fue comprado por los norteamericanos Sulzberger & Sons en 1913. En 1903 se estableció en Zárate la Smithfield & Argentine Meat Company, y The La Plata Cold Storage se estableció en Berisso en 1904 y fue adquirida por Swift en 1907.

En la década de 1880 las inversiones británicas crecieron a un número mucho mayor que el de las décadas precedentes, pasando de poco más de veinte millones de libras en 1880 a 157 millones de libras en 1890. En 1880 Argentina ocupó el cuarto lugar mundial en inversiones inglesas, pero desde 1890 hasta 1914 se mantuvo en el primer puesto. Donald Easum calcula que hacia el año 1890 el 39 por ciento de las inversiones inglesas correspondía a ferrocarriles, 30 por ciento a deuda externa,14 por ciento a cédulas hipotecarias, 7 por ciento a servicios públicos urbanos, 5 por ciento a bancos y 3 por ciento a compañías inmobiliarias.

Mientras en 1880 el gobierno nacional y algunos gobiernos provinciales administraban el 50 por ciento de los trenes en explotación, en 1890 sólo retenían el 20 por ciento.

La primera compañía de tierras fue la Argentine Central Land Co.; luego se instalaron Las Cabezas Estancia Company en 1876, Espartillar Estancia en 1886, Estancias and Properties, en 1899 y Associated Estancias en 1900. La Forestal Land, Timber and Railways Company obtuvo grandes beneficios con la explotación del quebracho, desde 1906.

Respecto del transporte de carne refrigerada, allí el monopolio británico fue total: la Royal Mail, Pacific Steam, H. W. Nelson, Furness Withy, Houlders, Prince, Mc Iver y Houston controlaron casi todo el transporte de carne congelada.

Las "tiendas por departamentos" (*store departments*) fueron introducidas por los franceses, aunque con el marketing correcto: la primera se llamó "A la ciudad de Londres". Fue fundada en 1872 por J. Brun, con un local en las actuales Corrientes y Carlos Pellegrini. A fines de 1880 los grandes almacenes Bon Marché comenzaron a construir un gigantesco local entre Florida, Viamonte, San Martín y Córdoba.

En 1883 Alfredo Gath y Lorenzo Chaves fundaron su tienda en la misma manzana. En 1912 Gath & Chaves fue comprada por D'Erlanger & Co. y se transformó en The South American Stores, una compañía inglesa.

Harrod's se instaló en Buenos Aires ese mismo año, y ocho años después compró The South American Stores y The Chilean Stores, con locales en Rosario, Bahía Blanca, Córdoba, Paraná, La Plata, Mendoza, Tucumán, Mercedes, Santiago de Chile y Valparaíso.

Como ya se dijo, las firmas británicas que participaron en la colocación de empréstitos del gobierno fueron Baring Brothers (de destacada actuación hasta la crisis de 1890) Murrieta y Morgan (desde 1885). La Baring tenía, desde la época de González Rivadavia, una amplia clientela para esa clase de títulos y aceitados contactos con las esferas oficiales. Murrieta, de menor trayectoria, afianzó excelentes relaciones con Roca, al igual que la Banca Morgan. Mientras que en la década de 1870 los empréstitos financiaron los gastos militares del gobierno central (Guerra con el Paraguay, guerras civiles) a partir de 1880 estuvieron más vinculados a fines de desarrollo económico; por ejemplo la prolongación de los ferrocarriles Central Norte y Andino (que luego serían vendidos a los ingleses) fue financiada por el Estado con un crédito inglés de 42 millones de pesos oro en 1885.

Las inversiones británicas en cédulas hipotecarias fueron importantes a medida que se consolidó la expansión en la frontera con el indio.

La primera firma que intervino con cédulas hipotecarias fue la River Plate Trust Loan & Agency, fundada en 1881 para liquidar los activos del Banco Mercantil.

Miller sostiene que Baring Brothers cometió dos errores fatales: intentó monopolizar las concesiones de Argentina y lanzó al mercado demasiados proyectos de inversión sin asegurarse antes el capital con el que contaba para hacerlo. "Baring sobreextendió sus negocios". Para Ezequiel Gallo y Roberto Cortés Conde la cercanía con el grupo de Juárez Celman y cierto criterio dispendioso en el otorgamiento de empréstitos, explican el comienzo de la crisis de Baring. La administración de Juárez

Celman se benefició con una situación favorable del mercado de capitales, pero también abusó de ella.

A principios de 1889 empezaron los primeros síntomas de la crisis: las perspectivas de una cosecha pobre preocuparon a la Bolsa y el oro comenzó a subir. En febrero el gobierno intentó, sin éxito, prohibir la venta de oro en la Bolsa. En septiembre los inversores huyeron en desbandada. Baring Brothers propuso al gobierno de Juárez Celman consolidar la deuda externa, suspender los préstamos por diez años, suspender la emisión de papel moneda y reducir drásticamente el gasto público. Celman no aceptó. La Unión Cívica, el partido opositor, llevó adelante la voz del descontento popular. El 12 de abril de 1890 renunció el gabinete, y el 16 Juárez Celman incorporó a dos hombres de la Unión Cívica en áreas claves: José Evaristo Uriburu en Hacienda y Roque Sáenz Peña como canciller. Uriburu intentó negociar una política que dejara conformes a los sectores rurales, a los "nuevos ricos" que apoyaban a Celman y a los bancos ingleses. Acordó la renuncia del Presidente del Banco Nacional, el aumento del 15 por ciento en los impuestos aduaneros y la exigencia británica de recaudar el 50 por ciento de los impuestos en oro. Uriburu debió renunciar. El oro subió en un solo día de 118 a 165. Se reanudó la espiral inflacionaria y el gobierno repudió las deudas. Juárez Celman cayó después de la Revolución del Parque del 26 de julio de 1890: Carlos Pellegrini, su sucesor, reabrió la negociación con los bancos europeos. Apenas asumido exhibió como un trofeo su acuerdo externo, firmado por Victorino de La Plaza y el Presidente de la Comisión Internacional de Banqueros, lord Rothschild, en marzo de 1891: la garantía del acuerdo fue que Argentina redujese su circulación monetaria.

El *Buenos Aires Standard* del 5 de junio de 1891 da cuenta del estado de ánimo del público: "Los banqueros y millonarios de Londres no pueden tener idea de los amargos sentimientos engendrados por el infortunado préstamo Moratoribus-Rothschild.

"Aparentemente estaban haciéndole un gran favor a Argentina al impedir la bancarrota financiera de Baring Brothers. Pero todo el negocio se ve desde aquí con una perspectiva muy diferente (...) Las banderas inglesas en la Plaza Victoria fueron desgarradas por argentinos bien trajeados (...) y la reciente corrida para retirar fondos del Banco de Londres fue celebrada y aplaudida en muchos círculos que anteriormente nunca nos habían demostrado ninguna mala voluntad."

Presionado por la opinión pública, Pellegrini decidió imponer un impuesto del dos por ciento a los depósitos en bancos extranjeros, que casi lleva a una nueva guerra contra Inglaterra a partir de una fuerte presión intervencionista de la City de Londres. El canciller Robert Cecil rechazó esa idea en nombre del Foreign Office: "No tenemos la menor intención —dijo— de convertirnos en la Providencia en ninguna de las disputas sudamericanas. Hemos sido presionados, seriamente presionados, para que asumamos el papel de árbitro, de árbitro compulsivo, en las disputas que se registran en la parte occidental de América del Sur (...) Hemos sido también seriamente presionados para que emprendamos el saneamiento de las finanzas argentinas. Sobre ninguno de estos puntos el gobierno de Su Majestad se halla dispuesto, en modo alguno, a asumir las funciones de la Providencia".

En medio de la crisis de Baring, el gobierno argentino no pagó sus obligaciones con recursos propios, sino con los que provenían del empréstito Rothschild.

Pellegrini tomó luego diversas medidas para impresionar a Londres: liquidó el Banco Nacional, despidió mil quinientos empleados de Correos, redujo a la mitad el presupuesto de la Cancillería, redujo el plan de obras públicas, vendió tierras y ferrocarriles garantidos.

El presidente Luis Sáenz Peña continuó la negociación con los bancos acreedores iniciada por Pellegrini. En 1893 se llegó a un nuevo acuerdo con Rothschild en el que se reducían un treinta por ciento los intereses de varios títulos argentinos por cinco años y, durante ese período, el gobierno argentino se comprometió a pagarle a los bancos, cada año, 1.565.000 libras esterlinas.

La escena de Roca en Londres, en un agasajo ofrecido por la Baring Brothers, es una buena síntesis del espíritu dirigente de la época, relatada, en este caso, por Agustín Rivero Astengo, un panegirista de Roca y Juárez Celman: "En Londres el General Roca fue agasajado dignamente. En su honor, Lord Revelstocke, jefe de la Casa Baring Brothers, organizó un banquete en Star and Garter Hotel, de Richmond, amable localidad veraniega, distante poco más de una hora de la capital inglesa, sobre la orilla derecha del Támesis y lugar donde se celebraban las más brillantes fiestas de la season. El viaje a Richmond se hacía en coche, recorriendo los viejos barrios londinenses descriptos por Dickens. Rodearon al

General Roca, en la mesa, Lord y Lady Revelstocke, el marqués de Santurce, el ministro argentino Dominguez, Mr. Henderson, General Fraser, M. de Murrieta, Lucas González, Mr. Drabble, Lady Goldney, Mr. W Parish, H. Woods, Mr. Burrows, W. Abbott, Henry Bell, Victorino de la Plaza, Máximo Terrero, Alejandro Paz, Martín García Merou, Carlos Casado, Enrique Rodríguez Larreta y cien más. La orquesta, dirigida por Mr. Edward Grosse, ejecutó el Himno Nacional Argentino y Lord Revelstocke propuso, acto seguido, dirigir un telegrama al presidente Juárez Celman, cuyo texto fue aceptado por aclamación." "A los acordes del himno de la patria lejana —observó un cronista de *The Times*— los caballeros argentinos y las señoras que los acompañaban empalidecieron y en muchos ojos hubo lágrimas que emocionaron a la demás concurrencia. Aún estando la patria en prosperidad y tranquila, a los hijos de Argentina, futuro gran pueblo, les duele estar lejos de ella." Mr. W Parish, que hizo la demostración, dijo entre otras cosas: "Dios quiera que el actual presidente Dr. Juárez Celman cumpla su misión y siga en el mismo camino de paz e industria y que su gobierno, como depositario de la confianza de todos, continúe prestando su apoyo a las empresas extranjeras y a los capitales que han puesto fe en su administración. Me alegro que nuestro huésped, el General Julio Argentino Roca, haya llegado a nuestro país en momentos felices, cuando ha podido ver a la nación inglesa en su mejor época, festejando el jubileo de nuestra Soberana". Sigue Rivero Astengo: "El General Roca agradeció el homenaje en un discurso en castellano, traducido al inglés a medida que lo pronunciaba: ‹Soy tal vez el primer ex presidente de la América del Sud —empezó diciendo— que haya sido objeto en Londres, este vasto y clásico centro de la libertad, de una demostración semejante por un número tan escogido de caballeros. Qué mejor testimonio puedo presentar en este acto, de la consideración en que están la República Argentina y sus hombres públicos, ante los gremios de las altas finanzas y comercio europeos y los políticos de profesión, que en esta tierra tienen desarrollado singularmente el sentido real de las cosas y adivinan el destino de los pueblos? He abrigado siempre una gran simpatía hacia Inglaterra. La República Argentina, que será algún día una gran nación, no olvidará jamás que el estado de progreso y prosperidad en que se encuentra en estos momentos se debe, en parte, al capital inglés, que no tiene miedo de las distancias y ha afluido allí en cantidades considerables, en forma de ferrocarriles, tranways, colonias, explotación minera y otras varias empresas. Qué diferencia entre esta situación y la de 1824 en que la importante casa Baring prestó al gobierno de Rivadavia —uno de nuestros más ilustres hombres de Estado en los albores de nuestra existencia republicana, cuando todo era peligros e incertidumbre— un millón de libras esterlinas, primer ensayo que hacíamos como nación, y cuya amortización e intereses no pudimos empezar a pagar sino treinta años después! Estoy seguro que si yo no hubiera realizado un gobierno conforme a los fines de la civilización y del progreso, y hecho el debido honor a la palabra argentina en todos sus compromisos —como tengo la más profunda confianza de que así lo harán todos los gobernantes que allí se sucedan— no hubiera encontrado en esta ciudad, a la cual nada escapa de lo que pasa en el resto del mundo, tantos francos apretones de manos como saben dar los ingleses cuando ofrecen sinceramente su amistad›".

CAPÍTULO ONCE

GENTE COMO UNO

Según Michael Mulhall, en 1895 el ingreso por habitante de Argentina igualaba el de Bélgica, Alemania y Holanda, superaba a Austria, España,Italia, Suiza, Suecia y Noruega, y estaba por debajo del de Australia, Estados Unidos y Canadá. "Desde 1880 hasta 1930 la tasa de crecimiento de la Argentina tiene pocos antecedentes en la historia de la economía. En los cincuenta años anteriores a 1914 se produjo en la Argentina uno de los crecimientos más acelerados del mundo en un lapso tan prolongado", escribió.

Agrega León Pomer, en *Argentina: historia de negocios lícitos e ilícitos*, que "el PBI de Australia aumentó entre 1920 y 1929 a una tasa anual del 2,5 por ciento; en el mismo período Argentina creció a un 4,8 por ciento anual". Cuando en 1910 la Argentina celebró el Centenario era el primer exportador mundial de trigo, dejando atrás a Rusia y Estados Unidos, los envíos de maíz al exterior superaban en mucho a los de los países danubianos, fundamentalmente Rumania, que quedó en un segundo puesto. En la exportación de carne Argentina detentaba el primer puersto mundial, sobre Estados Unidos, Canadá y Nueva Zelanda, y tenía el segundo puesto, después de Australia, en lanas y carne congelada.

El desapego de la ley, la impunidad y la falta de escrúpulos de la clase dirigente dieron por tierra estos guarismos. La mayoría de los autores coinciden en encontrar los primeros vestigios de la debacle en el período colonial. Juan Agustín García, uno de los más importantes investigadores de esa época sintetiza el "legado colonial" en "tres o cuatro sentimientos dirigentes":

Una visión espléndida del porvenir.

El desprecio a la ley, nacido a mediados del siglo XVII en las clases acomodadas. "La ley fue la voluntad del patrón —dice—. Y el primer deber, la fidelidad".

El "culto nacional del coraje", utilizado para consolidar el vínculo entre el caudillo y sus seguidores.

"La avaricia, el espíritu de los negocios, la preocupación de la fortuna, pero no la ordinaria y común, que más o menos se observa en todas partes, era una ambición de riqueza que no dejaba entrar otros móviles nobles y civilizados."

Esteban Echeverría lo resumió del siguiente modo: "Se ha proclamado la ley y reinado la desigualdad más espantosa, se ha gritado libertad y ella ha existido para un cierto número, se han dictado leyes, y éstas sólo han protegido al poderoso. Para los pobres no han hecho leyes, ni justicia, ni derechos individuales, sino violencia, sable, persecusiones injustas. Ellos han estado siempre fuera de la ley".

Zeballos, citado por Pomer, afirmó en 1906: "La Nación entera trabaja para dos docenas de familias y sus clientelas que gozan de los favores oficiales sin reservas".

Seis años después, Jules Huret anota que el "poder está concentrado en doscientas familias, pero el país tiene siete millones de habitantes"."Las abejas que viven en tal panal —sigue Zeballos— son excluyentes. Jamás en la Historia, ni aún bajo los Césares férreos de Roma, duraron tanto las dominaciones personales o las de los círculos, cual se perpetúan entre nosotros. ¿La finalidad? Gozar del mayor número de ventajas públicas."

La misma pretensión de nobleza que llevó al conquistador a desdeñar los trabajos manuales fructificó en las familias de mediados del siglo XIX. Señala Pomer que "la madre de Rosas, doña Agustina López de Osornio, dice descender del Duque de Normandía. León Ortiz de Rosas, su marido, no pretende tamaña altura pero presume "de buena sangre".

El historiador Bernardo Frías, salteño y ocupado en demostrar el origen conspicuo de la gente principal, dedicó gruesos volúmenes a su objetivo. Su sucesor, Atilio Cornejo, se empeñó en desmentir que los conquistadores del norte argentino fueran gente de bajo origen. Las familias "bien" se emparentaron entre sí para no comprometer el linaje; Pomer rastreó en Buenos Aires a los parientes de Agustina López de Osornio: eran los García Zúñiga, Anchorena, Arana, Llavallol, Aguirre, Pereyra, Arroyo, Sáenz, Ituarte, Peña, Trápani. Los amigos se llamaban Pueyrredón, Sáenz Valiente, Rábago, Terrero, Necochea, Las Heras, etc.

En Salta fue igual: alguien describió la provincia "como un feudo donde imperaban varias familias aristocráticas dueñas de casi todo el territorio, parientes entre sí, y que se repartían por turno el gobierno local y la representación nacional y provincial, menospreciando a los que no eran de su clase y fortuna".

En Tucumán las familias de la "alta sociedad" se mantuvieron unidas a sus pares de Salta por lazos de parentesco y solidaridad: los Padilla, Colombres, Gallo, Terán y Nougués de Tucumán forman una "gran familia" con los salteños Uriburu, Ibarguren, Cornejo, Figueroa, Zuviría, Usandivaras, Güemes, etc.

El caso de los Avellaneda tucumanos, citado por Pomer, resulta paradigmático: lanzada la candidatura de Nicolás Avellaneda para presidente recibió el apoyo de un comité formado por Tiburcio Padilla e integrado por Frías, Terán, Quinteros, Pose, Colombres, Nougués y otros Padilla. Los hermanos Avellaneda se dividieron las tareas: Nicolás fue Presidente de la Nación, Eudoro permaneció en la provincia atendiendo los negocios familiares, Marco se vinculó en Buenos Aires con los más altos círculos sociales y de negocios, a fines de 1890 presidió la poderosa Cámara del Azúcar, bajo el gobierno de Juárez Celman presidió la Oficina de Bancos Garantidos, luego se asoció con Ernesto Tornquist, con quien resultó envuelto en una serie de escándalos financieros.

En Mendoza, entre 1862 y 1914 el apellido Villanueva gobernó cinco veces la provincia; Civit apareció tres veces en el cargo, y Ortega dos.

En 1886, sobre 26 legisladores, veintiuno pertenecían a una misma familia.

ESTABA
TODO EL MUNDO

En su "saga de los Anchorena", Juan José Sebreli resume: "en el transfondo de la historia argentina, desde la Colonia hasta nuestros días, actúa siempre algún representante de la familia Anchorena, a veces —muy pocas— en papeles preponderantes, mucho más frecuentemente moviendo los hilos entre bastidores o recurriendo a un llamativo intermediario como Rosas, para ocultar su verdadero poder ante el resto de la sociedad.

"Hubo Anchorenas en el Consulado y en el Cabildo durante la Colonia, y después de la Revolución de Mayo, en el Ejército del Norte, en el Congreso de Tucumán, en el Directorio. Hubo Anchorenas con Rosas y, a su caída, con Urquiza. Hubo Anchorenas en el gobierno de Buenos Aires separado de la Confederación. Hubo Anchorenas con Mitre, y después con casi todos los gobiernos, incluyendo los de Yrigoyen y Perón. Hubo también Anchorenas en las dictaduras militares de Onganía y Videla. Hubo Anchorenas en las presidencias de todas las grandes instituciones: Jockey Club, Sociedad Rural, Sociedad de Beneficencia, Teatro Colón; hubo Anchorenas en las comisiones directivas de las principales sociedades anónimas, bancarias y financieras. Miguel Anchorena fue uno de los pocos argentinos que perteneció al Jockey Club de París. Un Anchorena se unió con la familia propietaria del diario *La Prensa* y una Anchorena es accionista de *La Nación*."

Vale la pena detenerse en algunos tramos de la investigación de Sebrelli sobre los Anchorena, tomando a aquella familia como metáfora y síntesis de la "oligarquía" argentina. Dice Sebrelli: "Fabián Gómez y Anchorena, que vivió alrededor de 1880, se había hecho una fama tal de dispendioso que en la puerta de su palacio de Madrid se amontonaban los mendigos acosándolo cada vez que salía. Recurrió entonces a la treta de vestir a un mucamo con su ropa. Las aglomeraciones de mendigos alrededor del mucamo disfrazado de Anchorena eran tan grandes que una mañana apareció su cadáver en la calle, destrozado. Luego Fabián Anchorena llegó a institucionalizar la limosna, instalando una oficina donde cada semana los mendigos iban a cobrar un jornal. Su esplendidez adquiría las características de una destrucción ritual, de potlach, cuando desde su yate tiraba la vajilla de oro al océano. Ser un "fabián" se había convertido en una expresión del argot de las clases altas para designar a sus jóvenes despilfarradores.

"De Aarón Anchorena, por su parte, se decía que al terminar las grandes comidas que daba en los hoteles de Europa hacía destrozar la vajilla por un perro. No menos ostentosos aunque prácticos, los demás Anchorena, cuando viajaban a Europa, llevaban en el barco a los criados, cocineros, niñeras, choferes, como así también gallinas y vacas para tener huevos y leche fresca.

"Clara Cobo de Anchorena, según la tradición oral, llevaba en su coche numerosas cajas con guantes, pues cada vez que usaba un par lo arrojaba a la calle.

"Paquín, de París, decía que sus mejores clientas eran la Reina de Rumania y Clara Cobo de Anchorena."

Los Anchorena también formaron parte de las familias dispuestas a inventarse un pasado: en la casa española del padre del primero de ellos, Domingo Anchorena, ostentaban el escudo de armas ajedrezado de plata y negro, "que luego los descendientes argentinos usarían para probar su origen aristocrático", dice Sebrelli. "Tal escudo era, sin embargo, un signo de nobleza muy relativo ya que el Rey lo había otorgado a todos los habitantes del valle de Batzán, en Navarra, en 1212, por su actuación en la batalla de Navas. Por otra parte —sentencia Sebrelli— tampoco les correspondía a los Anchorena que llegaron a residir en el valle quinientos años después de la acción heroica."

Sobre el punto señaló Rodríguez Molas: "El dinero es el único escudo de nobleza que pueden presentar los habitantes de la ciudad colonial; los mercaderes y los estancieros, españoles o criollos ven en él y en el ganado que lo produce, el fin de sus afanes: la única forma de poder entrar en el ámbito social elevado y en la política de la colonia".

Afirma Halperín Dongui que "pronto la primitiva clase alta fue casi totalmente desplazada, lo que puede probarse si hojeamos una lista de los hombres ricos de la época del Virrey Cevallos, ninguno de cuyos apellidos podría figurar en una lista similar veinte años después".

Sebrelli cuenta que Juan Esteban Anchorena, el primero, hijo de Domingo, el del falso escudo de armas, "comenzó su vida en el Nuevo Mundo desde muy abajo, con una pulpería instalada en 1767, tan modesta que pagaba el mínimo de impuesto o alcabala. (...) Su pulpería se convirtió pronto en una agencia ad hoc de préstamos de dinero a clientes y vecinos en apuros o a comerciantes de menor escala, lo que le permitió a su dueño acrecentar rápidamente el capital". Anchorena, para decirlo de otro modo, era almacenero y prestamista.

Contra lo que pudiera pensarse el "rubro almacén" no estaba mal visto en la época. Escribió Lucio V. Mansilla: "Ser tendero, tener almacén de loza, por ejemplo, no era industria que disminuyera socialmente. Muchas de las familias que ahora figuran con más brillo cuentan entre sus fundadores caballeros de lo más decentes, que manejaban la vara de medir con integridad o que vendían cacerolas. Despachar tras el mostrador, alternar con las señoras, era un comienzo de roce social, era adquirir hábitos de cultura y era una profesión bien vista".

"La supuesta aristocracia —abunda Sebrelli— fue burguesa desde su mismo origen. Tenderos fueron Juan Esteban Anchorena y sus hijos, Ambrosio y Sebastián Lezica, Miguel Riglos, Jose Ortiz Basualdo, Jaime Llavallol, Mariano Lozano, Ladislao Martínez, Benito Gándara, José Julián Arriola, Tomás Gowland, Lucas González, Jorge Lamarca, José Borbón, Ángel Carranza, Victorio García Zúñiga, Simón Pereyra, Clemente Cueto, Uribelarrea, J. M. Escalada, Juan A. Molina, Antonio Almeida, Medina, Terrero, Losada, Frías, Quesada, Belgrano, Rivadavia y tantos otros de quienes descienden las más representativas familias de la elite".

Decía un personaje de Silvina Bullrich: "En nuestros días ocurre un fenómeno curioso: los burgueses descienden de los aristócratas; caminamos al revés, como los cangrejos".

En *Recuerdos*, Mariquita Sánchez habla de los primeros Anchorena: "Este señor Anchorena tenía su caudal en botijas de barro. Las llenaba de pesos fuertes y las tapaba, y las tenía en su cuarto como si fueran de aceite. Él sólo tenía su secreto, él sólo tenía su casa y su comercio. Vivía, en apariencia, sin ninguna ostentación ni comodidad; vivía como vivía cualquiera y aún con menos regalo que otros más pobres. Sus hijos no tenían regalo ni dulzura, les daba la educación de aquel tiempo, llena de severidad. El placer de tener dinero, entonces, era en muchos, para dejarles a sus hijos una buena herencia y mientras, se les enseñaba a guardar".

Tomás de Iriarte dice en sus *Memorias*: "Anchorena no gustaba hacer el menor gasto ni aún en obsequio de sus hermanas".

Señala Sebrelli algunas familias vinculadas familiarmente con los Anchorena: los Ezcurra, Ortiz de Rosas, Sáenz, Gamis, Aguirre López de Anaya, Castex, Obarrio, Lezica, Riglos, Santa Coloma. Y traza también un cuadro de sus socios comerciales: Alsogaray, Trápani, Sáenz Valiente, Álzaga, Escalada, Ramos Mejía, Oliden, los ingleses Robertson y Brittain, Braulio Costa, Haedo, Echavarría, Ocampo, Achával, Martínez de Hoz, etc.

La actuación de la gran mayoría de ellos durante las jornadas de mayo de 1810 fue contrarrevolucionaria: Anchorena era partidario de la continuación del Virrey como presidente de una Junta integrada por dos españoles y dos criollos. "Treinta años más tarde —señala Sebrelli— Tomás de Anchorena seguía reivindicando esa posición y negando que la Revolución de Mayo se propusiera la emancipación."

Le escribió Anchorena a Rosas: "La Revolución de Mayo no se hizo para sublevarnos contra las autoridades legítimamente constituidas sino para suplir la falta de las que, acéfala la Nación, habían caducado de hecho y de derecho. No para rebelarnos contra nuestro soberano, sino para conservarle la posición de su autoridad de que había sido despojado por un acto de perfidia. No para romper los vínculos que nos ligaban a los españoles, sino para fortalecer más por el amor y la gratitud poniéndonos en disposición de auxiliarlos con mejor éxito en su desgracia. No para introducir la anarquía sino para preservarnos de ella".

Diana Hernando Ling es la autora de *Linajes y Política,* un exhaustivo ensayo realizado sobre la base de dieciocho familias de la alta sociedad argentina que resulta, finalmente, un atractivo mapa del poder en el país durante el siglo XIX y parte del XX.

Las familias son:

MARTÍNEZ DE HOZ

CASARES

PELLEGRINI

IRAOLA

GUERRICO

ORTIZ BASUALDO

UNZUÉ

CAMPOS

CANÉ

LAWRIE

CAMBACERES

DÍAZ VÉLEZ

CANO

GRANEL

SÁENZ VALIENTE

PUEYRREDÓN

RAMOS MEJÍA

Las dieciocho familias, señala Hernando Ling, se iniciaron en América con un solo integrante masculino, y en un solo caso con una pareja.

Del cruce de todas las familias surgen una serie de características generacionales comunes, increíblemente coincidentes, en diversos ámbitos.

Con respecto a la ocupación, la secuencia seguida era la siguiente: comerciante, fundador y poblador de estancia, figura pública, hombre de negocios con cargo político y negocio en productos de estancia, terrateniente.

En la primera generación: el inmigrante era, como ya se vio también en el caso de Anchorena, comerciante o tendero. En la segunda generación: poblaron la tierra de estancia de sus padres en su adolescencia. Iniciaron nuevos establecimientos ganaderos, por ejemplo, la crianza de ovejas.

Importaban ovejas de raza de muy alta calidad para cruzarlas con ovejas locales, en respuesta al mercado de lana que creaban las hilanderías inglesas. En la tercera generación: también comerciaban con productos de estancia, pero todas sus actividades eran administradas por terceros. Los establecimientos ganaderos se volvieron más complejos. Aparecieron los barcos refrigerados para el transporte de carnes al mercado europeo. También fueron senadores o diputados, ocuparon puestos en la ciudad de Buenos Aires (intendente, o miembro de la comisión del Puerto o la Aduana). Integraron los directorios de dos instituciones nuevas: los bancos y los ferrocarriles.

Diana Hernando Ling cita como prototípico el caso de Vicente Casares: en la primera generación era un comerciante que compra luego una flota de lanchas en copropiedad con sus hijos. Hacia el final de su vida había adquirido tierras en la provincia de Buenos Aires bajo la firma de dos sociedades: "Sociedad Casares e hijos" y "Sociedad Pastoril", asociándose con un Martínez de Hoz. En esas tierras la segunda generación fundó sus estancias. Vicente L. Casares, tercera generación, fundó La Martona, una fábrica moderna de productos lácteos. Ocupó, además, una serie de cargos públicos. Fue:

Diputado en la Legislatura de Buenos Aires
Presidente del Crédito Público
Fundador del Banco Sudamericano
Presidente del Banco Nacional
Primer Presidente del Banco Nación
Diputado Nacional
Miembro de la Comisión del Ferrocarril a Cañuelas (donde
se encuentra La Martona)
Presidente de la Comisión de Hacienda en el Congreso
Presidente del Partido Autonomista Nacional

Otro Casares, Carlos, fue gobernador de la provincia de Buenos Aires.

Los Sáenz Valiente, por ejemplo, tenían barcos propios que navegaban entre España y Buenos Aires. En la tercera generación apareció el hombre de negocios, estanciero, que no sólo ocupaba cargos públicos (primero en Buenos Aires y luego en la Nación) sino también cargos en instituciones bancarias y de crédito y directorio de ferrocarriles.

En la tercera generación de los Cané, Hernando Ling señala los siguientes cargos: Senador, Juez de Paz en Rojas (donde está su estancia), Vicepresidente de una comisión municipal, Diputado, Director del Banco Nacional.

Siguiendo con el estudio de los dieciocho casos resulta interesante observar que, respecto de los matrimonios, es frecuente en la segunda generación una carácterística: que dos jóvenes de una familia se casaran con dos de otra. Dos Casares se casaron con dos Martínez de Hoz, dos Campos con dos López Camelo, dos Pereyra con dos Iraola, dos Ortiz Basualdo con dos Dorrego.

El número de hijos se modificó notablemente con el avance de las generaciones: en la primera lo normal era tener entre diez y once hijos, en la segunda entre cuatro o cinco, en la tercera entre uno y dos.

La otra característica de la tercera generación es la avidez por la propiedad inmueble urbana. Una lista parcial de las propiedades de la tercera generación de los Pereyra citada por Hernando Ling incluye:

-Una chacra de ciento setenta manzanas que se extendía desde el límite oeste de la ciudad hasta el Riachuelo y desde Barracas al Norte hasta Puente Alsina.
-Una manzana entre Lavalle, Tucumán, Larrea y Paso.
-La vieja quinta del Retiro sobre Esmeralda, donde la tercera generación construyó su gran casa, demolida en 1972.
-La Quinta Valdobinos, media manzana sobre Florida entre Córdoba y Paraguay.
-Un lote sobre Chacabuco entre Venezuela y Belgrano.
-Dos casas sobre Alsina entre Salta y Lima.
-Dos casas sobre Irigoyen entre Piedras y Chacabuco.
-Un corralón en la esquina de Sarmiento y Paraná.
-Un lote en la esquina de Corrientes y Rodríguez Peña.
-Un lote en la esquina de Suipacha y Santa Fe.
-Una casa en Alsina 833.
-Un lote sobre Santa Fe entre Suipacha y Esmeralda.
-Una casa sobre Venezuela 739/745.

En la tercera generación de los Guerrico, José Prudencio, se presentó un buen ejemplo de la diversificación del capital: además de la propiedad urbana (42 casas en la ciudad de Buenos Aires), poseía las siguientes acciones:

250 en La Previsora
976 en la Compañía de Gas del Río de la Plata
140 en el Mercado Central de Frutos
34 en el Banco Francés del Río de la Plata
300 en el Banco de Crédito Real
45 en la Sociedad Minera del Paramillo (Uspallata)
375 en la Sociedad General Paraguaya-Argentina
3 cédulas hipotecarias

Tomando la base de las dieciocho familias estudiadas, ésta es su presencia en la presidencia de la Sociedad Rural:

José Martínez de Hoz, fundador, 1866-1870
Pereyra, 1882-1884
Guerrico, 1892-1893
Pueyrredón, 1896-1897
Ramos Mejía, 1900-1904
Casares, 1904-1906

Catorce de las dieciocho familias estuvieron vinculadas al Jockey Club, o lo presidieron:

Pellegrini: en 1882, 1888, 1890, 1893, de 1895 a 1897 y 1906
Cané: en 1894
Casares: en 1898 y 1901
Martínez de Hoz: de 1916 a 1920 y de 1924 a 1926.
Unzué: en 1921 y 1922.

RICHE COMME UN ARGENTIN

En el número 10 de la revista *Todo es Historia*, Oscar Jensen descubrió un "curioso censo oficial": fue realizado por la Municipalidad de Buenos Aires los días 17 de agosto y 15 y 30 de septiembre de 1887. Había en la ciudad, en esos años, 404.000 habitantes y una expectativa de vida para las mujeres que sobrepasaba la de los hombres; treinta y dos habitantes pasaban los cien años de edad, de las cuales diecinueve eran "nativas".

La población de 1887 vivía en 33.561 casas de las cuales, excluyendo los barrios de Flores y Belgrano, 2.835 eran conventillos que albergaban 116.167 personas, unos cuarenta y un habitantes por casa. Sólo había 36 casas de cuatro pisos y existían aún 1.300 casas con techo de paja.

Con respecto a los oficios, se señalaba que había una mujer grabadora, una litógrafa y una maquinista, seis joyeras, cinco tipógrafas, ocho telegrafistas y una mujer farmacéutica.

Jensen observa como mucho más curioso que existieran cinco flebótomos, esto es cinco hombres que se dedicaban a la cría de sanguijuelas para hacer sangrías.

Era, como ya se dijo y se seguirá viendo más adelante, la época del despilfarro, "una sociedad entera levantada en vilo por el agio y la especulación, celebrando la más escandalosa orgía del lujo que ha visto y verá Buenos Aires", como escribió en su novela *La Bolsa*, Julián Martel.

Era también la época de los préstamos externos y la corrupción, conducta que, al decir de Thomas Mc Gann hizo que "la clase dirigente argentina se ligara a Europa con cadenas de oro".

Pero no todo era en Buenos Aires desvelos por ganar dinero fácil; también había vida social más allá de las exclusivas "tertulias": el teatro, los bailes y las vacaciones.

Los teatros más famosos eran el Colón, Variedades, Politeama, Nacional, de la Victoria, Ópera y Alegría, donde actuaban compañías líricas y dramáticas italianas, francesas o españolas. El ya mencionado censo de 1887 consignó que había 399 artistas teatrales, de los cuales sólo 23 eran argentinos.

Un ensayo de Liliana Isabello de Onís titulado *Distracciones Porteñas en la década de 1880* describe el peligroso estado de los teatros: "Los corredores tenían tabiques de madera, siendo de este material los pisos, escaleras y las armaduras, con excepción del Colón donde eran de hierro. Generalmente los cielorrasos también eran de madera, pero en el Alegría y en el Colón eran de papel; en este último los picos de gas de las cazuelas estaban a cincuenta centímetros de dicho techo. Las escaleras eran estrechas y mal construidas y los pasillos sumamente angostos, los corredores del Nacional no sobrepasaban el metro con veinte centímetros; la mayoría de los teatros no tenían más salida que la entrada principal, y ésta estaba obstaculizada por la presencia de tiendas".

Se bailaba en la Sociedad Catalana Esmeralda Cervantes, el Círculo Español La Marina, Juventud Unida, La Iberia, la Sociedad de los Sastres o el Club Víctor Manuel.

A comienzos de la década de los ochenta había en Buenos Aires veintiséis casas dedicadas al baile, la mayoría en el barrio de San Nicolás o en La Piedad. Sólo podían organizarse bailes los días domingo de ocho a doce de la noche, con la excepción del carnaval, cuando se extendían hasta las tres de la mañana.

Los fines de semana los *tranways* que llegaban hasta los suburbios estaban repletos: "la gente" viajaba en masa al campo, sobre todo a Belgrano, Tigre, Flores y Barracas. Los veraneos más aristocráticos eran los de la zona Norte: San Isidro, San Fernando y el Tigre, donde Sarmiento llegó a tener una casa de fin de semana.

La zona de veraneo más tardía —afirma Jimena Sáenz en *Veraneos de Buenos Aires*— fue la Línea del Sur que dependió del ferrocarril para desarrollarse. Hacia fines de siglo había muchas quintas en Quilmes sobre la barranca del río. En Banfield veraneaba mucha gente y en una zona tangencial a la vía del tren, entre Lomas y Temperley, existía un reducto de chalets y quintas pertenecientes a ingleses generalmente de la compañía del ferrocarril. Estos chalets con su césped a la inglesa, sus flores y sus foxterriers auténticos, importados del Reino Unido, provocaban la envidia de los chicos criollos de los alrededores. Los ingleses tenían sus clubes donde se jugaba al fútbol, al cricket y al tenis.

En 1900 fue inaugurado el Tigre Hotel, de tres pisos y 120 habitaciones, un comedor para 150 comensales, salones de billar, cricket, canchas de tenis y pistas de patinaje. A los pocos años, también incorporó un casino. Al Tigre Hotel iban el General Bartolomé Mitre, Julio A. Roca, Jorge Newbery, Roque Sáenz Peña, las familias Cazón, Yrigoyen, Figueroa Alcorta, Cobo y otras. Al Hotel La Delicia, de Adrogué, iban Carlos Pellegrini, los Martín y Herrera, González del Solar, Padilla y, ya bien entrado el siglo, Jorge Luis Borges.

Pero "lo que todo el mundo hacía" era pasar sus vacaciones en París. El historiador Paulo Cavaleri recuerda que un personaje de Lucio Vicente López, llamado Polidoro Rosales, era una acertada caricatura de los argentinos en París; y hasta tal punto real que López debió aclarar que no se trataba de ningún personaje tomado de la vida real. Don Polidoro sólo hablaba español, tenía un definitivo mal gusto, desconocía las reglas mínimas de urbanidad, llevaba siempre ropa nueva y había fijado de antemano una cifra de ochocientos mil pesos para el viaje, cifra que se proponía gastar aunque no supiera en qué. Don Polidoro era un "rastacuer", que "simulaba el encanto inexplicable que le produjo observar en el Louvre doscientos sarcófagos egipcios".

Los Alvear pasaban en París más que las vacaciones, y la ciudad se convirtió para la familia en una especie de segundo hogar. Carlos Torcuato de Alvear vivía en Champs Elysée 82. Los González Moreno, su familia política, compraron un "hotel particullier" en la Rue Copernic y un castillo con veintiséis habitaciones cerca de Versailles.

Ángel de Alvear vivió y murió en el Hotel Ritz, frente a la Place Vendome; Marcelo T. de Alvear vivió en la Avenue Wagram 119 antes de volver al país para ejercer la presidencia.

La familia de Federico de Alvear se radicó en París entre 1913 y 1916 y entre 1923 y 1926. Su hija, Felisa Alvear de Santa Coloma, recordó en diálogo con Cavaleri que para los argentinos de París "no existía el dinero, no había noción del costo de vida".

Un día de los Alvear en París respetaba la siguiente agenda: la madre se dedicaba a comprar muebles antiguos, las cuatro niñas tomaban clases de dibujo en las Academias Julien y el padre apostaba en las carreras de caballos de Longchamps y Chantilly. El garage familiar albergaba tres autos, y todos sus mucamos tenían casa propia. El personal doméstico estaba uniformado con libreas cuyos botones mostraban las iniciales "F. de A.".

Con los primeros bombardeos alemanes en París, al estallar la Gran Guerra, los argentinos se refugiaron en las playas de Deauville y Biarritz, donde algunos compatriotas tenían su casa de veraneo. Los Alvear llegaron a la playa en compañía de Enrique Larreta, ministro de la embajada argentina. Desanimados por lo extenso de la Primera Guerra Mundial, decidieron volver a casa. Al retornar en 1923 compraron el departamento de un exiliado ruso en la carísima Avenida Foch, y retomaron su bucólica actividad parisina: aguas termales de Vichy, viajes por Italia, clases de dibujo, veladas en el salón literario de Ana Ortiz Basualdo. En 1926 Federico de Alvear recibió una carta de su hermano desde Buenos Aires: "Vení pronto a ver tus cuentas, porque te estás arruinando". Federico volvió acuciado por sus balances y tres meses después sólo conservaba su residencia de Billinghurst y Libertador, donde hoy se encuentra la embajada de Italia.

Los giros millonarios y urgentes al Banco Español de París, el banco de los argentinos, eran habituales: en 1922 Enrique Anchorena debió vender cincuenta mil hectáreas en Lobería para continuar sin sobresaltos su vida parisina. Cavaleri señala que "La desconexión con el país real fue tan grande que el *turfman* Eduardo Martínez de Hoz se hizo ciudadano francés para evitar que lo convocaran al servicio militar en Buenos Aires".

París tuvo, en la época, los salones literarios de Sara Wilkinson de Santamarina, el de Regina Pacini de Alvear, el de Susana Torres de Castex en el Hotel Plaza Athenée y el de Maria Luisa Dose de Lariviere. Lugones, Güiraldes, Girondo y Sábato fueron marcados por su estadía francesa, Mujica Lainez pasó su infancia en el barrio de Passy y Dionisio Schóo Lastra, secretario privado del presidente Roca, escribió en París *El indio del desierto*.

Güiraldes viajó a París al terminar sus estudios secundarios y escribió en París los diez primeros capítulos de Don Segundo Sombra. Girondo vivió allí con su familia y cursó parte de los estudios secundarios, y Sábato llegó con una beca para trabajar en el laboratorio de Irene y Frederic Joliot-Curie.

Hubo también, en la época, argentinos que no llegaron a París por propia decisión: un grupo de indios selk'nam fue secuestrado de Tierra de Fuego y "exhibido" en la Exposición Mundial de 1889. Beatriz Seibel, quien investigó la historia, asegura que fueron llevados por un aventurero francés, Maurice Maitre, que los presentó como caníbales. Tierra del Fuego era llamada *Karukinka* (significa "la última tierra de la gente") por los selk'nam. Sus vecinos del sur, los yámana, la llamaban *Onaisin*, el país de los Onas. Los yámana estuvieron ahí desde unos ocho mil años atrás, los haush llegaron después y finalmente, hace mil trescientos años, los selk'nam, que tuvieron en 1580 su primer contacto con los europeos. A finales de 1888 Maurice Maitre, con un grupo de individuos armados a su servicio, desembarcó en la Bahía de San Felipe, en el norte de la isla, y raptó a once selk'nam. Según testigos del viaje los indios viajaron "con pesadas cadenas, cual tigres de Bengala"; dos de ellos no pudieron soportar las condiciones del traslado y murieron antes de llegar.

Los nueve restantes fueron presentados en la Exposición Mundial de París de 1889 como "caníbales" o "salvajes antropófagos", dentro de una jaula. "A cierta hora del día —describe Seibel— se les echaban unos pedazos de carne semi asada con un jarro de agua.

Poco después fueron expuestos en el Royal Westminster Aquarium de Londres. Al tomar conocimiento la South American Missionary Society expresó una enérgica protesta: "Estos pobres indefensos indios han sido conducidos lejos de su tierra y de su hogar para ser exhibidos como bestias salvajes por un beneficio comercial, no para ellos mismos, sino para otros. Son anunciados como caníbales y son alimentados a ciertas horas con carne de caballo". Maitre confesó que sólo lo guiaba un interés comercial, pero la opinión pública inglesa se indignó con los hechos y tuvieron que viajar a Bélgica. Una de las mujeres quedó gravemente enferma en un hospital en Londres, donde murió. En Bélgica Maitre fue detenido.

Los ocho selk'nam sobrevivientes pudieron embarcarse hacia Tierra del Fuego bajo la protección del gobierno belga y del embajador inglés.

PLATA DULCE

En 1912 el sociólogo Leopoldo Maupas declara que "en todas partes la riqueza, como manifestación saliente del esfuerzo, es objeto de alta consideración, pero sufre las competencias de otras priorida-des, como las del saber y las del poder. En Argentina es distinto: el que no dirige su actividad en sentido económico no busca sociedad en el juego o en la politiquería, vive absolutamente aislado. No hay un centro que responda normalmente a la expansión de fines desin-teresados (...) Los estudiantes sólo buscan un diploma y los profeso-res, por lo general, un título de figuración social o de programa pro-fesional.

"No es de extrañar que en estas condiciones falte apoyo y estí-mulo científico, y que en un ambiente de indiferencia cuando no de hostilidad, se desaliente al que entró lleno de entusiasmo y acabe con el ardor mas generoso."

Citado por Pomer en su ensayo, Daireaux trata el tema del trabajo: "A la época actual —escribe en 1888— precede una larga tradición de menosprecio al trabajo. La inmigración no ha modifica-do profundamente este rasgo de carácter general. La agricultura y las industrias que de ella derivan se han expandido enormemente, pero no puede decirse que el trabajo sea una obligación social absoluta".

Mansilla lo dice de otro modo: "nacer becado, vivir empleado, morir jubilado, plaga argentina. El no hacer nada, sino vivir, es un programa. Trabajar! Que trabajen otros. El mundo camina solo".

Los "niños bien", impedidos de dilapidar las herencias que ya dilapidaron sus padres se convirtieron, a fines del siglo XIX y comienzos del XX en "compadritos".

Carlos D'Amico los describe "con la astucia del hombre de campo y sus aficiones por la guitarra, la holgazanería y el baile, se han juntado en ellos los vicios de la ciudad, la lubricidad, el amor al juego, a la pendencia y los licores fuertes".

Alrededor de 1910 se hicieron célebres las "patotas" de niños bien; patota deriva del portugués, *batota*, que significa trapacería. Las patotas se dedicaban a divertirse a costa de los que pasan, a "cachar" al prójimo.

Joaquín V. González anota, en la época, algunas características argentinas sobre la diversión: "Las fiestas patrias son, más bien, velorios patrios. Tienen algo de los salones de gente advenediza, donde todo es estiramiento y rigidez y donde nadie se atreve a reir, de miedo de ofender el buen tono y de arrugar demasiado la polvorosa piel. (...) Los argentinos parecemos extranjeros peligrosos o desterrados, porque tenemos miedo de alegrarnos de veras... por eso no faltan los hombres de otros países residentes en el nuestro, que nos miran con cierta sonrisa de protección, como sintiéndose más dueños que nosotros, porque lo son de su individualidad y de sus gustos, y también probarnos que son más argentinos que los que aquí hemos visto la luz".

La "fiesta argentina" que antecede al Centenario tuvo su origen en préstamos del extranjero. León Pomer analiza en su libro ya citado el empréstito de 1871, llamado "de Obras Públicas" tomado en la plaza de Londres y que permitió ingresar al mercado monetario local la suma de veinte millones de pesos fuertes, depositados en el Banco de la Provincia de Buenos Aires. Ese banco cometió la imprevisión de recibir esa suma en calidad de depósito comercial, a la vista, ganando interés. Simultáneamente, aunque se trataba de dinero que el entonces presidente Sarmiento podía reclamar en cualquier momento, procedió a prestarlo a los largos plazos que acostumbra, cinco años. Los préstamos se hicieron con pleno conocimiento del gobierno nacional, que debía construir obras públicas con esos fondos. Y por añadidura ocurrió que esos préstamos fueron mal prestados, lo que seguramente no ignoraban ni los directores del Banco ni los ministros del gabinete.

Un estudio de Francisco Balbín asegura que "una buena parte de los descuentos que el Banco de la Provincia hace, puede asegurarse que serían rechazados sin mayor examen por los bancos particulares". "Obviamente ninguno de los responsables de ese gran calote fue sancionado, pese a que las consecuencias de la operatoria se tradujeron en la elevación ficticia de los precios por crecimiento del medio circulante, y una ola de especulación que encontró no pocos espíritus preparados para embarcarse en ella."

En 1896 la deuda externa ascendía a 922.545.000 pesos oro; cerca del 85 por ciento de esa cifra estaba compuesta por deudas contraídas entre 1880 y 1890. Los intereses que debían remitirse al exterior —señala Pomer— sumados a las ganancias de las empresas foráneas que salían hacia las casas matrices insumían un 20 por ciento de los ingresos del Estado en 1881, un 49 por ciento en 1888 y un 66 por ciento en 1889.

Carlos Rojo describió el clima de la década del noventa: "Se jugó al alza de la tierra, a la del oro y los títulos, se jugó en los frontones y los hipódromos, se jugó a los naipes como jamás se ha visto en parte alguna del globo y, en fin, aunque parezca increíble, el hijo de un gordo proveedor, que acababa de recibir 30.000 pesos de tesorería, los jugó sobre una mesa de un despacho oficial, tirando una caja de fósforos como se tira una taba".

En 1911 el español José María Salaverría escribió sobre Buenos Aires: "No hay ciudad del mundo donde resalte de tal modo la fiebre del llegar, del conseguir... la lucha por el dinero tiene aquí mayor vivacidad que en los pueblos del Norte... proyectos concebidos, explicados y fracasados en una misma conversación, ir sin plan, volver sin nada definitivo, concertar sociedades y desahacerlas enseguida, detallar sobre la mesa del bar un proyecto enorme y abandonarlo por el nuevo proyecto que trae el amigo, exagerar las ganancias, engañar, sorprender, manipular cosas imaginarias".

El costo de vida en Mar del Plata era, en la época, tres veces más alto que el de las playas europeas de veraneo. Todos los años se viajaba, sin embargo, a Mar del Plata y a Europa.

Señala Francisco Grandmontagne que entre 1903 y 1912 la venta de casas y solares en la Capital superó las ventas en todo el país de propiedades rurales. En los doscientos kilómetros cuadrados de Buenos Aires se operó más que en el resto del país; entre 1904 y 1914 el valor medio del metro cuadrado de tierra saltó de 24 a 48 pesos.

Rodolfo Rivarola, editor de la *Revista Argentina de Ciencias Políticas* escribió en 1913: "Producir por dos y gastar por cuatro, emprestando la diferencia, parece ser el lema de los argentinos... Son responsables de esto el gobierno y los gobernantes, es decir, los funcionarios públicos que lo desempeñan, en su carácter público y en su vida privada. En lo primero, porque han olvidado que el gobierno educa al pueblo. La imitación corre de arriba abajo... El gobernante impone con su lujo personal la regla del lujo que estimula y excita a los que pueden y a los que no pueden gastarlo. El pueblo en crisis sigue jugando millones porque nunca sus magistrados han procurado desviarlo de esa inclinación".

Dice Milcíades Peña en su libro *De Mitre a Sarmiento*, citando al *Daily Oracle* de Londres del 4 de febrero de 1891: "Argentinos y europeos fueron sorprendidos por el descubrimiento de los peculados de ex funcionarios que tenían altos puestos, pero estos hombres que habían acumulado inmensas cantidades de dinero durante su breve permanencia en el gobierno siguen sin ser molestados después de su renuncia".

El *Bankers Magazine*, de Londres, afirmaba el 20 de junio de 1891: "Hoy día existen en Buenos Aires docenas de hombres que son públicamente acusados de malas prácticas, que en cualquier país civilizado serían rápidamente penados con la cárcel, y todavía ninguno de ellos ha sido llevado a las justicia... En la actualidad hay muchos ocupando prominentes posiciones en el Parlamento, que estuvieron implicados en las transacciones que condujeron a la revuelta de julio".

"En los contactos con los poderes públicos —publica *La Stampa* de Turín aludiendo a la Argentina del Centenario— la propina es una institución. Tiene un nombre solemne, de resonancia griega: coima. Todos coimean: desde quienes desempeñan cargos superiores hasta el último inspector."

La burocracia argentina no sólo es corrupta; también es cara: Pomer relata que en 1902 la burocracia oficial le costaba a la Argentina 6 pesos oro per cápita. Lo compara con el 1,20 pesos que costaba en Suiza, 1,60 en Estados Unidos o 2,06 en Inglaterra.

En plena crisis de 1892 había 7.653 empleados públicos; al año siguiente eran 8.860, y más de la mitad trabajaban en la Capital Federal.

Para Alberto J. Martínez, las cifras fueron superiores: en 1890, dice, había 32.953 empleados públicos que cobraban salarios por 25.990.740 pesos.

En 1903, el Estado gastó el 49,4 por ciento de su presupuesto para pagar intereses y amortizaciones de la deuda pública. Resulta interesante comparar, en el mismo año, los gastos realizados en policía y en educación. La provincia de Buenos Aires gastó 13,3 por ciento en Policía y 19,6 por ciento en educación; Santa Fe 52,1 por ciento en Policía y 10,5 por ciento en educación; Entre Ríos 22,9 por ciento en seguridad y 2,2 por ciento en aulas, San Luis 43,6 por ciento en Policía y 16,2 por ciento en maestros, Salta 38,8 por ciento en uniformes y 15,8 por ciento en guardapolvos.

Pomer es lapidario: "En el año del Centenario se baten todos los récords del despilfarro. Esto va acompañado de la fanfarronería de nuevo rico, del gusto más que dudoso, del patriotismo de opereta. Se espera a última hora, escribe Aníbal Latino, para hacer algo; luego se lo hace atropelladamente. Por docenas se proyectan y contratan monumentos, obras públicas, trabajos de ornato. El Tesoro de la Nación queda comprometido merced a erogaciones tan innecesarias como improcedentes. Hay un momento en que la tarea más grata de la Comisión del Centenario parecía ser la de tirar dinero a manos llenas... En la historia de los grandes certámenes y las grandes conmemoraciones habidas hasta ahora en el mundo se buscará en vano antecedentes que justifiquen el proceder observado en esa ocasión por los poderes públicos y por lo que han coadyuvado en su tarea de derroche y disipación".

Son, también, los años en los que de cuatro a cinco mil argentinos viajan cada doce meses a París, gastando "por lo bajo" entre 10 y 15 millones de pesos oro por año.

En la exposición que hizo José María Rosa, ministro de Hacienda, ante la Cámara de Diputados en noviembre de 1910, estimó los gastos anuales de los argentinos en el extranjero en 40 millones de pesos oro. Una fábrica de ropa con tres mil operarios gastaba en esa época, al año, para pagar salarios, setecientos mil pesos oro.

La evasión impositiva fue un constante motivo de queja desde la instalación de los primeros gobiernos patrios. En 1833, Pedro de Angelis, funcionario de Ortiz de Rosas, se quejaba: "cuanto más grande es el número de empresas, de propiedades y de comerciantes, tanto menores son los ingresos de un impuesto que recae sobre todas las clases". De Angelis sostenía que la "contribución directa" producía mucho menos que el antiguo diezmo colonial.

El propio Ortiz de Rosas aseguró en 1837 "que los contribuyentes denunciaban apenas una centésima parte de su riqueza real". Pomer recuerda que antes del gobierno de Ortiz de Rosas, fueron enjuiciados algunos morosos y algunos evasores: el General Juan Martín de Pueyrredón, Felipe Arana (luego ministro de Rosas), Nicolás y Tomás de Anchorena, los comerciantes ingleses Miller, Sheridan, Britain y otros.

De las excepciones, moratorias y la vida bajo un continuo "estado de excepción" daremos cuenta en un capítulo aparte. Valga como ejemplo de las primeras mencionar la liberación de pagar impuestos durante cuarenta años con la que fue favorecido el Ferrocarril Central Argentino durante la administración de Mitre, el 19 de marzo de 1863. En marzo de 1903, cuando la empresa debió comenzar a cumplir con sus obligaciones fiscales, se ignora que lo haya hecho o que alguien se lo haya reclamado.

Escribió Juan B. Gonzalez, citado por Pomer, en 1908: "Las contribuciones indirectas arrojan un porcentaje del 77,1 por ciento, las directas un 2,7 por ciento y la remuneración de servicios 5,7 por ciento... Nuestro sistema impositivo no es de los más recomendables, por cuanto gravita de un modo extraordinario en sus efectos económicos contra la clase menos pudiente".

CAPÍTULO DOCE

PAZ Y
DESPILFARRO

El 30 de diciembre de 1886, a menos de dos meses de haber asumido la presidencia, Miguel Juárez Celman recibió una carta desde Florencia: era de la autora de *El médico de San Luis*, doña Eduarda Mansilla de García: "Mucho he pensado en Ud. y en nuestra patria en estos días —le decía—. Levante el Erario, no con economías, sistema viejo y desacreditado (estilo Dr. de la Plaza) sino, como hacen los grandes capitalistas del mundo, con lujo. Y ¿cuál es el lujo de los gobiernos, sobre todo el de los nuestros? La tranquilidad moral, que da la material. La riqueza individual es fuente de la colectiva. Usted lo sabe. Facilidades, despilfarro y paz en los espíritus... Y todo caminará!". Juárez Celman observó sus consejos al pie de la letra: vendió el Ferrocarril del Oeste, privatizó Obras Sanitarias, aumentó la deuda externa y ajustó el presupuesto estatal con miles de despidos. Al ministro Wilde le tocó defender el "arrendamiento" de Obras Sanitarias ante el Senado, en julio de 1887: "Hace veinte años —le dijo a los legisladores— no había en Buenos Aires más que una Casa de Baños, en la calle Piedad, con tres o cuatro tinas, y eso bastaba para toda la población. Era raro encontrar una casa en la que hubiera baños para toda la familia. Ahora hay una infinidad de casas de baño; las hay en todos los barrios, y lo primero que se piensa al construir una casa de familia es en el cuarto de baño. Puede decirse que eso dependía solamente de las costumbres? No! Dependía, también, de la escasez del agua; no era posible tener baño en las casas teniendo que comprarle el agua a los aguateros".

Wilde sostuvo que el Estado no podría hacerlo: "Una ciudad debe saber y tener establecido en documentos (no basta que se sepa por referencias) su geología, sus lluvias, sus vientos reinantes, la dirección de sus calles, sus planos y su catastro completos (...) y el movimiento de todos los elementos que constituyen su vida".

Las Obras fueron vendidas a un sindicato inglés presidido por la casa Baring Brothers en la suma de 21 millones de pesos oro, pagaderos en tres cuotas de siete millones cada una. Baring sólo pagó dos de las tres cuotas, presentando quiebra antes de vencerse la tercera. Pellegrini logró entonces la rescisión del contrato de venta y rescató las Obras para la nación.

La fiebre privatizadora de Juárez Celman fue tal que obligó a sus antiguos aliados, como Roca, a salirle al cruce. "A estar de las teorías de que los gobiernos no saben administrar —dijo Roca— llegaríamos a la supresión de todo gobierno por inútil, y deberíamos poner bandera de remate a la Aduana, al Correo, al Telégrafo, a los Puertos, a las Oficinas de Rentas, al Ejército y a todo lo que constituye el ejercicio y deberes del poder".

El ya citado Agustín Rivero Astengo, en *Juárez Celman, estudio histórico y documental de una época argentina*, cita palabras del propio Juárez al respecto: "Dicen que dilapido la tierra pública; que la doy al dominio de capitales extranjeros; que llevo el riel hasta el confín del desierto. ¿Qué hubiera hecho Sarmiento de ser electo cuando lo fui yo? Este país es pobre porque lo abruma su riqueza. Vivimos pidiendo plata a los banqueros de Europa, cuando con el auxilio de los inmigrantes podríamos convertir en oro el trigo que sembraran en las planicies del sur. El mito de Potosí se repite entre nosotros. Vivimos sobre un tesoro y hambreamos todos los días. Los ferrocarriles que se proyectan serán los canales de la futura riqueza argentina. Nos acobarda la grita de los opositores que tienen los ojos abiertos pero el cerebro dormido. A Roca no le combatieron tanto porque, en definitiva, él ganó para el país las veinte mil leguas que ocupaba el salvaje. A mí me disputan en la prensa y en el Congreso las concesiones que autorizo. Pellegrini mismo acaba de escribirme desde París que la venta de esas 24 mil leguas sería instalar una nueva Irlanda en la Argentina. Pero no es mejor que esas tierras las explote el enérgico sajón y no que sigan, desde el Génesis, bajo la injuria del tehuelche? ¿Que mi administración es mercantilista? ¿Qué otra cosa corresponde hacer a un gobierno en las actuales condiciones? Siempre hay una línea de incomprensión entre el que predica y el que realiza".

El 23 de mayo de 1888 el presidente Juárez Celman firmó un decreto por el que cedió a favor del concesionario Ricardo Hardy la propiedad de veinte mil hectáreas en el Chaco Austral. Un año antes de esta providencia oficial se presentó en el Ministerio del Interior la firma "Ricardo y Carlos Hardy y Cía.", solicitando el arrendamiento de ochenta mil hectáreas, amparándose en una modificación legal de Avellaneda. La firma fue, entonces, adjudicataria de una nueva concesión para colonizar. A fines de 1888 Ricardo Hardy transfirió su propiedad de 20.000 hectáreas a su hermano Carlos, que a su vez transfirió las tierras a "Ricardo y Carlos Hardy y Cía", monopolizando asi cien mil hectáreas en un solo predio. En 1909 Carlos Hardy, en representación de Hardy y Cía. vende a la sociedad Las Palmas del Chaco Austral S.A., de Carlos Hardy y su esposa María Bonilla. Un hijo de ambos se casa tiempo después con una descendiente de la familia tucumana Nougués.

El imperio azucarero de los Hardy tuvo su moneda propia hasta 1923 y su directorio estuvo exclusivamente constituido por ingleses hasta 1925. En 1875 el Informe de la Comisión Exploradora del Litoral calculó la existencia de ochenta mil aborígenes en esa zona del Chaco. En 1970 era de 20.000 personas.

Describió José García Pulido en la época que "en estos alrededores viven los restos de la raza autóctona, la legítimamente argentina, los indios. Éstos que son de genio pacífico, sufrientes y aguantadores y de naturaleza humilde y laboriosa, malviven en sus típicas tolderías, alimentándose de cuanta rana, sapos y culebras encuentran y cubriendo sus carnes con cuanto despojo hallan a mano. Todo esto contribuye poderosamente a que se declaren epidemias, como la viruela que hace poco sacrificó a unos quinientos... Pues bien, estos tristes seres son los ocupados en el corte de la caña de azúcar. Cuentan con un cacique, un tal Moreno, con el grado de oficial de policía otorgado por el Poder Ejecutivo... En cada período de cosecha el cacique los reúne y trae al ingenio bajo la promesa de un lucrativo negocio. Una vez en la Administración, los vende a razón de cinco pesos por indio... además de este dinero el cacique los obliga a que le entreguen parte de lo ganado. (...) Como siempre las víctimas, en su mayoría, fueron los pobres indios. En una oportunidad en la que se los armó con armas largas para reprimir a los obreros, coincidió con la entrada de las tropas de línea comandadas por el capitán Gregorio Pomar. Para que este militar no viera a tanta gente armada y denunciara a la empresa ésta los hizo escapar hacia La Leonesa, pero por aquella parte había barricadas y gente armada de la Federación Obrera, que creyeron que se trataba de un ataque y recibieron a tiros a los pobres indios armados por la empresa. ¿Cuántos cayeron? Nadie supo".

Juárez Celman fue el presidente que dispuso la construcción del Palacio de Justicia, en el antiguo predio del Parque de Artillería, del nuevo Teatro Colón y del edificio de Correos. También promulgó la Ley de Matrimonio Civil y comenzó las obras del puerto de Buenos Aires.

La situación económica explotó a través de la cotización del oro, que era la moneda de pago internacional. Una carta de Luis V. Varela a Juárez Celman da cuenta de la situación: "Hoy el oro está en la Bolsa a 230. Confieso que esto puede traer alteración del orden público. La causa de la mayor parte de las revoluciones ha sido siempre una cuestión económica... La crisis que viene será peor que una epidemia; en ésta algunos escapan, en la crisis nadie dejará de estar afectado. La declaración de que el gobierno no hará nada ha producido mal efecto... Pienso que Ud. debe imponerse a la opinión con medidas que inmediatamente influyan en la plaza. ¿Cuáles son esas medidas? Siento no reconocerme competencia para indicárselas, pero tiene Ud. muchas personas, y sobre todo Ud. mismo, con quien consultarlas. Con cien mil pesos y algunos certificados de los Bancos están los especuladores haciendo todo el agio".

En *Historia de las Relaciones Exteriores Argentinas*, de Andrés Cisneros y Carlos Escudé, editada por el CARI (Consejo Argentino para las Relaciones Internacionales) se cita un texto de Carlos D'Amico escrito hace ciento diez años, en ocasión de la crisis de los años noventa. Resulta de una asombrosa exactitud: "Dominada esta crisis, otra vez serán (los argentinos) deslumbrados por las riquezas excepcionales de esta tierra privilegiada y volverán a las andadas. Cada cinco años tendrán una crisis cuyos peligros irán creciendo en proporción geométrica, hasta que llegue un día en que deban a los de Londres y Frankfurt todo el valor de sus tierras; en que los usureros del otro lado del mar sean dueños de todos sus ferrocarriles, de todos sus telégrafos, de todas sus grandes empresas, de todas sus cédulas y de las cincuenta mil leguas que les hayan vendido a vil precio. Cuando no tengan más bienes que entregar en pago empezarán por entregar las rentas de sus aduanas, seguirán con entregar la administración, la ocupación de su territorio, y concluirán por ver flotar sobre sus ciudades, en sus vastas llanuras, en sus caudalosos ríos, en sus altísimas montañas, la bandera del imperio que protege la libertad de Inglaterra pero que ha esclavizado al mundo con su libra esterlina".

Carlos Pellegrini, presidente de la Nación, decía a finales de 1890: "El país debe mucho al extranjero y está obligado a pagar. Sé que dicen por ahí que el gobierno no tendría cómo hacerlo y que es mejor suspenderlo. Es un gravísimo error. El día que dejemos de pagar ese servicio no seremos nada ni nadie. Seremos una nación sin crédito y sin honra. Si la Argentina falta a sus compromisos no se levantará ni en treinta años. Por eso me esforzaré en hacer ese servicio puntualmente, y si las rentas no alcanzaran para pagarlo, aunque no se pague la administración, pediré autorización para vender los bienes de la Nación, y cuando no hubiese más, pondría la bandera de remate hasta en la misma Casa de Gobierno".

el Puerto y la Chica de Ojos Vendados

Desde su fundación hasta mediados del siglo XVIII, Buenos Aires tiene más de puerto que de ciudad. La creación del Virreinato del Río de la Plata y las Invasiones Inglesas, son acontecimientos que están vinculados al puerto, el que juega también un papel preponderante en la génesis de la Revolución de Mayo. Es arma que utiliza Rosas para dominar a las provincias, y en la reorganización nacional como en la capitalización de Buenos Aires, constituye un factor importante. Es evidente la influencia económica, política y social que el puerto de Buenos Aires ha ejercido, a través del tiempo, sobre el país.

Eduardo H. Pinasco
El Puerto de Buenos Aires

Cuenta James R. Scobie, en *Buenos Aires, del centro a los barrios 1870-1910*, que "durante la década de 1870 surgieron dos planes muy diferentes para la construcción del puerto. Las alternativas eran, por un lado, profundizar el canal y mejorar las instalaciones existentes sobre el

Riachuelo al sur de la ciudad; por el otro, construir nuevas instalaciones sobre las bajas costas fangosas al este de la Plaza de Mayo".

Los intereses que defendían el lado sur de la capital se aliaron con el Ingeniero Luis A. Huergo, especialista en construcciones hidráulicas. Huergo provenía de una acomodada familia de comerciantes porteños, estudió en un colegio jesuita de Maryland, en Estados Unidos, y —al regresar a la Argentina en 1870— fue el primer ingeniero civil graduado en la Facultad de Ciencias Exactas de la UBA. El proyecto de Huergo contaba con el apoyo de los comerciantes de La Boca y Barracas y los lectores del diario *La Prensa*, que llevó adelante una fuerte campaña a su favor. El Riachuelo era, de hecho, una especie de segundo puerto de la ciudad desde su fundación: si se ensanchaba y profundizaba el canal, mejorando y ampliando los depósitos y las dársenas, el puerto podría recibir buques de gran tonelaje provenientes de ultramar.

Los defensores del proyecto de un puerto vecino a Plaza de Mayo se encolumnaron detrás de un empresario y lobbysta porteño, Eduardo Madero: eran los funcionarios del gobierno nacional, los comerciantes y banqueros extranjeros, casi todos los importadores y exportadores y comerciantes mayoristas, los intereses británicos y tres diarios *La Nación*, *El Diario* y *La Tribuna*. El proyecto de Madero era funcional al tendido de la red ferroviaria inglesa y de las bocas de expendio comercial mayorista y minorista. Afirma Scobie que "para algunos, Huergo representaba la tradición criolla y el desarrollo nacionalista de la economía argentina. En Madero podía descubrirse la preocupación de los estadistas e intelectuales de la generación del Ochenta que buscaba la modernización y el progreso de la Argentina sobre la base de capitales y tecnología extranjeros. Esta europeización de la Argentina pronto demostró ser, al mismo tiempo, la mayor fuerza y la mayor debilidad del país".

Madero viajó a Inglaterra a mediados de 1860 en busca de asistencia técnica por parte de ingenieros ingleses. Como resultado de sus gestiones surge la empresa "Madero, Proudfoot y Cía.", con capitales británicos.

En el último año de la Guerra contra el Paraguay el ministro del Interior firmó con Madero un contrato para la construcción de un puerto que debería ubicarse frente a la Plaza de Mayo y que consistiría de dos dársenas, un dique seco y un canal de aguas profundas. Bartolomé Mitre, que acababa de ser elegido Senador, se opuso al contrato en septiembre de 1869. Escribió en *La Nación* que el Congreso necesitaba estudiar la cuestión portuaria más integralmente antes de entregar un asunto de esa magnitud a la explotación privada. Aunque Mitre adoptaría muy poco después la posición contraria, el contrato cayó. Al año siguiente se suscribió un acuerdo con John F. Bateman, ingeniero de las obras de desagüe de Londres, para que realizara una evaluación técnica sobre el futuro puerto de Buenos Aires. Bateman estuvo un mes en la ciudad y en 1871 volvió a Inglaterra dejando los planos en manos de las autoridades argentinas. Su proyecto era muy similar al de Madero.

En 1881 Madero volvió a viajar a Londres, donde se aseguró los servicios de Sir John Hawkshaw, uno de los más importantes ingenieros en puertos ingleses, y una promesa de fondos de la Baring Brothers. Entre septiembre y octubre de 1882 el Congreso decidió aceptar el proyecto de Madero. En un solo día el Senado apoyó por unanimidad la idea, luego de escuchar la exposición favorable de Carlos Pellegrini. En Diputados A. Dávila, uno de los más firmes defensores de Huergo y editorialista de *La Prensa*, legislador por La Rioja, expresó: "Pregunto por qué razón, habiendo varias propuestas se deja a una sola en cartera, sin traer a las otras a discusión! ¿En qué tiempo deben hacerse estas obras? ¿Lo sabe el Congreso? ¿Lo sabe la Comisión? ¿Lo sabe el Ministro, que está aquí presente? No, no se conocen los planos ni los presupuestos. Durarán cuatro, cinco, veinte años, lo que la empresa quiera (...) Se nos propone ganarle tierra al río... ¿cuál es el costo del metro cuadrado de superficie de la tierra rellenada? Señor Presidente: yo sé qu en algunos países de Europa se hacen por necesidad gastos inmensos para robarle tierra al agua, pero no me explico que en Buenos Aires, donde tenemos tierra por los cuatro costados, tengamos necesidad de inventarla (...) Con motivo de la discusión del presupuesto hemos visto las cuestiones que se han hecho para aumentar o rebajar cinco o diez pesos el sueldo a un portero, mientras aquí se trata de millones y se pretende que lo miremos como algo insignificante. Reclamo lógica a la Cámara...".

El 20 de octubre de 1882 la Cámara no escuchó el reclamo del diputado Dávila; aprobó, a las seis menos cuarto de la tarde, por treinta votos contra trece el proyecto de Madero, que recibió un préstamo del

Estado de 20 millones de pesos al seis por ciento anual, y tardó dieciséis años en construir las obras.

El Departamento Nacional de Ingeniería condenó el proyecto de Madero; cuando el gobierno se negó a considerar su informe el Jefe del Departamento, ingeniero Guillermo White, renunció en señal de protesta. La Sociedad de Ingenieros también publicó un informe muy desfavorable del proyecto Madero.

Puerto Madero se completó en la década del noventa con un costo muy superior en dinero y tiempo. La primera y segunda dársenas se abrieron en 1890. En 1891 se terminó el crédito concedido en 1883, y los trabajos del puerto fueron suspendidos. El Poder Ejecutivo logró luego otro crédito en 1892, para terminar la tercera dársena. En 1895 el Congreso aprobó otro crédito adicional de seis millones de pesos oro para terminar la sección norte. En 1897 el dique cuarto y la dársena norte quedaron terminados, y al año siguiente se abrió el canal norte.

Al poco tiempo comenzaron a verse los resultados de una decisión equivocada: la dársena norte resultó prácticamente inútil porque el oleaje del río impedía atracar a los muelles sin peligro. Lanchas, carretas y peones cargaban y descargaban de los barcos con lentitud y dificultad. Los inconvenientes que enfrentaron los ferrocarriles para la construcción de accesos a los muelles derivaron en tarifas altísimas. Una caricatura de una tortuga descargando un barco, aparecida en 1906 en *Caras y Caretas*, sintetiza bien el problema.

En 1902 el gobierno invitó a Elmer L. Corthell, especialista estadounidense en puertos, para que examinara las obras e hiciera sugerencias. Corthell señaló que podría construirse una escollera y una línea paralela de muelles agregados al lado este del puerto. Huergo volvió a la ofensiva con un proyecto de modificación, pero tampoco fue escuchado.

Entre 1899 y 1900 el Congreso analizó un proyecto para un nuevo puerto en la Bahía de Samborombón, y cuatro años después votó fondos para realizar los estudios preliminares.

En 1911 comenzó a construirse el Puerto de Samborombón, pero un año más tarde un decreto detuvo las obras. En 1903 el gobierno envió a Europa a los ingenieros Jolly y Curutchet, a estudiar los problemas portuarios.

En 1907 el Congreso votó 9 millones de pesos oro para "modernizar" el puerto, terminado diez años antes. El plan de "modernización" fue más caro y el Ejecutivo formuló un nuevo requerimiento por 25 millones.

El Palacio de Justicia, definido por la generación del ochenta como "la gran rueda del país, la garantía de todos los derechos", estuvo cuarenta años en construcción, hasta su inauguración definitiva; durante ese período se cruzaron denuncias por cohecho, pleitos con los constructores y suspensión de las obras. Ya la Corte Suprema de Justicia había esperado diez años antes de entrar en funcionamiento, luego de su creación por la Constitución de Santa Fe. En 1902, la Corte funcionó en la calle San Martín 275, en lo que luego fue el Banco Central.

La ley 4807, firmada por los diputados Gouchon, Bollini, Torino y Argañaraz fue promulgada el 31 de julio de 1902, aprobando la construcción de un Palacio de Justicia. Por decreto del 25 de noviembre del mismo año fueron aprobados los planos del arquitecto francés Norbert Maillart, autor de los edificios del Correo y del Nacional Buenos Aires.

El gobierno olvidó, en aquel momento, que se contaba, desde 1889, con otro proyecto para el Palacio de Justicia, hecho por el arquitecto italiano Francesco Tamburini, autor de la Casa Rosada, que también había sido aprobado. Pero ésa fue sólo la primera de una extensa lista de confusiones: la sede judicial iba a levantarse a un costo de 4 millones de pesos. A menos de un año de iniciarse la construcción de la obra se añadieron otros 9 millones al presupuesto del Palacio, instalado en la antigua ubicación del Parque de Artillería y Fábrica de Armas. Hasta entonces, una sede provisoria del Poder Judicial funcionaba en la calle Bolívar.

La construcción de la obra de Tamburini y Maillart fue adjudicada a la firma J. Bernasconi y Cía., y la piedra fundamental del edificio colocada el 24 de mayo de 1904, durante la segunda presidencia de Roca.

Las obras, cuyo presupuesto ya ascendía a 13 millones, no comenzaron sino hasta 1905, el año siguiente y el edificio fue habilitado parcialmente para atemperar la fiebre del Centenario, durante la presidencia de Figueroa Alcorta, en 1910.

En 1912, por un decreto del 16 de mayo se rescindió el contrato
con el arquitecto Maillart como Director de Obras, porque Maillart ya
llevaba cuatro años en París y no mostraba intenciones de regresar. El
otro autor, Tamburini, ya había muerto en 1890. Las obras se paraliza-
ron en 1914.

Por decreto del 21 de diciembre de 1915 se rescindió el contrato
con la empresa constructora, Bernasconi, y durante la presidencia de
Victorino de la Plaza la empresa fue reemplazada por la Dirección General de Arquitectura.

El ministerio de Obras Públicas introdujo diversas modificaciones al plano de Maillart, que ya había modificado el plano de Tamburini.
Así, por ejemplo, las mansardas ciegas originales fueron suprimidas y
reemplazadas por otro piso de oficinas, y la gran escalera del centro del
edificio, que debía llevar al Hall de Acceso a los Recintos de la Corte
Suprema, nunca se construyó. En la actualidad los Tribunales parecen
haber encarnado su propia metáfora del sistema judicial argentino: hay
escaleras que no dan a ninguna parte, terrazas que parecen agregadas
con urgencia, puertas que dan a una pared.

El Palacio de Justicia fue "terminado" en 1942. Los arquitectos
sostienen que es un edificio ecléctico, con influencia griega, romana
y egipcia.

ADELANTE, RADICALES

Este país, según mis convicciones después de un estudio prolijo
de nuestra historia, no ha votado nunca.

JOAQUÍN V. GONZÁLEZ

El "unicato" de Juárez Celman tenía las horas contadas. El 26 de julio de 1890 se produjo la llamada Revolución del Parque, o Revolución del '90: un intento de golpe de estado organizado por la Unión Cívica, que iba a dar origen a la Unión Cívica Radical. Fuerzas civiles y militares encabezadas por Leandro N. Alem y el General Manuel J. Campos se acantonaron en el Parque de Artillería, alrededor de la actual Plaza Lavalle, y proclaman a Alem como Presidente Provisional. Su "Manifiesto" expresaba: "No derrocamos al gobierno para derrocar hombres y sustituirlos en el mando: lo derrocamos porque no existe en su forma constitucional; lo derrocamos para devolverlo al pueblo, a fin de que el pueblo lo reconstituya sobre la base de la dignidad nacional y con la dignidad de otros tiempos, destruyendo esa ominosa oligarquía de advenedizos que ha deshonrado ante propios y extraños las instituciones de la República".

Las tropas y milicias insurgentes estaban divididas en "cantones" y eligieron boinas blancas para identificarse. El color de las boinas junto al verde y al rosa, en franjas horizontales, fue el elegido por Fermín Rodríguez para la "Bandera del Parque".

Participaron, entre otros, Lisandro de la Torre, Hipólito Yrigoyen y Juan B. Justo. La Junta Revolucionaria estaba presidida por Alem e integrada por Aristóbulo del Valle, Mariano Demaría, Miguel Goyena, Juan José Romero y Lucio Vicente López. La Junta expresó en otro párrafo del Manifiesto ya citado: "La vida política se ha convertido en una industria lucrativa. El Ejército Nacional comparte con el pueblo las glorias de este día. Sus armas se alzan para garantizar el ejercicio de las instituciones".

Juárez Celman, enterado de los movimientos se trasladó al cuartel del Retiro y desde allí lanzó otro Manifiesto impreso en los talleres del Sud América. "Los eternos enemigos de la República —empezaba diciendo el documento— acaban de dar un nuevo escándalo sublevando dos batallones del Ejército de guarnición en esta Capital. El resto del Ejército permanece fiel y yo me encuentro en medio de él, acompañado de mis ministros y del vicepresidente de la República". A continuación del Manifiesto se dio a conocer un decreto del gobierno declarando el estado de sitio y movilizando la Guardia Nacional a Buenos Aires, Santa Fe, Entre Ríos y Córdoba. La Revolución del Parque duró tres días y fue finalmente sofocada.

El 30 de julio el senador juarizta por Córdoba Manuel Dídimo Pizarro dijo ante el Congreso: "La revolución ha sido vencida, pero el gobierno cayó".

Juárez Celman presentó su renuncia y fue reemplazado por su vicepresidente, Carlos Pellegrini.

Nuestros dos grandes partidos nacionales del siglo XX nacen víctimas de una paradoja: la Unión Cívica, luego Unión Cívica Radical, propicia un movimiento sedicioso en su primera acción política. El Partido Justicialista fue organizado por un militar en actividad, el coronel Juan Domingo Perón mediante el golpe militar de 1943 que instaló al General Pedro Ramírez como presidente en lugar del abogado conservador Ramón Castillo. Perón fue ministro de Guerra, secretario de Trabajo y vicepresidente de aquella dictadura militar de Ramírez y luego de Edelmiro Farrell hasta que resultó electo por comicios el 4 de junio de 1946.

Los radicales tendrían en 1916 al primer presidente electo en comicios libres y con voto universal, Hipólito Yrigoyen, pero hasta antes de aquella fecha, al menos hasta 1905, siguieron participando de diversos movimientos sediciosos para desalojar al poder de turno.

La fractura de la Unión Cívica dejó por un lado a los simpatizantes de Mitre y Roca y por otro a los seguidores de Alem, quien dijo: "Yo no acepto el acuerdo, soy radical contra el acuerdo; soy radical intransigente". El 2 de julio de 1891 el Comité Nacional de la Unión Cívica anunció la ruptura de la agrupación y su repudio al acuerdo Roca-Mitre: "La Unión Cívica no se había formado alrededor de ninguna personalidad determinada, ni se proponía como objetivo de su programa ni de sus ideales la exaltación de un hombre al mando... No lo entendieron así quienes a toda costa quisieron proclamar la candidatura del General Mitre".

Como se dijo, a pesar del fallido levantamiento de 1890, la UCR no abandonó el camino de la sublevación armada: organizó movimientos en diversas provincias (Buenos Aires, Tucumán, San Luis, Santa Fe) que finalizaron igualmente derrotados. Antes de las elecciones de 1892 Alem fue detenido bajo cargos de conspiración, lo que sólo sirvió para aumentar su liderazgo. Alem, enfrentado luego a Yrigoyen por diferencias en los criterios de organización interna del partido, se suicidó a los 54 años, en julio de 1896.

Escribió Eduardo Mallea: "La llegada del radicalismo al poder fue una gran necesidad civil de decencia contra muchos años de explotación y fraude. Nadie pensaba en su medro personal. Era una cuestión de limpieza y de honor. Era un movimiento de conciencia, de corazón, de alma".

Del Mazo relata los características de una elección en la Argentina de la época anterior al voto universal: "Poco después hubo una elección. No sé si en 1908 o en 1910. Mi padre salió a votar. No había libreta identificatoria. Tenían nombre, y apellido y señas, pero no fotografía. La libreta se obtenía el domingo anterior al acto comicial. Mi madre estaba intranquila y mi padre le dijo: ‹No es nada. Éstas no son las votaciones de antes. Ahora se compran los votos para hacer fraude›. En efecto, salí a la calle y ví algo así como agentes de compra en las esquinas de la calle Rivadavia, con sus ayudantes, haciendo ofertas con los dedos de la mano: dos pesos; tres, un poco más tarde, cinco".

LA AUDACIA
Y EL TERROR

En el ensayo *Los Fraudes Electorales*, publicado por la revista *Todo es Historia*, Roberto A. Ferrero postula que "uno de los primeros fraudes electorales, sino el primero, fue el que posibilitó la "elección" de Lavalle como gobernador de Buenos Aires en 1828. (...) Usamos las comillas —dice Ferrero— porque toda la elección consistió en la reunión, hecha de apuro, de unas ochenta personas en el Templo de San Francisco, en la ciudad de Buenos Aires, que eligió entre gritos y aclamaciones al sublevado General Lavalle, candidato único.

"Era el 1 de diciembre de 1828 y el legítimo primer mandatario, Manuel Dorrego, recorría Cañuelas reuniendo gente para oponerse a los amotinados, mientras sus partidarios —que eran legión en la ciudad— permanecían por fuerza alejados del original comicio. Pese a no ser todo más que una farsa, el acto se consumó y Lavalle "muy convencido (¡!) de la legitimidad de su poder", como dice José Luis Busaniche, se instaló en el Fuerte."

Durante la época de Ortiz de Rosas, el fraude cedió lugar al autoritarismo: el gobernador enviaba una nota a los jueces de paz diciendo el nombre de la persona a la que debían nombrar diputado, y el juez redactaba el acta correspondiente.

Ferrero señala a Bartolomé Mitre y a Sarmiento como "los precursores del fraude moderno". Para Carlos D'Amico, político y autor de la

época, Mitre fue el que "en Buenos Aires primero y en la república después, inventó los medios fraudulentos para hacer ilusorios los derechos
electorales del pueblo".

Mitre desplegó por primera vez sus tácticas en 1852 haciendo fraude "en grande escala" para oponerse al voto de los soldados de Urquiza,
y lo repitió también con éxito en las elecciones de marzo de 1857. Sobre
ese comicio le explicó, en una carta, Sarmiento a Domingo de Oro:
"Nuestra base de operaciones ha consistido en la audacia y el terror que,
empleados hábilmente, han dado este resultado admirable e inespera-
do... Establecimos en varios puntos depósitos de armas y municiones,
pusimos en cada parroquia cantones con gente armada, encarcelamos
como unos veinte extranjeros complicados en una supuesta conspiración; algunas bandas de soldados armados recorrían de noche las calles
de la ciudad, acuchillando y persiguiendo a los mazorqueros; en fin, fue
tal el terror que sembramos entre toda esta gente, con esto y otros medios, que el día 29 (de marzo) triunfamos sin oposición".

En 1859 Mitre y Sarmiento volvieron a imponer sus candidatos,
derrotando con votos falsos a los de El Club de la Paz, de Félix Frías en
Buenos Aires. En el Congreso el senador nacional Salustiano Zavalía
denunció que en Tucumán: "los ciudadanos eran llevados a los comicios
públicos, no de su grado, a votar no por el candidato de sus simpatías,
sino a votar por el candidato del gobierno, arreados a guisa de rebaño,
bajo el látigo del comandante y oficiales de milicias".

En las elecciones de Entre Ríos, después de la derrota de López
Jordán en 1871, Sarmiento prohibió votar a los jordanistas.

Recien en 1874 Mitre tuvo que probar de su propia medicina: el 1
de febrero se celebraron elecciones para diputados nacionales y Sarmiento
dio carta blanca a los alsinistas, sus aliados en Buenos Aires, para dispu-
tar con los mitristas a balazo limpio. El Regimiento 6 de Línea, en medio de las trifulcas, detuvo a 76 partidarios de Mitre y los alsinistas do-
minaron el control de las urnas: en Rauch, donde sólo habían obtenido
ocho votos de ventaja, ahora tenían 238; en Ayacucho ganaban los
alsinistas por 706 a uno, etc.

Miguel Ángel Cárcano explicó el aceitado funcionamiento de la
"máquina del fraude": "El pueblo de la Constitución lo constituye el
padrón de electores y lo confecciona el Poder Ejecutivo por intermedio

del ministro del Interior. Los inscriptores anotan con preferencia a los partidarios. La depuración del padrón y el clásico juicio de tachas lo realiza el gobierno, que es juez y parte en este sistema. Al adversario se le oponen toda clase de impedimentos para anotarlo en el padrón. La mayoría oficialista está asegurada antes de los comicios. El empleado público que no vote al candidato oficial es al punto despedido. Si no fueran suficientes estos recaudos, el día del sufragio controla el comicio el comisario y la mesa escrutadora de votos designada por el gobierno favorece a sus candidatos.

"El presidente del comicio recibe la libreta que acredita al votante, pero en la imposibilidad de identificarlo permite el voto por interpósita persona y el acaparamiento de las libretas por los caudillos locales. En las grandes ciudades es menos aparente, pero no menos eficaz. Todo el pueblo tiene derecho de votar pero el caudillo es que el que dispone del sufragio."

Ferrero cita el caso de un caudillo de parroquia antológico, Don Cayetano Ganghi: "era un personaje verdaderamente pintoresco y florido producido por la era del voto venal. Vivía frente a la Plaza de Flores, en una gran finca. Hablaba un castellano cocoliche, pero vestía como un dandy; su perla fina en la corbata, sus bigotes a lo Kaiser, su chaleco con filete blanco, sus guantes color patito, revelaban a un radiante arribista en los altos círculos de la política nacional. Aunque se le suponía analfabeto, gozaba de un poder electoral inmenso. Tenía la reputación de ser el mayor acaparador de libretas cívicas. El día de los comicios las enviaba con sujetos de su confianza para votar por el candidato que él indicara, sin que los dueños reales de ellas concurrieran al comicio". "Roca es un poroto a mi lado —escribió Ganghi a Sáenz Peña—. Tengo dos mil quinientas libretas." "Cuando se encontró frente a frente con Carlos Pellegrini, éste lo miró con cierta desconfianza. Ganghi, advertido de la reticencia de Pellegrini abrió una valija que traía consigo, repleta de libretas cívicas y le dijo:

—*Io sono o non sono, dottore, il gaudillo posetivo?*"

En 1910 Roque Sáenz Peña asumió la presidencia de la República y dos años después hizo aprobar por las cámaras la ley del nuevo sistema electoral, que llevó su nombre. El sistema era bastante sencillo: padrón militar para evitar la reticencia oficial a inscribir a enemigos del gobierno de turno, voto secreto, universal (pero sólo masculino), obligatorio; por lista incompleta de dos tercios para el ganador y un tercio para el perdedor, y control por parte del fuero federal. La identidad del votante se acreditaba con la impresión de una huella digital en la Libreta de Enrolamiento y luego con su fotografía.

Conocida la nueva ley, Cayetano Ganghi le dijo a uno de los candidatos porteños:

—*Mirá, ché, la libreta non te sirve para nada; boscate la popolaredá por cualquier medio que podás...*

Fue entonces cuando los conservadores comenzaron a pagar por cada voto. Félix Luna recuerda a Don Tomás de Anchorena, preguntándole a cada uno de los votantes:

—¿Votaste bien, m'hijito?

—Sí, Doctor.

—Bueno, tomá diez pesos...

Pero los radicales ganaban de todos modos.

CAPÍTULO TRECE

LOS LUGONES:
HISTORIA DE LA LLUVIA DE FUEGO

El místico y el artista viven la vida de la humanidad, más cerca del instinto que de la inteligencia. El instinto, o sea, la suma de las tendencias de una especie, representa el alma colectiva sin ningún concepto de individualidad; pero esta alma es para la especie un Dios, cuando puede concebirla. (...) Por esto, la misión del artista es poner al alcance de los otros la verdad oculta en esas relaciones: lo que no ven o no pueden ver los otros sin su auxilio.

LEOPOLDO LUGONES
PROMETEO

Soñé la muerte y era muy sencillo:
una hebra de seda me envolvía
y a cada beso tuyo
con una vuelta menos me ceñía (...)
Y poco a poco fue desenvolviéndose
la hebra fatal. Ya no la retenía
sino por sólo un cabo entre los dedos
Cuando de pronto te pusiste fría
Y ya no me besaste
Y solté el cabo, y se me fue la vida.

LEOPOLDO LUGONES
HISTORIA DE MI MUERTE

Leopoldo Lugones nació en Villa María del Río Seco, en la provincia de Córdoba, el sábado 13 de junio de 1874.

Los Lugones se preciaban de ser una familia de antiguo linaje, y su ascendencia criolla se remontaba al Perú del siglo XVI. Desde su juventud hasta su muerte, Leopoldo Lugones pasó por todas las variantes extremas de la política: fue socialista revolucionario en 1896, cuando dirigió junto a José Ingenieros el periódico *La Montaña*, anticlerical y anarquista, luego apoyó la candidatura conservadora de Quintana a la presidencia y luego fue el intelectual orgánico de la derecha nacionalista argentina.

Rubén Darío —quien lo encuentra en plena juventud socialista— lo describió como "un muchacho bizarro de veintidós años, de chambergo y anteojos, un fanático y convencido incontestable".

A comienzos de siglo la revista *La Biblioteca*, dirigida por Paul Groussac publicó algunos capítulos de *La Guerra Gaucha*, donde relata la guerra de guerrillas de Güemes. El éxito de dos de sus libros de poemas, *Los crepúsculos del jardín* y *Lunario sentimental* marcó también dos de sus viajes iniciáticos a Europa y, como en los viajes de juventud de Borges, su regreso al país con un renovado interés por los temas argentinos. De vuelta en Buenos Aires Lugones escribe

El payador, varias conferencias sobre el *Martín Fierro* y publica un ensayo sobre Sarmiento. En 1920 publicó *Mi beligerancia*, un panfleto doctrinario calcado de los movimientos belicistas europeos.

"A Lugones todo el mundo lo considera importante —escribió Eduardo Muslip— no bueno, sino importante, en la historia literaria. Y parte de su peso central deviene de haber sido el intelectual orgánico al servicio de los conservadores. Leopoldo nunca cambió demasiado... siempre creyó que un grupo de elegidos iba a llevar al país a... Simplemente cambió de idea respecto a quiénes eran los predestinados."

Leopoldo Lugones redactó la proclama, leída por Uriburu, del golpe que el 6 de septiembre de 1930 derrocó a Hipólito Yrigoyen; también fue el encargado de despedir los restos de los jóvenes cadetes muertos en esa jornada. "Ha sonado otra vez, para bien del mundo, la hora de la espada. Así como ésta hizo lo único enteramente logrado que tenemos hasta ahora, y es la independencia, hará el orden necesario, implantará la jerarquía indispensable que la democracia ha malogrado hasta hoy, fatalmente derivada, porque ésa es su consecuencia natural, hacia la demagogia o el socialismo." "El Ejército es la última aristocracia, vale decir la última posibilidad de organización jerárquica que nos resta entre la disolución demagógica", escribió Lugones al cumplirse los cien años de la batalla de Ayacucho.

El 19 de febrero de 1938, Lugones se retiró al Tigre para avanzar en su biografía por encargo sobre Roca, de la que ya había escrito nueve capítulos.

"No puedo concluir la historia de Roca. Pido que me sepulten en la tierra y sin ningún signo ni nombre que me recuerde. Prohíbo que se dé mi nombre a ningún sitio público. Nada reprocho a nadie. El único responsable soy yo, de todos mis actos", escribió en una nota.

Luego tomó un vaso lleno de whisky y cianuro.

Polo —Leopoldo Lugones hijo— se encargó de enterrarlo, aunque no respetó la última voluntad de su padre. "Leopoldo Lugones es uno solamente, en padre e hijo, y queda éste como guardián de mi obra", había escrito el padre en el testamento. Y su hijo lo cumplió, como escribe Muslip, "ocupándose de eliminar ya no en el terreno discursivo, sino en el de la realidad, a los grupos odiados por él".

Juan Ignacio Irigaray escribió el 3 de septiembre de 2000 en el diario *El Mundo*, de España, el secreto a voces del hijo de Lugones: "Telma Jara pasó en capucha todo el mes de mayo —dice su nota— y entre tanto la llevaron tres veces más al sótano. La echaban desnuda y con los ojos cubiertos sobre un sommiere de metal, atando a él manos y pies. La picana —púa metálica con casi doscientos voltios y mango de madera— hincaba los genitales, los pezones, la boca, de la mano de algún avezado centurión. La picana tiene la ventaja para el verdugo de no dar olor a carne quemada ni dejar marcas en la piel. Hace doler hasta el cabello y hiere las entrañas. Es un alarde de inventiva de un comisario argentino: Leopoldo Lugones —hijo de uno de los mayores poetas que dio este país— que transformó una herramienta utilizada en el campo para mover vacas y cerdos." "Yo en la tortura no me quejé, no lloré, no insulté. Sólo me concentraba en pensar que la picana no me doliera. Había una fuerza mía interior, era como que no sentía dolor. Pero los tipos gritaban y había muchas voces."

La ya citada Medina Onrubia explica que Lugones hijo puede considerarse el célebre creador de dos tormentos: la aplicación de corriente eléctrica con una picana y el llamado "tacho": "bruscamente se elevaba al atormentado, haciéndole caer, completamente atado y de bruces, en un tacho inmundo, repleto de agua y de las asquerosas bazofias (...) y después de un nuevo interrogatorio y de otros golpes de puño, de cachiporras o de puntapiés, se le sumergía por segunda o tercera vez en ese dantesco recipiente".

Leopoldo Lugones hijo fue director del Reformatorio de Menores Abandonados y Delincuentes y comisario de la Policía Federal. Tuvo, también, una estrecha vinculación con la embajada alemana en Buenos Aires durante el nazismo.

Tuvo dos hijas, Carmen, "Babú", y Susana "Pirí" Lugones, militante de los Montoneros asesinada por la dictadura en 1978.

Gabriela Esquivada, en su ensayo *Pirí Lugones: ¿qué maldición?*, publicado en la antología *Mujeres Argentinas*, cuenta que "Pirí y su hermana no sufrieron tanto como su madre, Carmen Aguirre, a quien

Lugones hijo no sólo golpeaba sino que tenía el hábito de quemarle el pecho con cigarrillos". Carmen Aguirre era hija del músico Julián Aguirre.

La paradójica saga de la familia Lugones está retratada en *Fondo Negro*, una novela de Eduardo Muslip que recorre las biografías del poeta, el torturador y la guerrillera. Relata Muslip que en una tarde de su infancia, Pirí le mostró a su padre un recorte de diario que le habían dado en el colegio: el periódico informaba sobre los métodos de tortura creados por Lugones hijo, ilustrándolos con una caricatura en la que Lugones aparecía sumergiendo la cabeza de un preso en el tacho, un balde lleno de excrementos.

"Polo tomó a su hija de la mano, se sentó en el sillón giratorio y la subió sobre sus piernas.

—Pero hijita, ¿cómo puede creer eso de su papá? Todos los diarios dicen mentiras. Y ese diario más que ninguno...

—Me quiero ir.

Polo sostuvo con firmeza a su hija, mientras hacía girar la silla cada vez más rapidamente."

"Nieta de un poeta, hija de un torturador", se presentaba Pirí Lugones. Como su padre, Polo se suicidó, aunque pegándose un tiro en la cabeza. También se mató Alejandro, uno de los tres hijos de Pirí, en las islas del Tigre, en una fecha próxima al suicidio de su bisabuelo y de su abuelo.

Analía García y Marcela Fernández Vidal cuentan en *Pirí* que, hasta 1955, ella fue una intelectual de clase media antiperonista, no militante. Impactada por la figura del Che, viajó a Cuba y junto a Rodolfo Walsh —con quien estuvo en pareja— integró Prensa Latina. Ingresó a Montoneros pasando antes por las FAP (Fuerzas Armadas Peronistas).

Susana Lugones tenía unos cincuenta años cuando militaba bajo el nombre de guerra de Rosita, activando en los barrios y realizando tareas de inteligencia.

Trabajó con Walsh como radioescucha, para detectar informaciones de la policía o el ejército. Según señalan las autoras antes citadas, gracias a su trabajo se conocieron dos hechos clave con antelación: los preparativos para la masacre de Ezeiza, en 1973 y el secuestro de las Madres de Plaza de Mayo en la Iglesia de la Santa Cruz, en 1977.

Pirí Lugones fue secuestrada el 21 de diciembre de 1977, a los cincuenta y dos años; estuvo presa en los campos de concentración de El Atlético y El Banco y fue asesinada en un traslado masivo el 17 de febrero de 1978.

MORIRSE LEJOS

La lista que sigue es reveladora y azarosa: en ella se muestra que la mayoría de quienes tuvieron vida pública en nuestro país eligieron morir fuera de él. También se incluyeron algunos asesinatos políticos y otras muertes por suicidio mostrando a quienes, extranjeros de sí mismos, eligieron quitarse la vida frente a nuestros ojos. Quizá sea cierto que la mejor manera de escribir sobre la Argentina, de describirla, sea hacerlo desde lejos, donde la pasión se aquieta. Pero: ¿es ése el mejor lugar donde morirse cuando durante toda la vida se peleó por éste?

MARIANO ANTONIO DE ACHA, militar, peleó con las fuerzas de José María Paz, se exilió en Bolivia y luego volvió a Tucumán, donde se incorporó a la Liga del Norte contra Rosas. Aldao lo fusiló por la espalda el 16 de noviembre de 1841; luego le cortaron la cabeza y la expusieron en una pica en las inmediaciones de la Posta de la Cabra, en Mendoza.

PEDRO JOSÉ AGRELO, jurisconsulto, fue redactor de *La Gazeta* y miembro de la Sociedad Patriótica, miembro de la Asamblea de 1813 y autor del decreto que creaba la moneda de cuño nacional. Fue deportado por sus críticas a Pueyrredón. Obligado a emigrar a Montevideo, murió en la mayor pobreza en 1846.

JUAN BAUTISTA ALBERDI, autor de la Constitución de 1853, a partir de sus *Bases y puntos de partida para la organización política de la República Argentina.* Escribió teatro (*El gigante Amapolas*), ensayos (*El crimen de la guerra, Cartas Quillotanas,* en polémica con Sarmiento, etc.). Fue encargado de negocios de la Confederación Argentina en Inglaterra, Francia, España e Italia. Murió exiliado en Neully Sur Seine, Francia, en 1884.

LEANDRO N. ALEM, fundador de la Unión Cívica Radical, diputado y senador reelecto. Se quitó la vida en un carruaje que lo llevaba al Club del Progreso en 1896.

JULIÁN ÁLVAREZ, jurisconsulto. Compañero de Mariano Moreno en la Secretaría de Gobierno de Buenos Aires. Secretario de Estado del Directorio y redactor de *La Gazeta.* Falleció exiliado en Montevideo en 1843.

ANTONIO ÁLVAREZ DE JONTE, militar. Miembro del Segundo Triunvirato junto a Juan José Paso y Nicolás Rodríguez Peña. Fue desterrado a Londres en 1815, y pudo sobrevivir allí gracias a algunos recursos que le fueron prestados por San Martín. Falleció en Pisco, Chile, en 1820.

MARTÍN DE ÁLZAGA, comerciante. Fue una de las personas más ricas de la Argentina a comienzos del siglo XIX. Tuvo un rol destacado en la preparación de la Reconquista de Buenos Aires, el campamento de Perdriel y la organización del regimiento La Unión, durante las Invasiones Inglesas. Fue detenido y fusilado en 1812 por el Triunvirato de González Rivadavia, acusado de participar en una conspiración. Su

inocencia fue luego probada. Para Enrique de Gandía fue
uno de los "fundadores" de la independencia argentina.

ANTONIO ARCOS, militar e ingeniero. Fue ayudante de campo del General San Martín en la Batalla de Chacabuco.
Murió en París en 1861.

JUAN ANTONIO ÁLVAREZ DE ARENALES, militar. Participó en
las batallas de Salta, La Florida y Sipe-Sipe. Hizo junto a
San Martín las dos campañas de la Sierra venciendo en Ica,
Nazca y Pasco. Se lo condecoró con la Legión de Honor en
Chile, y en Perú como Gran Mariscal. Fue gobernador de
Salta. Murió en Bolivia en 1831.

FRANCISCO COSME ARGERICH, médico. Actuó como practi-
cante durante las Invasiones Inglesas y asistió a los heridos
en el combate de San Lorenzo. Fue nombrado médico cirujano del Ejército del Alto Perú por San Martín. Tuvo una
amplia actividad académica y fue nombrado diputado en
1832, oponiéndose a que se le entregara a Rosas la suma
del poder público. Murió exiliado en Montevideo en 1846.

EDUARDO LORENZO AROLAS, músico. Autor, entre otros tan-
gos, de *Una noche de garufa*. Tocó en el Armenonville, el
Cabaret Parisien y otros sitios de moda, junto a Roberto
Firpo. Murió en París, en 1924, asesinado por un macró.

GENERAL JOSÉ GERVASIO DE ARTIGAS. Actuó con Liniers en la
Reconquista de Buenos Aires y rindió el parte de la Victoria en
Montevideo. Adhirió a la Revolución de Mayo de 1810. Escri-
bió sus Instrucciones de abril de 1813, con dos proyectos cons-
titucionales completos, a nivel nacional y provincial, que fue-
ron la base ideológica del movimiento federal en la Argentina.
Fue Protector de la Liga de los Pueblos Libres y, obviamente,
Padre de la independencia uruguaya. Murió en la pobreza,

dedicado al cultivo de la tierra, en Ibiray, cerca de Asunción del Paraguay, en 1850.

MARCO MANUEL DE AVELLANEDA, jurisconsulto. Uno de los difusores de la Asociación de Mayo en las provincias, presidente del Tribunal de Justicia. El coronel Mariano Maza le formó consejo de guerra, y fue condenado a muerte y ejecutado en Metán, en 1841. Su cabeza fue cortada y expuesta en la plaza pública de Tucumán.

JUAN BAUTISTA AZOPARDO, marino. Actuó como capitán en la Reconquista de Buenos Aires. Fue nombrado en 1811 comandante de la primera escuadrilla argentina y fue segundo jefe de la escuadra de Brown en la guerra contra Brasil. Murió en la pobreza en 1848.

JUANA AZURDUY. Fue nombrada por Belgrano Teniente Coronel de los "Decididos del Perú". Después de haber perdido degollado a su marido, viajó a Salta para combatir bajo las órdenes de Güemes. Murió en Sucre, en el más completo olvido, en 1862.

MANUEL BLANCO ENCALADA, marino. Peleó junto a San Martín en el Ejército de los Andes, apresó en Talcahuano a la fragata María Isabel, tuvo a su cargo la escuadra peruana, fue embajador y presidente de Chile. Murió en Santiago de Chile en 1876.

JUAN MANUEL BLANES, pintor uruguayo. Autor de grandes óleos como *Juramento de los Treinta y Tres Orientales, La Fiebre amarilla en Buenos Aires, La conquista del desierto, La Batalla de Sarandí*, etc. Murió en Pisa, Italia, en 1901.

ANDRÉ PAUL BOUCHARD, marino. Fue capitán del bergantín 25 de Mayo en la batalla de San Nicolás. San Martín lo incorporó al Regimiento de Granaderos a Caballo: capturó la bandera realista en la batalla de San Lorenzo y peleó en el

Ejército Auxiliar del Perú. Volvió a la Armada, y peleó con Brown y nuevamente con San Martín en la escuadra peruana. Murió asesinado por sus esclavos en 1837.

ADOLFO JORGE BULLRICH, comerciante y militar. Fue director del Banco Hipotecario e Intendente Municipal de Buenos Aires entre 1898 y 1902, en la segunda presidencia de Roca. Murió en París en 1904.

FRANCISCO CAFFERATA, escultor. Hizo la estatua del General Belgrano, *El esclavo* (bronce que se encuentra en los bosques de Palermo), la estatua de Brown en Adrogué. Bustos de Sarmiento, Mitre, Moreno y Lavalle, entre otros. Se suicidó en 1890.

PEDRO IGNACIO DE CASTRO BARROS, sacerdote. Diputado y presidente electo del Congreso de Tucumán en 1816. Vicario Capitular de Córdoba. Murió en Chile en 1849.

JUAN COGHLAN, ingeniero. Proyectó las primeras instalaciones de agua corriente en 1868. Fue presidente del Ferrocarril del Sud y Director de la Oficina de Puertos y Caminos de la Provincia de Buenos Aires. Murió en Londres en 1890.

JOSÉ ANTONIO ÁLVAREZ DE CONDARCO, militar. Dirigió la fábrica de pólvora del Ejército Libertador. Estudió, a pedido de San Martín, la topografía de los pasos cordilleranos antes del cruce de los Andes. Peleó en Chacabuco y Maipú. Murió en Santiago de Chile en 1855, en la pobreza, y el entierro fue costeado por sus amigos.

PEDRO CONDE, militar. Peleó en el Sitio de Montevideo. Fue edecán del Director Alvear. Estuvo al mando del Batallón 7 de Infantería de San Martín. Murió en Sayán, Perú, en 1821.

RAMÓN ANTONIO DEHEZA, militar. Peleó junto a Las Heras, Balcarce y San Martín. Realizó junto a Arenales la famosa Campaña de la Sierra. Fue designado Jefe de Estado Mayor del Ejército Libertador por Bolívar. Fue electo gobernador de Santiago del Estero en 1830. Murió en Valparaíso en 1872.

SANTIAGO DERQUI, jurisconsulto. Constituyente, Ministro de Justicia e Instrucción Pública de Urquiza, interventor en San Juan y Presidente de la Nación entre 1860 y 1861. Exiliado en Montevideo. Murió en el olvido y la pobreza en Corrientes en 1867.

BERNARDINO ESCRIBANO, militar. Actuó en el rechazo de las Invasiones Inglesas y junto a Pueyrredón en la campaña del Alto Perú. Combatió en San Lorenzo y cruzó la cordillera con el Ejército de los Andes. Fundó el Fuerte Federación (hoy Junín). Murió en Santiago de Chile en 1834.

APOLINARIO DE FIGUEROA, coronel. Fue nombrado por Belgrano Jefe de la Milicia Urbana de Salta. Gobernador de la provincia de Potosí y gobernador interino de Salta. Murió en Lima, Perú, en 1842.

ELPIDIO GONZÁLEZ. Diputado nacional por la UCR, ministro de Guerra de Irigoyen y Jefe de Policía. Vicepresidente de Marcelo T. de Alvear y ministro del Interior en la segunda presidencia de Irigoyen. Encarcelado por el golpe de Uriburu. Vivió sus últimos años como corredor de comercio. Murió muy pobre, en 1951.

RICARDO GÜIRALDES, escritor. Autor de *Don Segundo Sombra*. Fundador de *Proa* junto a Borges y Rojas Paz. Murió en París en 1927.

FRANCISCO DE GURRUCHAGA, militar. Diputado por Salta a la Primera Junta. Donó 400 fusiles para la expedición de

Belgrano al Alto Perú, financió a Güemes y a la administración de Correos de Salta. Constituyente en 1813. Murió totalmente empobrecido, en Salta, en 1846.

GERÓNIMO DE HELGUERA, militar. Peleó junto a Belgrano en la campaña del Paraguay y en el ejército del Alto Perú. Fue designado por Rondeau Segundo Jefe del Ejército del Norte. Vivió exiliado en Chile y murió en Copiapó en 1838.

GUILLERMO ENRIQUE HUDSON, naturalista y escritor. Autor de *El naturalista en el Plata, Allá lejos y hace tiempo*, y de diversos tratados sobre pájaros de la Patagonia. Murió en Londres en 1922.

JUAN CRISÓSTOMO LAFINUR, poeta y filósofo. Escribió un Curso filosófico y diversos tratados sobre reformas en la enseñanza. Murió en Chile en 1824.

ENRIQUE LAFUENTE, jurisconsulto y político. Formó parte del Salón Literario y fue uno de los fundadores de la Asociación de Mayo. Vivió el exilio en California, Brasil y Montevideo. Se suicidó en Copiapó, Chile, en 1850.

MARIANO DE LARRAZÁBAL, militar. Fue ayudante de Rondeau en Sipe-Sipe, luego peleó con San Martín en Chacabuco, Talcahuano, Cancha Rayada y Maipú, ascendiendo a Coronel. Murió en la cárcel en Perú en 1822, detenido por haberse negado a cambiar su escarapela argentina por una peruana.

JUAN LARREA, comerciante. Formó parte de la Primera Junta, fue constituyente del año 1813 y ministro de Hacienda del director Posadas. Autor de la Ley de Aduanas de 1813 y del proyecto de instalación de la Casa de la Moneda. Perseguido por el rosismo, se suicidó en 1847.

GENERAL JUAN GREGORIO LEMOS. Comisario de Guerra del Ejército de Los Andes. Murió en las cercanías de Lima en 1822.

ESTEBAN DE LUCA, poeta y militar. Participó junto a Vicente López y Blas Parera en la creación del himno nacional. Fue director de la Fábrica de Fusiles. A cargo de una misión diplomática en Brasil se embarcó en el Agenoria el 1 de marzo de 1824. El día 10 el navío encalló en el banco Inglés. Estuvieron sin recibir ayuda ni víveres hasta el miércoles 17, cuando no se supo nada más de su suerte.

LEOPOLDO LUGONES, periodista y poeta. Fundó el periódico *La Montaña*, junto a José Ingenieros. Escribió *Historia de Sarmiento*, *La Guerra Gaucha*, *Lunario sentimental*, etc. Anunció el advenimiento de "la hora de la espada", y fue uno de los intelectuales del golpe de 1930. Se suicidó en el Tigre en 1938.

EDUARDO MADERO, empresario. Concibió en 1861 el proyecto del Puerto de Buenos Aires; dirigió las obras personalmente hasta la construcción del Dique 3. Murió en Génova en 1894.

GENERAL LUCIO VICTORIO MANSILLA. Comandante de las Fronteras del Sur de Córdoba. Relató su experiencia de trato pacífico con los indios en *Una excursión a los indios ranqueles*. Murió en París en 1903.

MARIANO MORENO, periodista. Secretario de la Primera Junta de Gobierno, autor de *La Representación de los Hacendados* y el *Plan de Operaciones*. Murió envenenado en alta mar en 1811.

PERITO FRANCISCO PASCASIO MORENO. Exploró la Patagonia desde Carmen de Patagones por el valle del Río Negro y el Limay hasta el Lago Nahuel Huapi y la Cordillera de los

Andes. Reconoció el Lago Santa Cruz hasta sus fuentes, viaje en el que descubrió el Lago San Martín. Constribuyó a la fundación del Museo de Historia Natural de La Plata. Murió en 1919, en el olvido y la mayor pobreza.

JUAN JOSÉ OLLEROS, militar. Peleó junto a Rondeau y San Martín. Fue condecorado por su actuación en Cancha Rayada y Maipú. Murió en la pobreza en 1857.

JUAN MANUEL ORTIZ DE ROSAS, murió en Southampton, Inglaterra, en 1877.

BLAS PARERA, músico. Autor del Himno Nacional. También compuso *Canto a la Memoria de Mariano Moreno, El 25 de Mayo* y *Sonatina*. Murió en Mataró, España, en 1840.

FLORENCIO PARRAVICINI, actor. Uno de los fundadores del teatro argentino. Se suicidó en 1941.

JOSÉ C. PAZ, periodista y militar. Ayudante de Mitre en la batalla de Pavón. Fundador del Hospital de Inválidos, y del diario *La Prensa*. Murió en Montecarlo en 1912.

MANUELA PEDRAZA. Participó junto a su esposo en la jornada del 12 de agosto de 1806. Herido de muerte su esposo, Manuela tomó su fusil y mató al inglés que le había disparado. Luego le quitó el arma al enemigo y se la presentó a Liniers en el Fuerte. Recibió el grado de subteniente y goce de sueldo. Años después fue desalojada de la pieza que arrendaba por falta de pago. No consta la fecha de su muerte.

PEDRO REGALADO DE LA PLAZA, militar. Intervino en las Invasiones Inglesas. Combatió con Belgrano en Tucumán y Salta y luego formó parte del Ejército de los Andes. Fue Comandante General de Artillería en Mendoza, y diputado provincial. Murió en Chile en 1856.

HILARIÓN DE LA QUINTANA, militar. Peleó en la campaña de la Banda Oriental. Fue primer ayudante de Liniers. Gobernador de Tucumán, gobernador interino de Salta y Director Supremo de Chile. Pasó sus últimos años en el olvido y la pobreza extrema, falleciendo en el Hospital General de Hombres en 1841.

HORACIO QUIROGA, escritor. Autor de *Cuentos de amor, de locura y de muerte*, *Cuentos de la Selva*, *Los Desterrados*, etc. Se suicidó con cianuro en el Hospital de Clínicas en 1937.

GUILLERMO RAWSON, médico. Diputado de la Legislatura, diputado por San Juan al Congreso de Paraná en 1854, constituyente de Buenos Aires, senador de la Nación. Murió en París en 1890.

BERNARDINO DE LA TRINIDAD GONZÁLEZ RIVADAVIA, presidente. Bajo su mandato, en 1826, el Congreso aprobó la constitución unitaria, rechazada por las provincias. Sancionó la Ley de Enfiteusis, de creación del Banco Nacional, nacionalización de las Aduanas provinciales, etc. Falleció en Cádiz, España, en 1845.

MARTÍN RODRÍGUEZ, militar. Peleó junto a Belgrano en la batalla de Salta, y en Cepeda bajo las órdenes de Rondeau, fue General en Jefe del Ejército y Ministro de Guerra. Murió exiliado en Montevideo en 1845.

NICOLÁS RODRÍGUEZ PEÑA, militar. Perteneció a la Sociedad Patriótica, fue miembro de la Junta Grande y de la Asamblea de 1813. Gobernador de la Banda Oriental. Murió en Chile, en la pobreza, en 1853.

LEONARDO ROSALES, marino. Peleó junto al Almirante Brown a cargo de la Cañonera número 6, fue comandante del bergantín General Belgrano en la batalla de Los Pozos. Exiliado en Uruguay atendió una pulpería y murió en la pobreza en 1836.

TEODORO SÁNCHEZ DE BUSTAMANTE, jurisconsulto. Fiscal de la Audiencia de Buenos Aires, asesor general del Cabildo jujeño, miembro del Congreso de Tucumán de 1816. Murió exiliado en Bolivia en 1851.

GENERAL JOSÉ FRANCISCO DE SAN MARTÍN, militar. Libertador de Argentina, Chile y Perú. Murió en Boulogne-sur-Mer, Francia, en 1850.

DOMINGO FAUSTINO SARMIENTO, escritor. Presidente durante el período 1868-1874. Autor de *Facundo, Recuerdos de Provincia, Argirópolis*. Sus *Obras Completas* suman 52 volúmenes. Murió en Asunción del Paraguay en 1888.

ISIDORO RAMÓN SUÁREZ, militar. Fue parte del Ejército de los Andes. Peleó en Maipú, Bío-Bío y Chillán. También en Junín y Ayacucho. Murió exiliado en Montevideo en 1846.

LISANDRO DE LA TORRE, jurisconsulto y periodista. Fundador del Partido Demócrata Progresista. Como senador nacional encabezó una campaña contra la corrupción y contra el monopolio de las carnes. Se suicidó en 1939.

MANUEL UGARTE, escritor. Autor de *Paisajes parisienses, El arte y la democracia, La Patria Grande*, etc. Murió en Niza, Francia, en 1951.

GENERAL JUSTO JOSÉ DE URQUIZA, presidente. Convocó al Congreso que sancionó la Constitución de 1853 y lo nombró el primer presidente constitucional de la Argentina. Luego fue electo dos veces como gobernador de su provincia. Fue asesinado en su casa de San José en 1870.

JUAN JOSÉ VIAMONTE, militar. Coronel del Ejército del Norte, gobernador de Entre Ríos, presidente del Congreso y
gobernador sustituto de Buenos Aires. Murió exiliado en
Montevideo en 1843.

Hombres de Ley

Y bien, señor Presidente: han pasado trece años; hemos seguido buscando en la prédica de las buenas doctrinas, llegar a la verdad institucional; y si hoy en día se me presentara en este recinto la Virgen del Valle y me preguntara: ¿Y cómo nos hallamos? Tendría que confesar que han fracasado lamentablemente mis teorías evolutivas y que nos encontramos hoy peor que nunca.

Carlos Pellegrini,
en un mensaje al Congreso

Nuestra relación con la ley es compleja, dual y conflictiva. En los últimos capítulos de este libro intentaremos llegar a algunas preguntas esenciales sobre el punto, que hacen a la conformación de nuestra identidad como Nación. El sentido del capítulo siguiente es meramente expositivo; como tal, se encuentra expuesto a omisiones y elegimos adelantarnos a ellas reconociendo que la lista que sigue es exhaustiva, pero no completa.

La palabra "amnistía" se reconoce en su antecesora, "amnesia", donde "a" se presenta como un prefijo negativo, y "mnesia" es una locución griega que significa memoria o recuerdo.

En su ensayo *¿Convienen o no las amnistías?*, Francisco Hipólito Uzal detalla las características conceptuales de una ley de olvido de los delitos políticos: siempre es impersonal, es una ley sin nombres propios que se dirige a tales o cuales faltas, y no a tales o cuales personas; la amnistía contraría el principio de no retroactividad de las leyes, va hacia atrás en el tiempo, y no es posible rehusarla. Amnistiar fue, históricamente, una facultad graciosa de los Reyes que, en el caso de España, por ejemplo, fue cediéndose luego al Parlamento, al menos hasta la llegada de Franco, cuando volvió a la órbita del "poder real". En el caso de Estados Unidos, es una facultad exclusiva del Presidente. En comparación con nuestra Constitución, una de las pocas facultades especiales que tiene: mientras la Constitución Argentina autoriza 22 atribuciones privativas al Presidente, la norteamericana sólo le asigna diez. En nuestro país el presidente no puede amnistiar *per se*, sin una ley del Congreso, pero sí puede indultar. Dice el artículo 86 de la Constitución: "puede indultar o conmutar las penas por delitos sujetos a la jurisdicción federal, previo informe del tribunal correspondiente, excepto en los casos de acusación por la Cámara de Diputados".

El indulto se diferencia de la amnistía en que puede ser total o parcial, no elimina los antecedentes penales ni las inhabilitaciones accesorias y se concede a título personal. Escribió Concepción Arenal: "El indulto asegura la impunidad pero no rescata la honra. La amnistía declara honrado al que exime de la pena, considerándolo más bien como imprudente, como desdichado y como vencido, no como culpable. (...) Los crímenes mas horrendos —agrega Arenal— se amnistían si se cometen gritando viva esto o muera aquello, y se absuelve el robo, el incendio y el asesinato si se han perpetrado en ocasión de un levantamiento en armas".

González Calderón agrega que la amnistía "es la pérdida de la memoria u olvido, que borra hasta la existencia misma de un hecho delictuoso". Arenal recorre el camino del amnistiado: "El delincuente político vencido va al presidio o muere; vencedor, es general o ministro; es una lotería en que se juega la libertad o la vida para ganar el poder y aquel a quien le toca deporta, fusila o perdona, según su natural, las circunstancias en las que se encuentra y el número de los que están a merced suya". Agrega: "Lo peculiar de España y de algunos otros pueblos tan desdichados como ella, es la frecuencia de los accesos de esa enfermedad del espíritu, que hace conspiradores, sediciosos y rebeldes. La rebelión triunfante tiene que amnistiar; vencida, que ser amnistiada, porque es materialmente imposible hacer la carnicería que en virtud de la ley debería hacerse, ni hay donde encerrar a los que legalmente podían ser recluidos".

Argentina tuvo, a lo largo de su historia, al menos 124 amnistías de diversa índole, si se cuenta entre los perdones e indultos decretados por leyes nacionales o por decretos-leyes.

No todas fueron de naturaleza política: hubo amnistías a viñateros y a infractores de la Aduana, perdón a quienes inscribieron tarde un nacimiento o a los desertores del servicio militar.

Fueron las siguientes:

Amnistía del 30 de septiembre de 1811: emanada del Primer Triunvirato (Chiclana, Sarratea y Paso, con secretaría de González Rivadavia).

Amnistía del 8 de febrero de 1814: la primera con carácter de ley, ya que la de 1811 fue un decreto. Se aprobó para beneficiar a los funcionarios públicos que hubieran gobernado hasta entonces y sufrieran algún castigo, como los juicios de residencia. Fue dictada por la Asamblea del año 1813.

Ley de Olvido del 7 de mayo de 1822, dictada por el gobernador de Buenos Aires Martín Rodríguez.

Amnistía del 4 de diciembre de 1826, dictada por el Congreso Constituyente que aprobó la Constitución Unitaria. Con González Rivadavia como presidente esta amnistía fue aún más amplia.

Amnistía del 19 de marzo de 1839, durante el gobierno de Ortiz de Rosas; favorecía el retorno de los emigrados argentinos que no hubiesen tomado parte en disturbios.

LEY NACIONAL N° 714; AMNISTÍA GENERAL POR DELITOS PO-
LÍTICOS (1875), Sarmiento estaba en el Senado, y amnistió,
entre otros, a Mitre.

LEY NACIONAL N° 843; AMNISTÍA GENERAL. (1877), dictada
por el Presidente Avellaneda en su "política de conciliación".

LEY NACIONAL N° 2310; AMNISTÍA. (1888) Favoreció a López
Jordán.

LEY NACIONAL N° 2713; AMNISTÍA GENERAL POR LOS DELITOS
POLÍTICOS Y MILITARES. (1890) Proyecto del senador Dardo
Rocha para favorecer a los que tomaron parte en la revolu-
ción de julio.

LEY NACIONAL N° 3223; AMNISTÍA GENERAL (1895), perdo-
nó a los revolucionarios radicales de 1893.

LEY NACIONAL N° 4071; AMNISTÍA A INFRACTORES DE LAS LEYES
DE ENROLAMIENTO, 1889-1919.

LEY NACIONAL N° 4311; AMNISTÍA POR DELITOS ELECTORA-
LES, 1889-1919.

LEY NACIONAL N° 4939; AMNISTÍA GENERAL POR DELITOS
POLÍTICOS Y MILITARES (1906), a los revolucionarios radicales
del 4 de febrero de 1905. Durante el debate de esta ley en el
Congreso Carlos Pellegrini pronunció un histórico discurso que se cita parcialmente al comienzo de este capítulo.
Dijo, además, Pellegrini: "Mañana vendrá a esta Cámara
una Ley de Perdón: nosotros la vamos a discutir y vamos a
votar. Y si alguno de esos amnistiados nos preguntara ¿quién
perdona a quién? ¿Es el victimario a la víctima o la víctima
al victimario? ¿Es el que usurpa los derechos del pueblo o es
el pueblo que se levanta en su defensa? ¿Cuál será la autoridad que podríamos invocar para dar estas leyes de perdón,
para hacer estos actos de magnanimidad, de generosidad?
(...) Sólo habrá ley de olvido —agregó Pellegrini— sólo habrá
ley de paz, sólo habremos restablecido la unión en la familia
argentina el día que todos los argentinos tengamos iguales
derechos, el día que no se los coloque en la dolorosa alter-
nativa, o de renunciar a su calidad de ciudadanos, o de ape-
lar a las armas para reivindicar sus derechos despojados".

Ley Nacional N° 7065; Amnistía a infractores al enrolamiento, 1899.

Ley Nacional N° 8185; Amnistía a infractores a las leyes de enrolamiento, 1900.

Ley Nacional N° 9522; Amnistía a infractores al enrolamiento y al servicio militar, 1902.

Ley Nacional N°11268; Amnistía a militares que habiendo tomado parte de los sucesos políticos de 1890,1893 y 1905 se encuentren aun fuera de la institución, 1923.

Ley Nacional N° 11626; Amnistía general por delitos políticos, 1932.

Ley Nacional N° 11657; Amnistía a infractrores al enrolamiento y servicio militar, 1932.

Ley Nacional N° 12348; Amnistía a infractores al enrolamiento y servicio militar, 1937.

Ley Nacional N° 12673; Amnistía general por delitos políticos, 1941.

Ley Nacional N° 12882; Amnistía a infractores del enrolamiento.

Ley Nacional N° 12920; Amnistía a militares separados de las Fuerzas Armadas a raíz de sucesos políticos ocurridos desde el 6 de septiembre de 1930, 1946.

Ley Nacional N° 12977; Amnistía y reincorporación de miembros de las Fuerzas Armadas, 1947.

Ley Nacional N° 13945; Amnistía a infractores al régimen de introducción, transporte, adquisición, uso, técnica y portación de armas y explosivos, 1950.

Ley Nacional N° 14023; Amnistía a infractores a la ley 13010 de derechos políticos de la mujer, 1951.

Ley Nacional N°14282; Amnistía a infractores del enrolamiento, 1953.

Ley Nacional N° 14296; Amnistía política y gremial, 1953.

Ley Nacional N° 14349; Amnistía a desertores de las Fuerzas Armadas, 1954.

LEY NACIONAL N° 14436; AMNISTÍA GENERAL, 1958.

LEY NACIONAL N° 14493; AMNISTÍA POR FALTAS O DELITOS ELECTORALES, 1958.

LEY NACIONAL N° 15323; AMNISTÍA ELECTORAL, 1960.

LEY NACIONAL N° 15324; AMNISTÍA DE INFRACTORES Y BAJA DE INFRACTORES INCORPORADOS A LAS FUERZAS ARMADAS, 1960.

LEY NACIONAL N° 16461; AMNISTÍA DE INFRACCIONES ELECTORALES, 1964.

LEY NACIONAL N° 16557; AMNISTÍA A INFRACTORES AL ENROLAMIENTO, 1964.

LEY NACIONAL N° 16678; AMNISTÍA A CIUDADANOS QUE NO HUBIERAN EMITIDO SU VOTO EN LA ELECCIÓN DEL 14 DE MARZO DE 1965, 1965.

LEY NACIONAL N° 17576; REINCORPORACIÓN EN SITUACIÓN DE RETIRO DEL PERSONAL MILITAR AMNISTIADO POR LEY 14.436, 1967.

LEY NACIONAL N° 17798; AMNISTÍA A INFRACTORES A LA LEY DE INSCRIPCIÓN DE NACIMIENTOS, 1968.

LEY NACIONAL N° 17854; PAGO DE HABERES RETENIDOS AL PERSONAL COMPRENDIDO EN LA AMNISTÍA DISPUESTA POR EL DECRETO LEY 7602/63, 1968.

LEY NACIONAL N° 17932; CINEMATOGRAFÍA, AMNISTÍA POR INFRACCIONES AL DECRETO LEY 62/57, 1968.

LEY NACIONAL N° 18301; AMNISTÍA POR LA INSCRIPCIÓN DE NACIMIENTOS FUERA DE TÉRMINO, 1969.

LEY NACIONAL N° 18325; AMNISTÍA AMPLIA Y GENERAL PARA TODOS LOS DELITOS POLÍTICOS Y COMUNES COMETIDOS EN 1964 CON MOTIVO DEL DENOMINADO "PLAN DE LUCHA GREMIAL", 1969.

LEY NACIONAL N° 18463; AMNISTÍA POR HECHOS Y SITUACIONES DELICTUOSAS, JUZGADOS POR TRIBUNALES MILITARES DE ACUERDO CON LA LEY 18.232, 1970.

LEY NACIONAL N° 19168; VITIVINICULTURA; AMNISTÍA DE LAS SANCIONES DE CLAUSURA DE BODEGAS DISPUESTAS POR ADICIÓN DE DERIVADOS HALOGENADOS DEL ÁCIDO MONOCLOR ACÉTICO, 1971.

Ley Nacional N° 19216; Adopción, amnistía general por delitos en que hubieren incurrido quienes hayan inscrito falsamente como propios a hijos ajenos, 1971.

Ley Nacional N° 19315; Amnistía para infractores y desertores del servicio militar, 1971.

Ley Nacional N° 20334; Amnistía a los ciudadanos que no hubieran votado en los comicios del 11 de marzo y el 15 de abril de 1973, 1973.

Ley Nacional N° 20407; Amnistía a infractores del enrolamiento, 1973.

Ley Nacional N° 20471; Amnistía a infractores del enrolamiento, 1973.

Ley Nacional N° 20508; Ley de amnistía, 1973.

Ley Nacional N° 20509; Pérdida de eficacia de las disposiciones por las que háyanse creado o modificado delitos o penas de delitos ya existentes y que no hayan emanado del Congreso Nacional; se convierten en ley las disposiciones dictadas por el Poder Ejecutivo entre el 28 de junio de 1966 y el 24 de mayo de 1973, 1973.

Ley Nacional N° 20562; Amnistía a los ciudadanos que no hubieren votado en los comicios del 23 de septiembre de 1973, 1973.

Ley Nacional N° 20571; Amnistía para jubilados infractores de normas sobre incompatibilidad, 1974.

Ley Nacional N° 20751; Amnistía por nacimientos no denunciados en término, 1974.

Ley Nacional N° 21135; Amnistía a infractores del servicio militar, 1975.

Ley Nacional N° 21230; Amnistía a quienes participaron en los sucesos políticos ocurridos entre el 6 de septiembre de 1930 y el 31 de diciembre de 1935, 1975.

Ley Nacional N° 22624; Amnistía de infracciones a la ley 21323 que restringió la actividad política, 1982.

Ley Nacional N° 22710; Amnistía por falta de inscripción de nacimientos, 1983.

LEY NACIONAL N° 22837; AMNISTÍA A DESERTORES AL 2 DE ABRIL DE 1982 QUE SE HAYAN PRESENTADO VOLUNTARIAMENTE AL SERVICIO DURANTE EL DESARROLLO DE LAS ACCIONES BÉLICAS DE NUESTRO PAÍS CON GRAN BRETAÑA, 1983.

LEY NACIONAL N° 22863; AMNISTÍA A PERSONAS QUE HUBIERAN INCURRIDO EN INFRACCIONES A LA LEY DE IDENTIFICACIÓN 17671, 1983.

LEY NACIONAL N° 22924; AMNISTÍA A DELITOS COMETIDOS CON MOTIVACIÓN O FINALIDAD TERRORISTA O SUBVERSIVA, DESDE EL 25 DE MAYO DE 1973 HASTA EL 17 DE JUNIO DE 1982, 1983.

LEY NACIONAL N° 22957; AMNISTÍA A DESERTORES E INFRACTORES AL SERVICIO MILITAR OBLIGATORIO DE LA CLASE 1960, 1983.

LEY NACIONAL N° 22692; INDEMNIZACIÓN DE DAÑOS Y PERJUICIOS OCASIONADOS POR HECHOS DE NATURALEZA PENAL COMPRENDIDOS EN EL ARTÍCULO 1 DE LA LEY 22924 DE AMNISTÍA DE DELITOS COMETIDOS CON FINALIDAD TERRORISTA O SUBVERSIVA, 1983.

LEY NACIONAL N° 22993; AMNISTÍA A CIUDADANOS QUE NO VOTARON EL 30 DE OCTUBRE DE 1983 Y A INFRACTORES DE DIVERSAS DISPOSICIONES REGLAMENTARIAS DURANTE EL PROCESO DE REORGANIZACIÓN DE LOS PARTIDOS POLÍTICOS, 1983.

LEY NACIONAL N° 23040; Derogación por inconstitucional de la ley de Amnistía 22924, 1983.

LEY NACIONAL N° 23128; AMNISTÍA POR FALTA DE INSCRIPCIÓN DE NACIMIENTOS Y POR INFRACCIONES A NORMAS SOBRE IDENTIFICACIÓN, 1984.

LEY NACIONAL N° 23342; AMNISTÍA A QUIENES NO HAYAN DESEMPEÑADO LAS FUNCIONES IMPUESTAS POR EL CÓDIGO NACIONAL ELECTORAL, 1986.

LEY NACIONAL N° 23521; LEY DE OBEDIENCIA DEBIDA, 1987.

LEY NACIONAL N° 23589; AMNISTÍA A CONTRAVENTORES DEL REGISTRO NACIONAL DE LAS PERSONAS, 1988.

LEY NACIONAL N° 23828; AMNISTÍA POR FALTA DE INSCRIPCIÓN DE NACIMIENTOS, 1990.

LEY NACIONAL N° 24755; AMNISTÍA A INFRACTORES DEL REGISTRO Y CLASIFICACIÓN DE LAS PERSONAS, 1996.

LEY NACIONAL N° 24940; AMNISTÍA A VIÑATEROS, BODEGUEROS Y FRACCIONADORES QUE HAYAN INCURRIDO EN INFRACCIONES A LA LEY 14878, 1998.

Y los siguientes decretos:

DECRETO NACIONAL 7604/03; Amnistía por delitos políticos y comunes conexos con motivo de hechos militares.

DECRETO NACIONAL 97849/41; Amnistía general por delitos políticos.

DECRETO NACIONAL 864/45; Amnistía a infractores de la ley de enrolamiento.

DECRETO NACIONAL 16329/45; ampliación del decreto anterior.

DECRETO NACIONAL 21577/46; Amnistía a infractores de la ley de enrolamiento.

DECRETO NACIONAL 35585/47; Amnistía a miembros de las Fuerzas Armadas.

DECRETO NACIONAL 25005/51; Amnistía de penados militares por delitos comunes.

DECRETO NACIONAL 840/53; aplicación de la ley de Amnistía al personal militar.

DECRETO NACIONAL 16062/54; Amnistía a infractores del régimen de permisos de importación y exportación.

DECRETO NACIONAL 18690/54; Amnistía a infractores y desertores.

DECRETO NACIONAL 7/55; Liberación de presos políticos.

DECRETO NACIONAL 63/55; Amnistía a condenados por delitos políticos, militares y comunes conexos.

DECRETO NACIONAL 690/55; normas para la reincorporación del personal militar amnistiado.

DECRETO NACIONAL 3433/55; Amnistía a condenados por delitos políticos.

DECRETO NACIONAL 19183/56; Amnistía de hechos cometidos en las universidades nacionales.

DECRETO NACIONAL 21180/56; Amnistía a infractores por no haber denunciado la tenencia de armas y explosivos.

DECRETO NACIONAL 21584/56; Amnistía a infractores de las leyes de enrolamiento.

DECRETO NACIONAL 6009/56; percepción de haberes por el personal militar amnistiado.

DECRETO NACIONAL 6148/56; término para solicitar la inclusión en el decreto de la Ley de Amnistía de militares.

DECRETO NACIONAL 4504/57; Amnistía de empleados y obreros sancionados o bajo proceso con motivo de movilizaciones.

DECRETO NACIONAL 12961/57; Amnistía a infractores del servicio militar.

DECRETO NACIONAL 7602/63; Amnistía para infracciones militares conexas con hechos políticos.

DECRETO NACIONAL 7603/63; actividades terroristas, amnistía por delitos políticos y comunes conexos.

DECRETO NACIONAL 250/73; conmutación de penas.

DECRETO NACIONAL 564/73; Amnistía para el personal de la ex Policía de Tierra del Fuego.

DECRETO NACIONAL 732/73; Amnistía para ex agentes de la Dirección Nacional del Servicio Penitenciario Federal.

DECRETO NACIONAL 1543/74; Amnistía para empleados públicos.

DECRETO NACIONAL 1332/73; Amnistía para el personal de las Fuerzas Armadas y de Seguridad.

DECRETO NACIONAL 1747/73; Amnistía para el personal de la Policía Federal.

DECRETO NACIONAL 1742/63; indulto de procesados por delitos políticos.

DECRETO NACIONAL 7/46; Indulto general.

DECRETO NACIONAL 1515/46; Indulto general.

DECRETO NACIONAL 33424/48; sobreseimiento de causas e indulto de penas por infracciones al régimen represivo de la especulación y el agio.

DECRETO NACIONAL 15972/49; indulto a extranjeros que entraron ilegalmente al país.

DECRETO NACIONAL 17252/50; indulto.

DECRETO NACIONAL 1/51; indulto del ciudadano Ricardo Balbín, procesado por desacato.

DECRETO NACIONAL 8778/52; indulto de comerciantes minoristas.

DECRETO NACIONAL 5412/55; indulto de varios condenados.

DECRETO NACIONAL 7587/55; indulto de procesados.

DECRETO NACIONAL 9694/57; indulto a personal militar procesado por hechos subversivos.

DECRETO NACIONAL 15401/57; indulto de ex legisladores.

DECRETO NACIONAL 17131/57; indulto al personal procesado por hechos subversivos contra el gobierno de la Revolución Libertadora.

DECRETO NACIONAL 7534/57; indulto de personal superior de la aeronáutica militar procesado por actividades subversivas.

DECRETO NACIONAL 7801/57; indulto de suboficiales y soldados implicados en actividades subversivas.

DECRETO NACIONAL 2522/62; indulto de penas impuestas por la Administración de Aduanas.

DECRETO NACIONAL 2330/83; indulto a María Estela Martínez de Perón.

DECRETO NACIONAL 2741/90; indulto a Videla, Massera, Agosti, Viola, Lambruschini, Camps y Ricchieri.

DECRETO NACIONAL 2742/90; indulto a Firmenich.

DECRETO NACIONAL 2743/90; indulto a Norma Kennedy.

DECRETO NACIONAL 2744/90; indulto a Duilio Brunello.

DECRETO NACIONAL 2745/90; indulto a José Alfredo Martínez de Hoz.

DECRETO NACIONAL 2746/90; indulto a Suárez Mason.

Si aceptamos que las palabras mantienen algún vínculo con la realidad que nombran, resulta interesante observar los frecuentes choques entre las palabras y las leyes.

En nuestra historia hubo, al menos, 206 moratorias impositivas. Cada una de aquellas moratorias fue "la última"; la última oportunidad, el último llamado, la última palabra. Ochenta y nueve de esas moratorias tuvieron alcance nacional, comprendidas por una ley complementaria, diecisiete decretos, cuarenta y cuatro resoluciones generales, seis circulares, diecisiete dictámenes, una instrucción y tres consultas. Noventa y cinco fueron dictadas en la provincia de Buenos Aires, junto a cinco leyes complementarias y once decretos. Éstas son algunas de ellas:

Ley Nacional N° 3188. Moratoria del Banco Provincial de Córdoba (1889)

Ley Nacional N° 3201. Prórroga de la moratoria del Banco de la Provincia de Buenos Aires.(1889)

Ley Nacional N° 3214. Moratoria de los bancos hipotecarios de las provincias de Buenos Aires y Córdoba.

Ley Nacional N° 3874. Prórroga de la moratoria del Banco Hipotecario de la Provincia de Buenos Aires. (1890)

Ley Nacional N° 3957. Moratoria del Banco Hipotecario de la Provincia de Córdoba. (1890)

Ley Nacional N° 4169. Moratoria del Banco de la Provincia de Buenos Aires. (1892)

Ley Nacional N° 11720. Moratoria para deudores del Banco Hipotecario Nacional.(1933)

Ley Nacional N° 11741. Moratoria hipotecaria. (1933)

Ley Nacional N° 12310. Moratoria hipotecaria. (1936)

Ley Nacional N° 12544. Liquidación de la moratoria hipotecaria.

Ley Nacional N° 15517. Moratoria para agricultores de la provincia de Mendoza, deudores de los Bancos Nación e Industrial. (1960)

Ley Nacional N° 16932. Condonación y moratoria impositiva. (1966)

Ley Nacional N° 17206. Moratoria previsional. (1967)

Ley Nacional N° 17220. Prórroga de la moratoria previsional. (1968)

Ley Nacional N° 17527. Moratoria previsional, prórroga del plazo para el pago de la tercera y cuarta cuota. (1967)

Ley Nacional N°17773. Moratoria previsional, prórroga del plazo para el pago de la cuarta cuota ya prorrogada. (1968)

Ley Nacional N° 20446. Impuestos, moratoria para empresas y organismos estatales. (1968)

Ley Nacional N° 20537. Condonación y moratoria impositiva. (1973)

Decreto Nacional sin número, 1891. Moratoria de los Bancos Nacional y Provincial de Buenos Aires.

Decreto Nacional 4012/44. Moratoria de obligaciones civiles y comerciales en la provincia de San Juan.

Decreto Nacional 849/58. Moratoria y condonación de sanciones impositivas.

Decreto Nacional 2318/62. Moratoria para el pago de servicios financieros de préstamos acordados por el gobierno nacional a asociaciones deportivas.

Decreto Nacional 13440/62. Moratoria de impuestos y condonación de sanciones.

Decreto Nacional 304/68. Moratoria previsional.

Decreto Nacional 366/73. Moratoria jubilaciones y pensiones.

Decreto Nacional 655/73. Prórrogas para el pago del impuesto al patrimonio neto y gravámenes de emergencia.

Decreto Nacional 217/76. Moratoria impositiva.

La primera moratoria nunca es un problema. El problema siempre lo constituye la segunda: ¿cómo evitar que el que pagó se sienta un idiota? ¿Cuál es el límite de distorsión en la palabra del Estado?

Algo similar ocurre con las "excepciones". La historia argentina es una historia de excepciones; lo verdaderamente extraño aquí es la regla.

La jurisprudencia muestra que hubo 854 excepciones a distintos impuestos, de las cuales setecientas sesenta y siete fueron a nivel nacional.

Hubo, en nuestra historia legal, 49 "pagos únicos y definitivos". ¿Cómo ser definitivo casi cincuenta veces? A través de 30 leyes impositivas, siete decretos reglamentarios, tres decretos, cinco resoluciones generales, dos dictámenes y dos consultas.

Tampoco nos ha faltado espontaneidad: hemos tenido 175 "presentaciones espontáneas".

Nuestra historia también registra 43 estados de emergencia económica y una larga lista de favorecidos por las exenciones: 21 leyes nacionales, 40 leyes complementarias, 32 decretos reglamentarios, 51 decretos, 8 resoluciones, 1 resolución conjunta, 31 resoluciones generales y 7 circulares.

Los "pagos por única vez" se registraron, hasta ahora, diecisiete veces.

Y hay, también, leyes que no tenemos derecho a conocer. Son las leyes secretas que, se supone, hacen a la seguridad del Estado, aunque generalmente se refieren a gastos extrapresupuestarios. Son las siguientes leyes secretas:

LEYES NACIONALES N°: 3954, 2851, 3060, 3061, 3225, 3235, 3357, 3450, 3743, 3954, 4035, 6283, 11266, 11378, 12511, 12672, 12690, 12691, 12936, 12937, 12940, 12941, 13220, 13564, 14041, 14047, 14096, 16916, 17112, 17266, 17459, 17488, 18236, 18302, 18378, 18431, 18503, 18623, 19083, 19137, 19173, 19193, 19248, 19302, 19348, 19373, 19867, 19896, 20168, 20195, 21359, 21627, 21681, 21705, 21770, 21774, 21863, 21887, 21989, 21996, 22033, 22085, 22122, 22215, 22281, 22489, 22559, 22642, 22862, 3410/44, 555/80, 17599, 17845, 17846, 17954, 17976, 18117, 18211, 18230, 18231, 18296, 18395, 18510, 18532,

18536, 18577, 18579, 18632, 18640, 18649, 18720,
18757, 18802, 18869, 18895, 18926, 18964, 19050,
19111, 19245, 19260, 19295, 19296, 19364, 19391,
19474, 19481, 19566, 19602, 19621, 19663, 19803,
19815, 19187, 19910, 19942, 19966, 19981, 19991,
19992, 20017, 20110, 20232, 20251, 20417, 21473,
21475, 21504, 21512, 21712, 21798, 21868, 21880,
22174, 22474, 22576, 22592, 22637.

LAS HORMIGAS
SEAN UNIDAS

Paul Samuelson, Premio Nobel de Economía en 1970, dijo alguna vez: "Están los países capitalistas, los socialistas y los del muy heterogéneo Tercer Mundo, pero eso no es suficiente, porque en realidad son cinco los sistemas. Hay dos países más a tener en cuenta en forma separada: Japón y la Argentina.

"¿Por qué? Porque no calzan en ninguna sistematización, son tan particulares e impredecibles que forman una categoría aparte." El razonamiento de Samuelson, en el fondo, parece argentino: ¿somos especiales hasta en nuestros defectos? Existe una "enfermedad argentina"? Los dos textos que siguen se reproducen tal cual fueron publicados, el primero por la Agencia Reuters y el segundo por la revista *Science*, dando en ambos casos crédito a los autores. Muestran que si nuestra economía es *sui generis*, nuestras hormigas también lo son:

LAS HORMIGAS PACÍFICAS HACEN EL AMOR, NO LA GUERRA

UNA INVESTIGACIÓN UNIVERSITARIA DEMOSTRÓ QUE LOS BUENOS SALEN ADELANTE, POR LO MENOS EN EL MUNDO DE LAS HORMIGAS. (Washington, agencia Reuters)
Por Maggie Fox, columnista de Salud y Ciencia.

"Un equipo de la Universidad de California San Diego en La Jolla descubrió que las hormigas pacíficas tienen una mayor prosperidad y más espectativa de vida que sus vecinas guerreras: el hecho de librar batallas y vigilar el territorio genera un gasto de tiempo y recursos que de otro modo pueden usar para reproducirse y encontrar comida, dijo David Holway, director del equipo de investigadores en la prestigiosa revista *Science.* Su equipo estudió especies de hormigas nativas de Argentina, conocidas como *Linepithema Humile.* En Argentina estas hormigas son extremadamente territoriales y agresivas, pero han sido trasplantadas a climas mediterráneos alrededor del mundo, y en tierras adoptivas las hormigas argentinas se vuelven muy pacíficas. El grupo armó cuarenta y cuatro colonias experimentales de hormigas argentinas y las dividió en pares; algunos pares se pelearon entre sí, pero la gran mayoría formó "supercolonias" pacíficas y cooperativas. A lo largo del experimento los trabajadores del grupo agresivo siguieron siendo agresivos (muchas veces, incluso, pelearon hasta la muerte), mientras que los grupos trabajadores no agresivos muy rara vez dieron señales de una conducta conflictiva. El índice de mortalidad *per capita* fue más alto en el grupo agresivo que en el otro. Las colonias agresivas pudieron conseguir menos comida, mientras las pacíficas tuvieron tres veces más cría (*baby ants*) y duplicaron su ejército de trabajadores. Holway dijo que los científicos notaron en las hormigas un comportamiento semejante al humano. "El paralelo con los humanos es absolutamente asombroso", dijo a Reuters en una entrevista telefónica. Las hormigas, por ejemplo, cultivan hongos y capturan esclavos, y sus estrategias de guerra son similares a las nuestras. El éxito de las hormigas argentinas tuvo mucho que ver con su ventaja numérica, dijo Holway. Cuando las hormigas argentinas compitieron con las nativas de California se multiplicaron geométricamente, superándolas en cantidad. Las guerras de las hormigas son del mismo tipo que las guerras humanas, y la ventaja numérica es importante. Pero Holway no iría tan lejos como para asegurar que su experimento constituye una lección para la humanidad: "No me gusta hacer esa clase de extrapolaciones. Además, si ser pacíficos y cooperativos fuera siempre una gran ventaja, más especies de hormigas lo intentarían, y no es eso lo que sucede.

Incluso las hormigas coooperativas no son siempre buenas, muchas veces son extremadamente agresivas frente a otras especies. Las hormigas argentinas que fueron trasplantadas a California aniquilaron a las especies nativas".”

Revista *Science*

UN PACTO DE NO AGRESIÓN MUTUO PUEDE AYUDAR A LAS HORMIGAS.
Por Evelyn Strauss

“Las hormigas argentinas se han convertido en una plaga mundial, asaltando cocinas desde San Francisco hasta Johannesburg para llevarse miguitas de tortas de chocolate y galletitas. Estas pequeñas invasoras son mucho más que una molestia: a menudo alteran ecosistemas y reducen la biodiversidad exterminando a las hormigas autóctonas. “Las hormigas argentinas son una de las dos o tres especies de hormigas que son un gran problema en muchas partes del mundo”, dice Daniel Simberloff, que estudia las invasiones biológicas en la Universidad de Tennesse, Knoxville. Un grupo liderado por Ted Case de la Universidad de California en San Diego, sugiere que uno de los secretos de su éxito es la armonía dentro de la especie. La mayoría de las hormigas defienden su territorio contra otras colonias, particularmente las de la misma especie. Pero las hormigas argentinas, lejos de su hogar sudamericano generalmente no pelean entre ellas, aunque sí atacan a otras hormigas. Ahora Case y sus colegas tuvieron la primera evidencia directa de algo que los ecólogos de hormigas han sospechado desde hace tiempo: las invasoras argentinas prosperan porque pierden un poco de agresividad hacia las de su tipo. “Al dejar de pelearse entre ellas, las hormigas argentinas superan a otros insectos”, dice Philip Ward, un biólogo de hormigas en la UC Davis.

CAPÍTULO CATORCE

Sonría, lo estamos Filmando

No alcanza una persona a recorrer los primeros mil metros del aeropuerto de Ezeiza y ya es altísima la posibilidad de que alguien, cualquiera, le pregunte:

—¿Qué piensa de la Argentina?

La pregunta figura en la agenda obligada de cualquier periodista a un visitante extranjero y las respuestas han sido, históricamente, sonrisas de compromiso, algún discurso sobre las carnes, la belleza de las mujeres o los edificios parisinos de Buenos Aires. Damos por supuesto que "todo el mundo" debe pensar alguna cosa sobre la Argentina.

Si un ingeniero finlandés aterriza en Hungría, nadie en su sano juicio le preguntaría qué piensa sobre aquel país. Tampoco a un húngaro en Helsinski, o a un hindú en las Filipinas. ¿Qué piensan los ecuatorianos sobre Suecia? ¿Y los checoeslovacos sobre Francia?

Sabemos —o sentimos— tan poco lo que somos que necesitamos algún testigo que nos lo confirme. La literatura de viajeros es, desde siempre, un clásico de nuestra Historia: ingleses, franceses, españoles dispuestos a escribir sobre sus experiencias en tierras tan lejanas. Entramos a esas páginas con la avidez de quien hojea en secreto un diario ajeno.

¿Somos verdaderamente eso que dicen de nosotros?

Si bien "nos morimos" por escuchar opiniones ajenas, sólo nos interesan las positivas; ante los comentarios cáusticos o las críticas llanas calificamos a quien los profiere como envidioso o atolondrado; después de todo, ¿quién fue a preguntarles nada?

La Argentina del Centenario fue el clímax de esa epidemia de inseguridad. "Con motivo del Centenario —escribió Santiago Rusiñol en *Un viaje al Plata*— nunca habíamos visto tantas banderas, ni tantos lacitos, ni tantas señales de patriotismo. Reíos de Segadors, de Marchas de Cádiz y de Marsellesas. Aquí, estáis comiendo: coméis la sopa, y dentro de la sopa va el himno, y os tenéis que poner de pie mientras lo tocan; sacan el principio, y un poco más de himno, y a los postres himno de gracias. Salís a la calle, y por todas pasan grupos cantándoos el himno, y al que no se quita el sombrero se lo quitan de un garrotazo; no hay estatua de caudillo ni de conmemoración a cuyo pedestal no canten el himno, y en los entreactos y en los cafés, y donde están de broma y donde están serios, llega siempre alguien a himnotizar. El delirio de la himnomanía patriotiza a todo el mundo, y no nos extrañaría que llegase el momento capital en que el argentino pidiese a su Gobierno sus ocho horas de himno".

El catalán Eduardo Gilimón, redactor del diario anarquista *La Protesta*, visitó aquella Argentina patriótica: "Un gobierno que —escribió— a pesar del talento del Dr. Pellegrini era la menor cantidad de gobierno posible: las finanzas desquiciadas, el crédito del país en plena bancarrota, la inmigración casi interrumpida, la moneda nacional depreciada y la intranquilidad en todas las esferas sociales eran la característica de esa época. (...) En la Bolsa se jugaba desenfrenadamente. (...) Los productos necesarios al consumo valían cuatro veces más, en tanto que los salarios continuaban lo mismo. (...) Empezó a germinar el odio al país juntamente con el odio al gobierno".

El escritor español Rafael Barret visitó la Argentina en 1903: "Chiquillos extenuados, descalzos, medio desnudos, con el hambre y la ciencia de la vida retratados en sus rostros graves, corren sin aliento, cargados de ejemplares del diario *La Prensa*, corren, débiles bestias espoleadas, a distribuir por la ciudad del egoísmo la palabra hipócrita de la democracia y del progreso, alimentada con anuncios de rematadores".

Jean Jacques Brousson recordó en *La Opinión* del 29 de diciembre de 1974 la visita de Anatole France a la Argentina. El premio Nobel de Literatura había estado en el país: "¿Alguien ha escrito sobre eso? Protesta Anatole France. ¿Hay en este país alguna Ilíada, alguna Odisea? ¿Hay pintura? ¿O es que los indios sólo se pintaban el cuerpo? Y en cuanto a literaturas se ponían algunas plumas en la cabeza. Salvajismo, inepcia... una roca es aquí una curiosidad. Si se quiere hacer una estatua, hay que traer el bloque de Europa. Se hace todo lo que se puede por ocultar tanta indigencia...".

Georges Clemenceau, quien dirigió el triunfo de los aliados en la Primera Guerra, visitó Argentina en el Centenario. Vio el Jockey Club y dijo: "Para explicar tanto dinero amontonado y hasta arrojado por las ventanas es preciso saber que todos los ingresos de los hipódromos, salvo un ligero descuento de la administración, vienen al Jockey Club que los emplea con total libertad (...) Tengo necesidad de decir que todos los paseos públicos y parques están superabundantemente adornados de esculturas y monumentos "decorativos" en los que se puede ejercer la crítica?". "Argentina crece —dijo antes de volver a Francia— gracias a que sus políticos dejan de robar mientras duermen."

El escritor colombiano José María Vargas Vila publicó en 1924 *Mi viaje a la Argentina*: "La carencia absoluta de originalidad es la distintiva de Buenos Aires en todo, desde sus escritores hasta sus escultores, hasta sus arquitectos y sus revolucionarios, hasta sus limpiabotas. Nada original, nada nuevo, nada suyo, todo importado, todo transportado, todo imitado. Ésta es la patria del plagio. (...) Si este progreso fuera obra de la raza argentina yo estaría orgulloso de él, pero los argentinos no han puesto en él sino su pasividad, *laisser faire*, ésa ha sido la divisa nacional; entregar así, inerme y sin defensa, el suelo de la patria para que lo beneficie el extranjero es una rara forma de patriotismo que no me creo en el deber de aplaudir. La conquista por el oro extranjero es más ultrajante que la conquista por el plomo extranjero. (...) Plaza del Congreso: El pensador, de Rodín, francés. Plaza San Martín: grupo admirable, Le Douté por H. Cordier, francés, Monumento a los Dos Congresos, italiano, un monolito que parece hecho de queso fresco, coronado por un caballo que tiene todo el aspecto de una vaca de leche y al pie, un globo muy semejante al queso gruyere con esta inscripción: "Homenaje de Suiza a la República Argentina; escultor suizo-francés..."

"¿Y el último argentino? ¿Dónde está? ¿Dónde está el último argentino?"

Nuevamente Rusiñol: "No hemos visto ningún país de todos los que conocemos en que los artistas y los poetas se alejen más del espíritu de su tierra natal. Por cada escritor que vaya vestido con las tradiciones de la pampa, hay cientos que viven con Verlaine, con Baudelaire, con el Sr. Pelletan, con D'Annunzio, con los decadentes. Y sueñan desde su rancho con casa de Maxim o con el Rat Mort; por cada pintor que pinte el Paraná hay veinte que pintan el Sena, y las vivas aguas de su río las destiñen con aguas muertas; y por cada autor dramático que arranque la vida de su pueblo, cincuenta la arrancan de otros dramas, y se ven Guignoles y se ven Ibsens enfriando el fuego de la tierra, como Verbenas y Revoltosas contrarrimando las danzas tristes de estas llanuras desoladas".

El filósofo alemán Germán Alejandro, Conde de Keyserling, visitó nuestro país en 1929 y dijo en la revista *Sur*: "La improvisación argentina, el santo horror que todos los argentinos tienen a la previsión, son otros síntomas. Lo mismo sucede con la generosidad típicamente americana. La generosidad en el sentido del vocablo español antiguo, desprendimiento. No se trata aquí de amplitud de miras, sino de un sentimiento ciego en sí mismo".

El escritor norteamericano Waldo Frank escribió sobre Palermo: "Este parque es un desmonte sin raíces que dan dignidad a la elegancia, ya que la pampa ha sido desterrada de Palermo. Hasta los árboles y las flores parecen haber sido plantadas aquí por un jardinero de Versailles, y no nacidos en la tierra que enciende sus colores".

Estos "cronistas del progreso" estaban ahí, arriba del ropero, rogándonos que fuésemos argentinos. Pero: ¿qué era ser argentinos? ¿Habíamos sido argentinos alguna vez? Y si fue así, ¿qué nos habían dicho entonces?

Los visitantes del Centenario tenían padres adoptivos: los viajeros ingleses de principios del siglo XIX. Aquellas eran crónicas impulsadas por la curiosidad, pero guiadas por el interés económico: ¿valía la pena dejar caer unas libras en aquellos confines?

Hacia 1830 John Parish Robertson había perdido toda su fortuna labrada en Argentina y volvió arruinado a Inglaterra. Su hermano William permaneció cuatro años más en Buenos Aires, pero luego también decidió volver. En 1838 publicaron los dos primeros volúmenes de *Letters on Paraguay, comprising an account of a four year's residence in that republic.* El libro se agotó en tres meses. En 1843 apareció, en tres volúmenes, *Letters on South America, comprising travels on the banks of the Paraná and Rio de la Plata,* publicado en Londres. La carta séptima se titula *Origen de Corrientes y de sus habitantes. Éstos pretenden descender de la mejor nobleza española. Reflexiones al respecto.* Y dice: "El orgullo de los correntinos en general, y en especial de las mujeres, reside en que su ciudad fue la primera que se fundó en el Río de la Plata. La verdad es que los españoles, después de descubrir el gran río, se dieron a remontarlo en busca de El Dorado, y en el sitio donde se halla hoy Buenos Aires no fundaron ninguna ciudad, dejando allí una pequeña colonia que luego fue destruida por los indios. El grueso de la expedición avanzó aguas arriba del majestuoso Río de la Plata hasta Corrientes y Paraguay. En el primero de estos lugares fue efectuada una fundación y los correntinos dicen que toda la noble sangre de España que componía aquella expedición afincó entonces en Corrientes. De ahí que ellos hagan remontar su ascendencia a los referidos nobles. Por eso miran con soberano desprecio a la gente de Buenos Aires, que consideran como advenediza y de casta inferior o mestiza". Los Robertson se equivocaban: Asunción, Buenos Aires y Santa Fe fueron fundadas antes que Corrientes, aunque sí era exacto —como se informa detalladamente en los primeros capítulos de este libro— que los fundadores de Buenos Aires fueron, en su mayoría, mestizos nacidos en el Paraguay. Siguen los hermanos viajeros: "Quizás pudiéramos atribuir esta sobreestimación de su propia ascendencia y de la pureza de sangre en los correntinos al estado primitivo de la sociedad en que viven, más primitivo que en lugares todavía más apartados de la capital del país, que es el punto central de su civilización. Porque los correntinos, y en especial lo que podríamos llamar la mejor sociedad, miran desde arriba y con desdén a los rivales, que consideran advenedizos. De ahí que cualquier alegría, frivolidad o moda procedente de la capital fuera tenida como un contagio peligroso para los hábitos puros e incontaminados, heredados de sus nobles e ilustres antecesores".

Dicen J. P y W. P. Robertson en *Cartas de Sudamérica*: "El contrabando está muy arraigado en el carácter español y cuando este fructífero árbol del mal fue transplantado de España a Sudamérica floreció allá con todo el vigor original de su suelo nativo. El contrabando, en las pequeñas sociedades coloniales, asalta la honradez de los guardianes de la renta pública bajo formas insidiosas: botellas de cerveza o de vino Carlón para la mesa de familia, lindos adornos para la sala, vestidos de raso y medias de seda para la esposa e hijas, doblones en forma de préstamos que no serán devueltos, favores que despiertan la tentación y que sería fácil no pedir pero resulta difícil rechazar cuando se ofrecen con insistencia. Así, en todas partes, estaban los cazadores furtivos infestando los dominios de la renta pública, y rara vez oí decir que se hubiera producido alguna refriega por el punto. (...) Conocí un capitán del Puerto en La Bajada que, en los tiempos del pillaje de Artigas, dio a novio de la hija, como dote de la futura desposada, un documento oficial que le permitía contrabandear en la República, porque le autorizaba a importar libre de derechos, como decía graciosamente el documento, dos cargamentos de mercaderías. La boda se realizó y el novio obtuvo, con esa ganga, una ganancia de tres mil libras esterlinas".

Para Samuel Haigh, llegado a Buenos Aires en 1817, "hay en la ciudad un aspecto desordenado e inconcluso que de todo tiene menos de agradable, exceptuando algunas calles, en las cercanías de la plaza, las casas son bajas y sucias, y ello ocurre en la progresión descendente a medida que se va hacia los arrabales. (...) El español hablado en Buenos Aires —escribe Haigh— podría decirse colonial o más bien provincial, y es cualquier cosa menos castellano puro. Muchas palabras de uso común se pronuncian en forma desdichada: caballo se pronuncia "cabadjo"; calle "cadje", y así sucesivamente. También hay muchas expresiones que, usadas en España con la mayor propiedad, sería peligroso emplearlas en Buenos Aires".

R. B. Cunninghame Graham relata en *Temas Criollos* sus peregrinaciones argentinas alrededor de 1870. "Nada más que pasto y cielo, cielo y pasto y luego aún más pasto y aún más cielo. Nada, porque pampa significa "el espacio", en quichua. Espacio vasto y vacío; es decir, vacío del hombre y de sus obras, pero lleno de sol y de luz y del aire más puro que pueda imaginarse", escribió. "¿Por qué no trabaja? Le preguntó Darwin a un gaucho. "No puedo, soy demasiado pobre", contestó. Asombro del gran naturalista. Sin embargo, la respuesta era evidente para quienes conocieran al gaucho: aquel hombre no tenía caballos. Dios lo había dejado a pie y un gaucho nunca trabajaba sino a caballo". Cunninghame Graham también advierte sobre el "odio eterno entre los que compran y los que venden", separados por la reja de pulpería.

El propio Darwin afirmó luego de visitar la Argentina en 1833: "Los habitantes respetables del país ayudan invariablemente al delincuente a escapar, parecería que el hombre ha pecado contra el gobierno y no contra el pueblo".

Y Einstein se preguntaba en 1925: "¿Cómo puede progresar un país tan desorganizado?".

DNI-ADN

¿Los países tienen personalidad? Una sociedad puede tener identidad? ¿Existen partes comunes en un todo heterogéneo? Si hay un "ser humano", que comparte características de la especie y de su época, ¿puede existir un "ser nacional"? En su brillante ensayo *Psicología de la Viveza Criolla*, Julio Mafud sostiene que: "El estudio del carácter nacional tiene una larga historia. Ya Tácito, César y Heródoto hablaron de él. El descubrimiento de algunos de los rasgos del ser nacional es siempre una toma de conciencia de un país con su realidad total".

Mikel Dufrenne, basándose en Kardiner, dice en su obra *La Personalidad Básica*: "Es una configuración psicológica particular, propia de los miembros de una sociedad dada y que se manifiesta en un cierto estilo de vida sobre el cual los individuos bordan sus variantes singulares: el conjunto de los rasgos que componen esa configuración (por ejemplo, cierta agresividad unida a ciertas creencias, a cierta desconfianza frente al otro, a cierta debilidad del superyó) merece ser llamada "personalidad básica", no porque constituya exactamente una personalidad, sino porque constituye la base de la personalidad para los miembros del grupo, la matriz dentro de la cual se desarrollan los rasgos del carácter". Erich Fromm escribió en el apéndice de

El miedo a la libertad: "Podemos denominar a esta parte "carácter social". Éste es necesariamente menos específico que el carácter individual. Al describir el segundo, debemos referirnos a la totalidad de los rasgos que, en su peculiar configuración, constituyen la estructura de la personalidad de este o aquel individuo. El carácter social, por el contrario, comprende tan sólo alguna selección de tales rasgos, a saber: el núcleo esencial de la estructura del carácter de la mayoría de los miembros de un grupo, núcleo que se ha desarrollado como resultado de las experiencias básicas y los modo de vida comunes del grupo mismo".

Durante años se pensó que el carácter nacional estaba asentado sobre una misma lengua, un mismo paisaje y una misma Historia. Como anota Mafud en su libro ya citado, "en la actualidad esto no es así: en Suiza se hablan hasta tres y cuatro idiomas, en Bélgica, dos; en España se emplean el catalán, el castellano, el vasco y el gallego, en Italia el toscano y varios dialectos". Tampoco puede afirmarse que haya muchos países con un solo paisaje, o una sola Historia.

Ortega y Gasset —sobre quien volveremos *in extenso* en el capítulo siguiente— sostiene que la identidad de un país está hecha de sus silencios, de lo implícito, de aquello que es tan nuestro que no tenemos necesidad de explicar, de lo sobre entendido.

¿Cuáles son, entonces, nuestras complicidades? ¿Qué es lo que nos *argentina* entre nosotros? ¿Qué cosas de mi identidad me *argentinan*?

Mafud señala: el desarraigo social, la viveza criolla, la insatisfacción afectiva, la sentimentalidad, el culto al coraje, el miedo al ridículo, el desprecio a la ley, el culto a la amistad, la exaltación yoísta, el no te metás, el culto materno, la irracionalidad-pálpito, el mimetismo europeísta, la soledad y la tristeza, como parte de la personalidad básica argentina. El indio, el gaucho y el inmigrante fueron, en la etapa constitutiva de nuestra personalidad básica, los opuestos, las personalidades básicas en pugna.

El anda siempre juyendo,
siempre pobre y perseguido
no tiene cueva ni nido
como si juera maldito!
Porque el ser gaucho...carajo!
El ser gaucho es un delito

JOSÉ HERNANDEZ
MARTÍN FIERRO

En sus crónicas de viaje, Salaverría anota que ya lo tártaros, como los gitanos, van en cuadrilla; pero el gaucho está sólo. Martínez Estrada dice sin rodeos que "gaucho" es "guacho", una persona sin origen. De hecho, huérfano es la definición en quichua de la palabra gaucho. Mafud observa que "el gaucho estaba, pero no influía en su mundo": el hombre estaba, pero podía no estar; el mundo era: no podía no ser. El gaucho, fatalista, se adaptó al mundo sin modificarlo. Nuestro poema nacional, el *Martín Fierro*, es el himno a un desertor que aconseja "hacerse amigo del juez". El "héroe" argentino es siempre un inadaptado, un extranjero en lo social; el gaucho carga con "algún pecao que pagar" que lo arrincona en el exilio interno. El gaucho huye hacia ninguna parte y su peor condena es el arraigo: quizá por eso no ama. Ni en *Facundo* ni en *Martín Fierro* hay mujeres. En eso el gaucho se refleja en el espejo melancólico del tango: Fierro se lamenta porque la autoridad destruyó a su familia, Moreira escapa porque le birlaron a la mujer. Para el gaucho, el amor era un ancla que lo ataba a la ciudad, a su derrota.

La mujer, que no tenía lugar en la sociedad, tampoco lo tuvo en su imaginario. Las oleadas inmigratorias acentuaron lo que Philip Guedalla llamó "la extraña pared medianera en que se divide el edificio social de Buenos Aires". José A. Wilde relata en *Buenos Aires, desde 70 años atrás*, que "las niñas salían en grupos a caballo, solas o acompañadas de jóvenes de su relación". Mafud agrega que la inmigración "escamoteó las mujeres a las calles. Las arterias nocturnas eran transitadas sólo por hombres, las mujeres que salían después de las diez eran perdidas o atorrantas. El equilibrio sexual y amoroso había quedado roto". Los inmigrantes habían llegado a "hacer la América" y volverse luego; por eso se oponían a que sus hijos de casaran con mujeres del lugar. Algo similar ocurría con los criollos: no querían que su familia se terminara separando. Los hombres iniciaron entonces la "caza" de la mujer. Dice Mafud: "Fuera de la mirada o el saludo, todo era pecado o tabú". Observa Huret en su libro de viaje *La Argentina*: "Juegan con ostentación el juego de las miradas porque es el único permitido para ellos". Dice Manuel Castro en *Buenos Aires de antes*: "Tanto abusaron los porteños del piropo que allá por el Centenario las autoridades se vieron obligadas a penar con multa de cincuenta pesos, o la detención equivalente, la falta de respeto a la mujer".

El Estado se entrometió en la relación entre los sexos: los lugares públicos, recreos o playas fueron clausurados o prohibidos. No se bailaba ni se cantaba. "El baile llegó a ser sinónimo de licencia y disolución", escribió Scalabrini Ortiz en *El hombre que está sólo y espera*. Por eso el tango comenzó siendo un baile de hombres solos. Los códigos sociales masculinos se endurecieron; para la "barra", el que estaba interesado por una chica era un "baboso". En el hombre germinó el miedo al ridículo, uno de los miedos nacionales. El enamorado era un "reblandecido" (mientras estar "endurecido" era una actitud claramente viril). Desde aquellos años el argentino nunca dirá "estoy enamorado", sino "estoy metido" o, ahora, "estoy enganchado", en ambos casos está metido en un pozo, en un lío, en un lugar de difícil escapatoria, en una situación violenta.

El miedo al ridículo abonará la "cachada" que, siguiendo a Mafud, es lo que mejor define a la viveza. Cachar viene de cazar, impone "hacer caer" a alguien. La "cachada" consiste en burlarse sin que el burlado lo perciba o lo compruebe (al menos hasta que luego se le advierta: *Ésta es una joda para Tinelli!*). Para eso es lícito cualquier medio: aprovecharse de su confianza, mentir o imaginar situaciones, estimular sus debilidades. La finalidad es hacerlo caer, ridiculizarlo. La cachada —sigue Mafud— nace y se incuba en la impotencia del candidato para ser lo que quiere ser, y tiene su origen en el temor pavoroso del ridículo, temor que quizás esté enraizado en el miedo que tenía el criollo de ser "sobrado" por el inmigrante. ¿Ser vivo es ser más capaz? No, es ser más vivo: "te lo digo yo", "antes de que me jodan, los jodo yo", "yo puedo ser tu padre", "pobre de vos, pibe", "lo tengo de hijo"...

Sostiene Mafud que "los motes, la viveza y la cachada son la creación más peculiar del arte popular argentino". Antonio Pillado en *Buenos Aires Colonial* da a conocer algunos de aquellos motes populares: al Virrey Cisneros lo apodaban "El sordo", al escribano Eufrasio Boiso, "Siete pelos", a la señora O'Gorman, "La Perichona". A los españoles: sarracenos, chapetones, gallegos, maturrangos, godos. Y los españoles llamaban a los patriotas: facciosos, impíos, herejes, libertinos, insurgentes. A Ortiz de Rosas lo llamaban "mulato", y Ortiz de Rosas es quien bautiza a Fructuoso Rivera como "Pardejón". Los federales llamaron "Loco" a Sarmiento, "Espada sin cabeza" a Lavalle, "Torquemada" a Anchorena y "La Peucelle" a Manuelita. En el gobierno de Juárez Celman casi todos tenían su apodo: a Mansilla se le llamaba "Mantequilla", al General Supisiche "Chupichiche", a Luis Sáenz Peña "El Pavo", a Nicolás Avellaneda "Taquitos", a Pellegrini "El Gringo", "El Zorro" a Roca y "El burrito cordobés" a Juárez Celman. Yrigoyen era el "Peludo" y Alvear "El Pelado".

El "vivo" no pelea, sino que toma ventaja. Para decirlo de otro modo: siempre juega de local; es él quien diseñó la trampa. El "vivo", el protagonista de la "cachada", nunca está sólo —de estarlo, toda la *mise en scene* perdería sentido— sino que su "viveza" tiene por fin básico el ser vista, el ser aprobada por los demás, por la "barra". Es una prueba de estudiantina en la que el vivo muestra que puede ser como cree que es.

El rol de la "mirada" del otro es fundamental en la constitución de la personalidad básica argentina. Por eso observa Ortega: "Yo diría que el criollo no asiste a su vida afectiva, sino que se ha pasado fuera de sí, instalado en la otra vida prometida".

¿Cuánta energía gastamos en nuestra "ficción de ser"? Ya Adler como Karen Horney, citados por Mafud, señalan que "cuantas más energías absorba la imagen del ideal, habrá menos energías disponibles para el verdadero yo. (...) Se imita lo que se quiere ser. Esta conducta en el argentino se hace aguda porque no se busca conciliar o coincidir la "pose" con el ser peculiar; por el contrario, se lo opone. El ser argentino se identifica místicamente con el personaje que ha elegido y se aleja de la orilla de su propio ser natural. Su "pose" le sirve para huir de la realidad. No es nunca una meta que el individuo se esfuerce en alcanzar, sino una idea fija que ya tiene y venera".

Actuamos nuestro destino; hemos vivido creyendo que somos lo que queremos ser. Una semilla viviendo una vida de árbol. No es casualidad que nuestro juego nacional de naipes sea el truco: ahí los sueños y la realidad son equivalentes; no importa tanto el juego que se tenga como la habilidad del jugador para mentirlo, para creerse ese juego que no está pero que le permitirá ganar.

EL HOMBRE DE LOS RAYOS EQUIS

A dos extranjeros corresponden las mejores descripciones del "alma argentina": José Ortega y Gasset, español, y Witold Gombrowicz, polaco. El primero sólo visitó la Argentina en tres oportunidades: 1916, 1928 y 1939; el segundo vivió en Buenos Aires y en Tandil entre 1939 y 1963.

Escribió Ortega sobre la Pampa y las promesas: "Los paisajes son organismos. No sólo hay en ellos cosas, sino que estas cosas son sus órganos y ejercen funciones intransferibles". Esos secretos, los del "desierto de la Pampa", escudriñará Ortega con insólita devoción ya que "hacía mucho tiempo que no me entregaba a ningún paisaje nuevo". Porque, explica, "la vida, en su madurez, si es leal consigo misma suele ser muy exigente y no se entrega a cualquier belleza transeúnte, sino que se reserva para darse no más a lo sutil. Por eso la mujer de treinta años es la mejor: ya no ama a cualquiera, sino que elige. Yo no creo que haya auténtico amor si no hay elección. Pero la elección es cosa mucho menos frecuente de lo que se supone: no consiste en preferir a un ser entre muchos que pueden ser amados. Con esta pseudo elección se contenta casi todo el mundo, y, sin embargo, de ella sólo puede nacer un pseudo amor. La verdadera elección consiste en no ser capaz de amar más que a un determinado ser-es el amor inalienable. En él llega el erotismo a su máxima potencia de delicia y de fatalidad". Amada, pues, la Pampa, Ortega observa: "Cualquier paisaje vive de su primer término, pero la pampa vive de su confín. En ella lo próximo es pura área geométrica, es simplemente tierra, mies, algo abstracto, sin fisonomía singular, igual allá que acá. No hay razón alguna para fijarse en este sitio más que en aquel o en otro cualquiera: el cobertizo, la vivienda parecen hechos para despegar la mirada, para que no se los vea. (...) La Pampa se mira comenzando por su fin, por su órgano de promesas (...) Acaso lo esencial de la vida argentina es eso, ser promesa. (...) El que llega a estas costas ve, "ante todo", lo de después: la fortuna si es *homo economicus*, el amor logrado si es sentimental, la situación si es ambiciosa. La Pampa promete, promete, promete... Todo aquí vive de lejanías y desde lejanías. Casi nadie está donde está, sino por delante de sí mismo, muy adelante en el horizonte de sí mismo y desde allí gobierna y ejecuta su vida de aquí, la real, presente y efectiva. La forma de existencia del argentino es lo que yo llamaría "el futurismo concreto de cada cual". No es el futurismo genérico de un ideal común, de una utopía colectiva, sino que cada cual vive desde sus ilusiones como si ellas fuesen ya la realidad. (...) Pero esas promesas de la Pampa tan generosas, tan espontáneas, muchas veces no se cumplen. Entonces quedan hombre y paisaje atónitos, reducidos al vacío geométrico, a la monotonía de su primer término. (...) En rigor, el alma criolla está llena de promesas heridas, sufre radicalmente de un divino descontento, siente dolor en miembros que le faltan y que, sin embargo, no ha tenido nunca. [Al hombre de la Pampa] la vida se le ha ido sin haber pasado. Para que nuestra vida fracase es menester que asistamos a su fractura, por tanto que la estemos viviendo. Pero si se me entiende con fino oído, yo diría que el criollo no asiste a su vida efectiva, sino que se la ha pasado fuera de sí, instalado en la otra, en la vida prometida.

"Se habla mucho de este país, se habla demasiado"—se sorprende Ortega— y éste es ya un problema curioso: la desproporción entre lo que aún es la Argentina y el ruido que produce en el mundo. (...) El anormal adelanto del Estado argentino revela la magnífica idea que el pueblo argentino tiene de sí mismo", señala Ortega en *El hombre a la defensiva*. "Pero la altanería de proyectos tiene algunos

inconvenientes —dice—. Cuánto más elevado sea el módulo de vida
a que nos pongamos, mayor distancia habrá entre el proyecto —lo
que queremos ser— y la situación real —lo que aún somos— (...) y
si de puro mirar el proyecto olvidamos que aún no lo hemos cumplido, acabaremos por creernos ya en perfección".

Ortega sostiene, en 1929, que "el argentino actual es un hombre a la defensiva. Si intentamos hablar con él de ciencia, de política,
de la vida en general, notamos que resbala sobre el tema. Como di-
rían los psiquiatras alemanes: que habla por delante de las cosas. Es
natural que sea así, porque su energía no está puesta sobre el asunto,
sino ocupada en defender su propia persona. Pero... ¿defenderla de
qué, si no lo atacamos? (...) Su actitud, traducida en palabras, signi-
ficaría aproximadamente esto: "Aquí lo importante no es eso, sino de
que se haga usted bien cargo de que yo soy nada menos que el redactor jefe del importante periódico X!". O bien: "Fíjese Usted que yo
soy profesor en la Facultad Z!" (...) En vez de estar viviendo activa-
mente eso mismo que pretende ser, en vez de estar sumido en su
oficio o destino, se coloca fuera de él y, cicerone de sí mismo, nos
muestra su posición social como se muestra un monumento (...) De
este modo su persona queda escindida en dos: su persona auténtica y
su figura social o papel. Entre ambas no hay comunicación efectiva.
Ya esto bastaría para explicarnos por qué nos es difícil la comunicación con este hombre: él mismo no comunica consigo".

Para Ortega, "el argentino es un hombre admirablemente do-
tado, que no se entrega a nada. (...) ¿Es el argentino un buen ama-
dor? —se pregunta—. ¿Tiene vocación de amar? ¿Sabe enajenarse?
O, por el contrario, más que amar él se complace en verse amado,
buscando así en el suceso erótico una ocasión más para entusiasmar-
se consigo mismo? (...) El argentino vive atento, no a lo que efectiva-
mente constituye su vida, no a lo que de hecho es su persona, sino a
una figura ideal que de sí mismo posee. (...) El argentino se gusta a sí
mismo, le gusta la imagen que de sí mismo tiene".

Para Ortega la falta de entrega de los argentinos también se
traduce en ausencia de vocaciones, o del compromiso para cumplir-
las. "Por ejemplo —dice— un joven argentino —casi, casi todo joven argentino— se ve a sí mismo como un posible gran escritor. Él

no lo es aún, pero su persona imaginaria lo es desde luego y lo que ve de sí mismo no es aquella su realidad, aún insuficiente, sino esta proyección en lo perfecto. Como es natural, está encantado con ese sí mismo que se ha encontrado, y ya no se preocupará en serio para hacer efectiva su posibilidad. No atenderá radicalmente a cuanto le vaya pasando de hecho en su existencia, a las ocupaciones que vaya ejerciendo, ni siquiera a lo que escriba, porque como nada de ello ni aun su producción es aún lo propio de un gran escritor, y él sabe que lo es, no tiene apenas que ver con él, no lo considera como su verdadera vida, sino como un mero acontecimiento externo que no merece formal atención. Sólo se hará solidario de lo único que está en su poder: el gesto y, en efecto, desde luego y sin descanso adoptará el gesto que a su juicio corresponde a un gran escritor. De aquí que con tanta frecuencia los escritores argentinos comiencen siendo grandes escritores. (...) El argentino típico —sentencia Ortega— no tiene más vocación que la de ser ya el que imagina ser. Vive, pues, entregado, pero no a una realidad, sino a una imagen".

Anclao
en Tandil

El 21 de agosto de 1939, Witold Gombrowicz desembarcó en la Argentina como uno de los invitados a la travesía inaugural del trasatlántico Chorbry. El estallido de la Segunda Guerra Mundial iba a determinar su exilio sudamericano de más de veinte años. *Diario Argentino, Peregrinaciones Argentinas, Diario y otros textos* son parte de aquella broma del destino que enjauló al mejor escritor polaco del siglo XX en la misteriosa apatía de la pampa. La mirada de Gombrowicz es tan lúcida y original como la de Ortega, pero nace en otro sitio: en Gombrowicz se desgarra la mirada del artista. Ortega es un filósofo, o sea, un niño genial: mira, divide, sintetiza y comprende. Gombrowicz es un escritor: pasa su dedo por el filo de la navaja.

"A veces voy en compañía de argentinos a fiestas polacas —escribe Gombrowicz en *Peregrinaciones Argentinas*—. Pues bien, un baile argentino es tranquilo, correcto, mediocre y monótono, no puede pasar nada escandaloso, todos tienen un aspecto correcto y visten correctamente, no verás nunca nada que te deje estupefacto... Mientras que una fiesta polaca es como una selva virgen, además forrada de abismos, en ella, junto a lo distinguido reina lo vulgar. (...) Este mundo argentino, aunque tan burgués, lo compararía al mundo de los militares y el mundo polaco, aunque tan heroico y caballeresco, al mundo de los actores". En *Demagogia en apuros*, Gombrowicz se transforma en un cronista político: "Este país tan aburrido que es Argentina, de un día para el otro se ha convertido en uno de los espectáculos más interesantes del mundo. Imagínense: hace un año Frondizi pronuncia los últimos discursos de su campaña electoral. El programa es de izquierdas, nacionalista... Los imperialistas fuera de nuestro petróleo! No seremos colonia de nadie! Viva la reforma agraria! (...) ¿Cómo no iba a despertar entusiasmo semejante programa? Frondizi sale elegido por una mayoría aplastante. El generoso presidente comienza su mandato con una subida de todos los salarios de un sesenta por ciento. Conmoción.(...) Apenas nueve meses más tarde, ese mismo Frondizi entrega la explotación del petróleo a los magnates extranjeros. Empieza a cerrar las empresas estatales y despide a los empleados. Abre de par en par las puertas del país al capital extranjero. Proclama el estado de sitio y sofoca la huelga general con el ejército. (...) Viaja a Estados Unidos y se besuquea con Eisenhower (...) Por primera vez ví la total y absoluta estupefacción de los argentinos... su aturdimiento... subida de precios! Mantequilla, periódicos, carne, autobuses... subida de precios! (...) En un mes todo ha subido en un cien, doscientos por ciento. (...) Al simple transeúnte de Buenos Aires algo se le había acabado. Se le había acabado la facilidad. Hasta entonces el país era tan rico que durante largos años había soportado de todo: la demagogia, la megalomanía, la fraseología, así como toda clase de teorías magníficas... ¿Y ahora? ¿De verdad habría llegado la hora de encontrarse cara a cara con la Realidad?". Observa Gombrowicz: "En el argentino anida el presentimiento nebuloso del imperio, presentimiento de que un día va a ser poderoso, de que caerá sobre sus hombros el peso del poder, de la lucha, de la responsabilidad, y cada uno de ellos, a pesar de su campechanía provinciana, alberga ese sueño imperialista". (...) "La catástrofe financiera es inminente. La prensa divulga rumores sobre un posible golpe de Estado. Se ha declarado el estado de sitio. Todas esas noticias me hubiesen aterrorizado de verdad si las hubiese leído en un periódico europeo, pero desde aquí todos esos sobresaltos toman un aire exótico, como si no se refiriesen a Argentina (...) En Argentina el fútbol es más importante que la política hasta en los momentos más históricos. Por otra parte, el argentino "nació un domingo" como dicen unos, o "nació cansado" como sostienen otros, y no hay fuerza capaz de obligarle a acortar su siesta".

Escribe Gombrowicz en su *Diario*: "Ah, si alguien pudiera destripar a este pueblo, por lo demás simpático, para vaciarlo de tanta fraseología! Esa burguesía que pasa aquí la tarde bebiendo vino y la mañana bebiendo mate es tan quejumbrosa! Si yo les dijera que en comparación con otros pueblos viven como reyes en esta maravillosa estancia suya, grande como media Europa, y si añadiera que no sólo no tienen porqué sentirse perjudicados, sino que la Argentina es un estanciero entre las naciones, un oligarca orgullosamente asentado en sus maravillosos territorios! Se ofenderían mortalmente...". "Sin embargo, llega el momento en que la Realidad empieza a mostrar los dientes. Y así, en Argentina, después de diez años de despilfarro, de subidas de sueldos, de ampliación francamente inconciente del aparato burocrático, de fabricación indiscriminada de papel moneda, ha aparecido el fondo del bolsillo y ha estallado una crisis como probablemente no hubo jamás en la historia del país. Que difícil les resulta comprenderlo!".

Gombrowicz asusta a las abuelitas literarias: trata de Borges como a alguien del montón, se burla de Victoria Ocampo, tilda de mediocres a la mayoría de los artistas argentinos: "Un argentino medianamente culto —escribe— sabe perfectamente que la creación argentina deja mucho que desear. No tenemos una gran literatura. ¿Por qué? ¿Por qué en nuestro país hay tal escasez de genios? Tanta anemia en la música, en la filosofía, en las artes plásticas, tanta falta de ideas, de hombres? (...) Y he aquí que de inmediato se multiplican las soluciones: "Vivimos con una luz prestada de Europa, ésa es la causa. Debemos encontrar al indio que desde hace cuatrocientos años duerme en nosotros!". Pero a otra fracción del nacionalismo le dan náuseas de sólo pensarlo: "Nuestra impotencia viene de nuestro alejamiento de la Madre Patria España y de la Santa Iglesia Católica!". Mientras, un joven fino del centro de Buenos Aires, regresa de un té en la casa de Victoria Ocampo con una *revue* parisina y un poema chino ilustrado con dibujos". (...) El argentino se pone entonces a demostrar que "nosotros" necesitamos una historia... Pero en realidad,

¿cómo es Argentina? ¿Cómo es "nosotros"? No se sabe. Si un inglés o un francés dice "nosotros", eso a veces puede significar algo... pero... ¿Argentina? Todo ese cuestionario del argentino: ¿quiénes somos? ¿Cuál es nuestra verdad? ¿A qué debemos aspirar?, tiene que terminar en un fracaso. (...) ¿Quieres saber como eres? No preguntes. Actúa. La acción te definirá y te determinará. Pero debes actuar como "yo", como individuo, porque sólo puedes estar seguro de tus propias necesidades". (Todo esto) debería hablarse en primera persona, no colectivamente. "Yo", "Mi problema", "Mi solución". Y, sin embargo, ningún argentino preguntará: ¿por qué yo no soy creativo? Su pregunta es: ¿Por qué nosotros no podemos crear? En este "nosotros", todo se diluye".

CONTINUARÁ...

BIBLIOGRAFÍA

Actas secretas del Congreso General Constituyente de las Provincias Unidas del Río de la Plata de 1816-1819, editado por la Junta de Historia y Numismática Americana, 1926.

Actividades políticas y económicas de los jesuitas en el Río de la Plata, Magnus Morner. Hyspamérica, 1985.

Acuerdos del Extinguido Cabildo de Buenos Aires, (1589-1667). Archivo General de la Nación, tomos 1 al 12, editados entre 1907 y 1914.

Acusación y Defensa de Rosas, Pedro de Angelis. Editorial La Facultad, 1946.

Adivinanzas rioplatenses, Robert Lehmann-Nietsche. Universidad Nacional de La Plata, 1911.

Alanís de Paz, un gobernador desconocido del Río de la Plata en el siglo XVI, Enrique de Gandía. Editorial García Santos, 1934.

Alem, informe sobre la frustración argentina, César Augusto Cabral. Peña Lillo, 1967.

Apellidos de la patria vieja, Luis Enrique Azarola Gil. La Facultad, 1942.

Argentina: historia de negocios lícitos e ilícitos, tomo I y II, León Pomer. Centro Editor de América Latina, 1993.

Argentinos en Londres, Mariano Antonio Barrenechea. Edición del autor, 1947.

Argirópolis, Domingo F. Sarmiento. Editorial Leviatán, 1997.

Bailes Tradicionales Argentinos, Carlos Vega. Editorial Julio Korn, 1944.

Bases y puntos de partida para la organización política de la República Argentina, Juan Bautista Alberdi. Imprenta de José Jacquin, Besanzon, Francia, 1856.

Breve Historia Contemporánea de la Argentina, Luis Alberto Romero. Fondo de Cultura Económica, 2001.

Breve Historia de la Arquitectura Argentina, Jorge Glusberg, tomo I. Editorial Claridad, 1991.

Breve Historia de la Telefonía Argentina, Ricardo T. Mulleady. Edición del autor, 1956.

Buenos Aires 1880-1930, Horacio Vázquez-Rial y otros. Alianza, 1996.

Buenos Aires, del Centro a los Barrios, James Scobie. Solar-Hachette, 1977.
Buenos Aires, desde sus orígenes hasta Hernandarias, Enrique de Gandía. Universidad de Buenos Aires, 1937.

Buenos Aires en el Centenario, Adolfo Saldías. Hyspamérica, 1988.
Buenos Aires en el siglo XVIII, R. De la Fuente Machaín. Secretaría de Cultura de la MCBA, 1980.

Buenos Aires: historias de las calles y sus nombres, tomos I y II, Vicente Osvaldo Cutolo. Elche, Buenos Aires, 1994.

Buenos Aires visto por viajeros ingleses 1800-1826, A. Gillespie y otros. Emecé, 1945.

Buenos Aires y el interior, Alejandro Gillespie. A-Z Editora, Sao Paulo, 1994.

Cartas a un amigo argentino, Witold Gombrowicz. Emecé, 1999.

Cartas de Sudamérica, J. P. y W. P. Robertson. Emecé, 2000.

Cartas sobre la prensa, Juan Bautista Alberdi. Imprenta de la Sociedad Anónima, 1873.

Comercio y Contrabando en el Río de la Plata y Chile 1700-1811, Sergio Villalobos R. EUDEBA, 1965.

Conquistadores, piratas, mercaderes, la saga de la plata española, Carlos M. Cipolla. Fondo de Cultura Económica, 1998.

Cosas de negros, Vicente Rossi. Hachette, 1958.

Crónica vecinal del 9 de julio, Buenaventura N. Vita. Taller de Impresiones Oficiales, La Plata, 1938.

Crónicas y linajes de la Gobernación del Plata, documentos inéditos de los siglos XVII y XVIII, Luis Enrique Azarola Gil. Editado por J. Lajouane, 1927.

Descripción de la Conquista, Reconquista y Gloriosa Defensa de la ciudad de Buenos Aires en la Invasión que los Ingleses hicieron en los años 1806-1807, anónimo.

Diario 2, Witold Gombrowicz. Alianza Tres, 1989.

Diario argentino, Witold Gombrowicz. Adriana Hidalgo Editora, 2001.

Digesto de Ordenanzas, Reglamentos, Acuerdos y Disposiciones. MCBA, 1884.

Documentos Históricos y Geográficos Relativos a la Conquista y Colonización Rioplatense, tomos 1 al 5, editados por la Comisión Oficial del Cuarto Centenario de la Primera Fundación de Buenos Aires, 1536-1936, Buenos Aires, 1941.

Efemérides sangrientas de la dictadura de Juan Manuel de Rosas, Mr. Aime Roger. Talleres Palumbo, 1911.

El amor de los extranjeros a la patria argentina, R. Mónner Sans. Editado por Lajouane, 1913.

El Código de Justicia Militar ante la Cámara de Diputados, J. M. Bustillo. Edición del autor, 1914.

El compadrito y su alma, Fernando Guibert. Editorial Perrot, 1957.

El conflicto y la entrevista de Guayaquil, Vicente Fidel López. C. Casavalle, 1884.
El desarraigo argentino, Julio Mafud. Editado por Americalee, 1959.

El escudo de armas de la Ciudad de Buenos Aires, Enrique Peña. Municipalidad de la Ciudad de Buenos Aires, 1972.

El Gaucho, Juan Carlos Guarnieri. Editorial Florensa & Lafon, Montevideo, 1967.

El Gaucho, Andrés M. Carretero. Editorial Escorpio, 1964.

El Gaucho, Argentina-Brasil-Uruguay, Emilio A. Coni. Ediciones Solar, Buenos Aires, 1945.

El Gaucho a través de los testimonios extranjeros (1773-1870).
Emecé Editores, 1947.

El himno nacional argentino, Carlos Vega. EUDEBA, 1962.

El Negro en las Américas, esclavo y ciudadano, F. Tannenbaum.
Paidós, 1968.

El pensamiento vivo de Sarmiento, Ricardo Rojas. Losada,
1983.

El petróleo argentino y la ruptura de los trusts..., Ingeniero
Enrique Mosconi. Librería El Ateneo, 1936.

*El precio de la libertad. La presión británica en el proceso eman-
cipador,* Ernesto J. Fitte. Emecé, 1965.

El Presupuesto Nacional, Alberto B. Martínez. Compañía
Sudamericana de Billetes de Banco, 1890.

El primer clérigo y el primer Obispo del Río de la Plata, Enrique de Gandía. García Santos, 1934.
El primitivo Buenos Aires, Héctor Adolfo Cordero. Plus Ultra, 1986.

El Puerto de Buenos Aires, 1536-1898, Eduardo H. Pinasco.
Talleres López, 1942.

*El Real Consulado de Buenos Aires durante las Invasiones In-
glesas 1806-1807,* Julio César González. La Sociedad de Historia Argentina, Buenos Aires, 1941.

El sillón de Rivadavia, Ismael Bucich Escobar. Ferrari Hermanos, 1936.

El supuesto retrato de Garay, Martiniano Leguizamón. Taller de Impresiones Oficiales, La Plata, 1910.

El tempe argentino, Marcos Sastre. Plus Ultra, 1974.

En el Océano (Viaje a la Argentina), Edmundo D'Amicis. Biblioteca de *La Nación*, 1909.

En torno a lo argentino, Federico M. Quintana. Editora Coni, 1941.

Estudios históricos, políticos y sociales sobre el Río de la Plata, D. Alejandro Magariños Cervantes. París, 1854.

Génesis del caudillismo argentino, Luis A. Lugones.

Glosario de la farsa urbana, Roberto Gache. Buenos Aires Cooperativa, 1919.

Grandes y pequeños hombres del Plata, Juan Bautista Alberdi. Plus Ultra, 1991.

Hambre y desnudeces en la Conquista del Río de la Plata, Enrique J. Fitte. Emecé, 1963.

Historia Colonial Argentina, Vicente G. Quesada. La Cultura Argentina, 1915.

Historia de Alonso Cabrera y de la destrucción de Buenos Aires en 1541, Enrique de Gandía. Librería Cervantes, Talleres Rosso, 1936.

Historia de la Bandera Argentina, Carlos A. Ferro. De Palma, 1991.

Historia de la disgregación rioplatense, René Orsi. A. Peña Lillo, 1969.

Historia de la Tortura y el Orden Represivo en la Argentina, Ricardo Rodríguez Molas. EUDEBA, 1985.

Historia de las Pulperías, Jorge A. Bossio. Plus Ultra, 1972.

Historia del alambrado en Argentina, Noel H. Sbarra. Editorial Raigal, 1955.

Historia del Puerto de Buenos Aires, tomo I, Eduardo Madero. Imprenta de la Nación, Buenos Aires, 1902.

Historias del Río de la Plata, Roberto Hosne. Planeta, 1998.

Historia de los Ferrocarriles Argentinos, Raúl Scalabrini Ortiz. Plus Ultra, 1964.

Historia de los Símbolos Nacionales Argentinos, Luis Cánepa. Albatros, 1979.

Historia Genealógica Argentina, Narciso Binayán Carmona. Emecé, 1999.

Indios y negros bajo el dominio español en Loja, Alfonso Anda Aguirre. Editado por Abya-Yala, Quito, Ecuador, 1993.

Invasiones inglesas, Jorge L. R. Fortín. Editora Lamsa, 1967.

Jockey Club, Conferencias del año 1923.

Juárez Celman, 1844-1909, Agustín Rivero Astengo. Editado por Guillermo Kraft, 1944.

La anarquía argentina y el caudillismo, Lucas Ayarragaray. Editado por J. Lajouane, 1925.

La Argentina del Centenario, Georges Clemenceau. Universidad de Quilmes, 1999.

La Argentina en la Exposición Universal de París de 1889, Colección de Informes reunidos por el Delegado del Gobierno Don Santiago Alcorta. Publicación oficial, París, 1890.

La Argentina y los Estados Unidos, 1810-1960, Harold F. Peterson, EUDEBA, 1970.

La Arquitectura Tradicional de Buenos Aires 1536-1870, Vicente Nadal Mora. Editorial Nadal Mora, 1947.

La Casa Cabildo de la ciudad de Buenos Aires, José Torre Revello. Imprenta López, 1951.

La democracia fraudulenta, por Rodolfo Puiggrós. Editorial Jorge Álvarez, 1968.

La entrevista de Bolívar y San Martín en Guayaquil, Camilo Destruge. Imprenta Municipal de Guayaquil, 1918.

La familia porteña en los siglos XVII y XVIII: historia de los divorcios en el período hispánico, Raúl A. Molina. Editado por Fuentes Históricas y Genealógicas Argentinas, 1991.

La guerra contra los indios, coronel Álvaro Barros. Imprenta de Mayo, 1875.

La Historia Argentina que muchos argentinos no conocen, Armando Alonso Piñeyro. Depalma, 1992.

La independencia argentina, E. M. Brackenridge. Talleres Rosso, 1927.

La Inquisición en el Río de la Plata, José Toribio Medina. Ediciones BEA, 1945.

La nacionalidad argentina, Luis J. Paez Allende. Sociedad Impresora Americana, 1945.

La nacionalidad de Ameghino, Alfredo J. Torcelli. Taller de Impresiones Oficiales, La Plata, 1936.

La Pampa, Alfredo Ebelot. Ciordia & Rodríguez, 1943.

La Pampa, José Hernández y otros. Emecé, 1946.

La Pampa Argentina, Romain Gaignard. Ediciones Solar, 1989.

La Patria de Juan de Garay, Enrique de Gandía. Universidad de Buenos Aires, Librería de A. García Santos, 1933.

La población de Buenos Aires y su descendencia, Hialmar Edmundo Gammalsson. Municipalidad de Buenos Aires, 1980.

La Primera Fundación de Buenos Aires, Manuela Fernández Reyna. El Ateneo Popular de La Boca, 1936.

La rebelión de 1767 en el Tucumán, Ernesto Oscar Acevedo. Universidad Nacional de Cuyo, Mendoza, 1969.

La República Argentina 37 años después de su Revolución de Mayo, "un ciudadano de aquel país" (Juan Bautista Alberdi). Imprenta del Mercado, Valparaíso, 1847.

La Revolución de Mayo, Juan Bautista Alberdi. Concejo Deliberante de Buenos Aires, 1960.

La saga de los Anchorena, Juan José Sebrelli. Sudamericana, 1985.

La taba y otros asuntos criollos, Alberto Buela. Ediciones Theoría, 2000.

La trata de negros en el Río de la Plata durante el siglo XVIII, Helena F. S. de Studer. Universidad de Buenos Aires, Instituto de Historia Argentina, 1958.

La verdad sobre la enfiteusis de Rivadavia, Emilio A. Coni. Universidad de Buenos Aires, Facultad de Agronomía y Veterinaria, 1927.

La verdad sobre el empréstito Baring, Juan Carlos Vedoya. Plus Ultra, 1971.

La vida de un traidor, el General Justo José de Urquiza, Federico de la Barra. Empresa Reimpresora y Administradora de Obras Americanas, 1915.

La vida intelectual en la América española durante la época colonial, Vicente G. Quesada. Arnoldo Moen y Hnos., 1910.

La yerba mate y Misiones, Leandro de Sagastizábal. Centro Editor de América Latina, 1984.

Las beldades de mi tiempo, Santiago Calzadilla. Imprenta de Jacobo Peuser, Rosario, 1891.

Las invasiones inglesas vistas a través de una nueva documentación, Ricardo R. Caillet-Bois.

Las invasiones inglesas y escenas de la independencia argentina, F. de Oliveira Cézar. Editado por Félix Lajouane, 1894.

Leopoldo Lugones, Jorge Luis Borges. Emecé, 1998.

Litigios de antaño, Raúl de Labougle. Editado por Coni, 1941.

Los afroargentinos de Buenos Aires, George Reid Andrews. Ediciones de la Flor, 1989.

Los argentinos y el status, Julio Mafud. Editado por Américalee, 1969.

Los negros en el Ejército: declinación demográfica y disolución, Francisco C. Morrone. Centro Editor de América Latina, 1995.

Los negros esclavos de Alta Gracia, Jeanette C. de La Cerda Donoso de Moreschi y Luis J. Villarroel. Ediciones del Copista, Córdoba, 1999.

Los torturadores, Raúl Lamas. Editorial Lamas, 1956.

Lotería Nacional, Oscar Horacio Elía y Publio Tomás Pardo. Edición de los autores, 1974.

Mar del Plata, Historia desde su fundación hasta nuestros días, 1875-1920, por Enrique Alió. Talleres Rosso, 1924.

Meditación del Pueblo Joven y otros ensayos, José Ortega y Gasset. Alianza Editorial, 1995.

Memorias de los Virreyes del Río de la Plata. Editorial Bajel, 1945.

Mentalidades argentinas, A. J. Pérez Amuchástegui. EUDEBA y Ediciones Colihue, 1988.

Mitre, hombre de Estado, Enrique de Gandía. Imprenta Coni, 1940.

Mujeres Argentinas, María Esther de Miguel y otros. Alfaguara, 1998.

Naufragios, Alvar Núñez Cabeza de Vaca. Hyspamérica, 1982.

Notas de Trabajo, José Ortega y Gasset. Alianza Editorial, 1994.

Notas e impresiones, Miguel Cané. La Cultura Argentina, 1918.

Nuestra raza y la condición del extranjero en la Argentina, Manuel A. Zuloaga. Ferrari Hnos., Buenos Aires, 1931.

Nueva imagen de Juan Manuel de Rosas, Arturo Capdevila. Atlántida, 1956.

O juremos con gloria morir, Esteban Buch. Sudamericana, 1994.

Obras Completas de José Ortega y Gasset, tomos II, VI y VIII. Alianza Editorial, Madrid, 1983.

Observaciones sobre la tortura, Pietro Verri. Ediciones Depalma, 1977.

Once años en Buenos Aires, John Murray Forbes. Emecé, 1956.

Orígenes del Fuerte de Buenos Aires, César Blaquier Casares y Enrique de Gandía. Editorial La Facultad, 1937.

Ortega y la Argentina, E. Aguilar y otros. Fondo de Cultura Económica, 1997.

Páginas de un estadista, Bernardino Rivadavia. Editorial Elevación, 1945.

Pensamientos, máximas, sentencias,etc. de escritores, oradores, y hombres de Estado de la República Argentina, Juan María Gutiérrez. Imprenta de Mayo, 1859.

Peregrinaciones argentinas, Witold Gombrowicz. Alianza Tres, 1984.

Política Británica en el Río de la Plata, Raúl Scalabrini Ortiz. Editorial Reconquista, 1940.
Psicología de la Viveza Criolla, Julio Mafud. Ediciones Distal,1988.

¿Qué es el ser nacional?, J. J. Hernández Arregui. Editorial Hachea, 1963.

Quilmes ayer y hoy, León Benarós. Fundación Banco Boston, 1987.

Racismo y discriminación en Argentina, Víctor Ramos. Editorial Catálogos, 1999.

Renunciamientos de San Martín, Comisión Nacional Ejecutiva de Homenaje al Bicentenario del Nacimiento del General San Martín, 1978.

Rivadavia, Andrés Lamas. Sopena, 1939.

Rivadavia y la simulación monárquica de 1815, Carlos Correa Luna. Editado por W. M. Jackson, 1929.

Rosas, Antonio Dellepiane. Editado por Santiago Rueda, 1950.

Rosas en el destierro, Antonio Dellepiane. Talleres Rosso, 1936.

Rosas y el federalismo argentino, Fernando Sabsay. Editorial Ciudad Argentina, 1999.

San Martín, Patricia Pasquali. Planeta, 1999.

Sociología Argentina, José Ingenieros. Talleres Rosso, 1918.

Supersticiones del Río de la Plata, Daniel Granada. Editado por Guillermo Kraft, 1947.

Temas Criollos, R. B. Cunninghame Graham. Emecé, 1984.
Teoría del argentino, Arturo López Peña. Editorial Abies, 1958.

Testimonios, Victoria Ocampo. Sudamericana, 1946.

Tierra Argentina, José María Salaverria. Librería de Fernando Fe, Madrid, 1910.

Trabajos Preliminares y antecedentes del Primer Censo de Población de la Nación Argentina. Publicación oficial, 1869.

Tratado de Policía Argentina, Luis Manso Soto. Gobierno de la Provincia de Buenos Aires, 1947.

Trilogía de la trata de blancas, por Julio L. Alsogaray. Edición del autor, 1933.

Un viaje al Plata, Santiago Rusiñol. Editado por V. Prieto, Madrid, 1911.